AFGESCHREVEN

Uitverkoren

P.C. Cast & Kristin Cast bij Boekerij:

Verkozen
Verraden
Uitverkoren

www.boekerij.nl

P.C. Cast & Kristin Cast

Uitverkoren

BOEKERIJ

Eerste druk mei 2011
Tweede druk juli 2011

ISBN 978-90-225-5715-0
NUR 280

Oorspronkelijke titel: *Chosen*
Oorspronkelijke uitgever: St. Martin's Press, LLC
Vertaling: Henny van Gulik
Omslagontwerp: Erin M. Fiscus en DPS design & prepress services,
Amsterdam
Omslagbeeld: © Alamy
Zetwerk: CeevanWee, Amsterdam

Dit boek is voor al die mensen die ons per e-mail hebben laten weten dat ze maar niet genoeg krijgen van Zoey en haar clubje. Wij hartje jullie!

1

'Ja, mijn verjaardag is altijd zwaar kut,' zei ik tegen mijn kat Nala.

(Oké, eerlijk gezegd is ze niet zozeer mijn kat, maar ben ik haar persoon. Je weet hoe dat is met katten: ze hebben geen eigenaar, maar personeel. Een feit dat ik meestal probeer te negeren.)

Hoe dan ook, ik bleef tegen de kat praten alsof ze aan mijn lippen hing, wat écht niet het geval was. 'Zeventien jaar van kut-24-december-verjaardagen. Ik ben er inmiddels echt wel aan gewend. Lekker belangrijk.' Ik wist dat ik dit alleen maar zei om mezelf te overtuigen. Nala 'mi-uf-auwde' tegen me met haar mopperige oudevrouwtjeskattenstemmetje en ging rustig haar edele delen zitten likken, waarmee ze duidelijk liet merken dat ik volgens haar behoorlijk uit mijn nek zat te kletsen.

'Weet je wat er gaat gebeuren?' vervolgde ik terwijl ik een beetje eyeliner op mijn ogen aanbracht. (En ik bedoel echt 'een beetje'; zo'n dikke zwarte lijn die je het aanzien geeft van een enge wasbeer is niet mijn ding. Eigenlijk vind ik dat bij iedereen afzichtelijk.) 'Ik krijg een zootje goedbedoelde cadeautjes die niet echt verjaarscadeaus zijn, maar spullen met een kerstthema omdat iedereen altijd probeert om mijn verjaardag aan Kerstmis te koppelen, en daar word ik nou echt niet blij van.' Nala keek me met haar grote, groene ogen in de spiegel aan. 'Maar we gaan lachen en net doen alsof we blij zijn met die suffe verjaarskerstcadeautjes omdat mensen gewoon niet begrijpen dat je een verjaardag niet aan Kerstmis kunt koppelen. Tenminste niet met succes.'

Nala niesde.

'Dat vind ik nou ook, maar we gaan toch mooi weer spelen omdat het nog erger is als ik er iets van zeg. Dan krijg ik niet alleen waardeloze cadeaus, maar raakt iedereen ook nog overstuur, en dat komt de sfeer niet bepaald ten goede.' Nala leek niet overtuigd, dus concentreerde ik me op mijn spiegelbeeld. Heel even dacht ik dat ik toch te kwistig met de eyeliner was geweest, maar toen besefte ik dat het niet de eyeliner was die mijn ogen zo groot en donker liet lijken. Hoewel ik al twee maanden geleden was gemerkt om een vampier te worden, verbaasde ik me nog steeds over de saffierblauwe tatoeage van een maansikkel tussen mijn ogen en de krullende lijnen, fijn en kantachtig, die mijn gezicht omlijstten. Ik volgde een van de lijnen met mijn vingertop. Toen, bijna zonder nadenken, trok ik de wijde hals van mijn zwarte trui naar beneden zodat mijn linkerschouder bloot kwam te liggen. Met een hoofdbeweging zwiepte ik mijn lange, donkere haar naar achteren zodat het opmerkelijke patroon van tatoeages dat zich vanaf mijn hals over mijn schouder verspreidde en daarvandaan aan weerszijden van mijn ruggengraat tot onder aan mijn rug liep, zichtbaar was. Zoals altijd bezorgde de aanblik van mijn tatoeage me een huivering van deels verwondering en deels angst.

'Je bent anders dan anderen,' fluisterde ik tegen mijn spiegelbeeld. Toen schraapte ik mijn keel en vervolgde met een overdreven opgewekte stem: 'En het is oké om anders dan anderen te zijn.' Ik rolde met mijn ogen naar mezelf. 'Het zal wel.' Ik keek naar boven, bijna verbaasd dat het niet zichtbaar was. Ik bedoel, ik had de afgelopen maand zo sterk het gevoel dat er een gigantische donkere wolk boven mijn hoofd hing. 'Jezus, ik sta er eigenlijk van te kijken dat het hierbinnen niet regent. Zou dat niet geweldig voor mijn haar zijn?' zei ik sarcastisch tegen mijn spiegelbeeld. Toen pakte ik met een zucht de envelop die ik op mijn bureau had gelegd. DE FAMILIE HEFFER stond er in goudreliëf boven het glinsterende retouradres. 'Over deprimerend gesproken...' mompelde ik.

Nala niesde weer.

'Je hebt gelijk. Ik kan maar beter door de zure appel heen bijten.' Met tegenzin maakte ik de envelop open en haalde de kaart eruit. 'Ah, jezus. Nog erger dan ik dacht.' Op de voorkant van de kaart stond een groot houten kruis. Genageld aan het kruis (met een bloedige spijker) zat een perkamentrolachtig papiertje. Daarop stond geschreven (in bloed, natuurlijk): *Het kerstfeest draait om Hem.* Binnen in de kaart stond gedrukt (in rode letters): VROLIJK KERSTFEEST. Daaronder stond, in het handschrift van mijn moeder: *Ik hoop dat je aan je familie denkt in deze gezegende tijd van het jaar. Gefeliciteerd met je verjaardag, liefs, mam en pap.*

'Typisch mijn moeder!' zei ik tegen Nala. Ik had pijn in mijn buik. 'En hij is mijn vader niet.' Ik scheurde de kaart doormidden, gooide hem in de prullenbak en staarde naar de twee helften. 'Als mijn ouders me niet negeren, beledigen ze me. Ik heb liever dat ze me negeren.'

Ik schrok toen er op de deur werd geklopt.

'Zoey, iedereen vraagt waar je blijft,' riep Damien door de deur.

'Een ogenblikje nog, ik ben bijna klaar,' schreeuwde ik. Ik schudde mezelf mentaal door elkaar, wierp nog een laatste blik in de spiegel en besloot, lekker obstinaat, om mijn schouder bloot te laten. 'Mijn merktekens zijn bijzonder; heel anders dan die van anderen. Ik kan de massa net zo goed iets geven om onder het smoezen naar te gapen,' mompelde ik.

Toen slaakte ik een zucht. Ik ben doorgaans niet zo humeurig. Maar mijn kutverjaardag, mijn kutouders...

Nee. Ik kon niet tegen mezelf blijven liegen.

'Was Stevie Rae maar hier,' fluisterde ik.

En dat was het. Dat was wat de afgelopen maand als een enorme, drukkende, weerzinwekkende regenwolk tussen mij en mijn vrienden (inclusief mijn vriendjes, allebei) had gehangen. Ik miste mijn hartsvriendin en ex-kamergenote, die iedereen een maand geleden had zien sterven, maar die in feite in een ondood wezen van de nacht was veranderd. Hoe melodramatisch en B-filmachtig dat ook klonk. Op dit moment was Stevie Rae – terwijl ze eigenlijk beneden had moeten zijn, druk in de weer met allerlei onzinnige plannetjes voor mijn verjaardag – ergens in de oude tunnels onder Tulsa, waar ze met andere weerzinwekkende ondode wezens samenspande, wezens die niet alleen door en door kwaadaardig waren maar ook nog eens stonken.

'Eh, Z? Is alles wel goed met je?' riep Damien, waarmee hij mijn mentale gezwam onderbrak. Ik pakte Nala op, die luidkeels klaagde, keerde de afschuwelijke verjaarskaart van mijn ouders de rug toe en snelde de deur uit, waarbij ik bijna een bezorgd kijkende Damien ondersteboven liep.

'Sorry... sorry...' mompelde ik. Hij kwam naast me lopen en wierp me vluchtige, zijdelingse blikken toe.

'Ik heb nog nooit iemand gekend die zo nuchter was als jij over z'n verjaardag,' zei Damien.

Ik liet Nala, die zich in allerlei bochten wrong, los, haalde mijn schouders op en deed een poging tot een achteloos lachje. 'Ik oefen vast voor wanneer ik stokoud ben, dertig of zo, en ik over mijn leeftijd moet liegen.'

Damien bleef staan en draaide zich met zijn gezicht naar me toe. 'Okééééééé.' Hij rekte het woord uit. 'We weten allemaal dat dertig jaar oude vampiers er nog altijd uitzien als spetters van een jaar of twintig. Het is zelfs zo dat honderddertig jaar oude vampiers er nog altijd uitzien als spetters van een jaar of twintig. Dus dat gedoe over liegen over je leeftijd slaat nergens op. Wat zit je nou écht dwars?'

Terwijl ik aarzelde en probeerde te bedenken wat ik Damien moest of kon vertellen, trok hij een keurig geëpileerde wenkbrauw op en zei op zijn beste onderwijzerstoon: 'Je weet hoe gevoelig mijn soort is voor emoties, dus je kunt het net zo goed opgeven en me de waarheid vertellen.'

Ik slaakte weer een zucht. 'Jullie gays zijn intuïtief op het bizarre af.'

'Inderdaad. Wij homo's zijn een trots, o zo gevoelig, select clubje.'

'Is homo niet een scheldwoord?'

'Niet als een homo het zegt. À propos, je draait eromheen, maar zo makkelijk kom je niet van me af.' Hij zette zowaar zijn hand op zijn heup en tikte met zijn voet op de vloer.

Ik glimlachte naar hem, maar wist dat mijn ogen niet meelachten. Met een heftigheid die me verraste wilde ik Damien plotseling wanhopig graag de waarheid vertellen.

'Ik mis Stevie Rae,' flapte ik er uit voor ik de woorden kon tegenhouden.

Hij aarzelde niet. 'Dat weet ik.' Zijn ogen waren verdacht vochtig.

En dat was genoeg. De woorden stroomden naar buiten alsof er in mijn binnenste een dam was doorgebroken. 'Ze had hier moeten zijn! Ze zou als een gek rond moeten rennen om de boel te versieren voor mijn verjaardag en ze zou waarschijnlijk in haar eentje een taart voor me hebben gebakken.'

'Een afschuwelijke taart,' zei Damien sniffend.

'Ja, maar het zou een van haar mama's lievelingsrecepten zijn,' zei ik, waarbij ik Stevie Raes Oklahoma-countryaccent op een overdreven manier nadeed. Ik moest lachen door mijn tranen heen, en ik bedacht dat het eigenlijk heel raar was dat nu ik Damien liet zien hoezeer ik van streek was, en waarom, mijn glimlach ook mijn ogen bereikte.

'En de tweeling en ik zouden pissig zijn geweest omdat ze per se zou hebben gewild dat we zo'n puntig feesthoedje opzetten met zo'n elastiekje dat in je keel snijdt.' Hij huiverde van niet-geveinsde afschuw. 'God, wat een afzichtelijke dingen.'

Ik lachte en voelde de spanning in mijn borst iets afnemen. 'Iets aan Stevie Rae maakt me blij.' Ik besefte pas dat ik de tegenwoordige tijd had gebruikt toen Damiens betraande glimlach wankelde.

'Ja, ze wás geweldig,' zei hij, met extra nadruk op 'was', terwijl hij me aankeek alsof hij zich zorgen maakte over mijn geestelijke gezondheid.

Wist hij maar de hele waarheid. Kon ik hem maar alles vertellen.

Maar dat kon ik niet. Als ik dat deed, zou het of Stevie Raes of mijn dood worden. Onherroepelijk deze keer.

In plaats daarvan pakte ik mijn duidelijk bezorgde vriend bij de arm en trok hem mee naar de trap die naar de gemeenschappelijke ruimte van het meisjesverblijf en naar mijn wachtende vrienden (en hun mallotige cadeautjes) leidde.

'Kom op. Ik voel de behoefte opkomen om cadeautjes open te maken,' loog ik enthousiast.

'O mijn god! Ik kan niet wáchten tot je dat van mij openmaakt!' zei Damien dweperig. 'Ik heb er een eeuwigheid naar gezocht!'

Ik glimlachte en knikte beleefd terwijl Damien alsmaar doorkwebbelde over zijn speurtocht naar het perfecte cadeau. Doorgaans doet hij niet zo vreselijk nichterig. Hij is natuurlijk absoluut homo, maar hij is ook een lange, bruinharige spetter die afgaand op zijn uiterlijk echt wel een fantastisch vriendje voor iemand zou kunnen zijn (wat hij ook is... als je een jongen bent). Hij is geen nichterig type, maar zodra hij over shoppen begint vertoont hij opeens meisjesachtige neigingen. Niet dat ik dat niet leuk vind aan hem. Ik vind hem schattig als hij dweept met hoe belangrijk het is om echt goede schoenen te kopen, en op dat moment had zijn gebabbel een kalmerende invloed op me. Het hielp me om me voor te bereiden op de vreselijke cadeautjes die (triest genoeg) op me lagen te wachten.

Jammer genoeg kon het me niet helpen bij wat me werkelijk dwarszat.

Nog steeds babbelend over zijn zoektocht naar het perfecte cadeau, leidde Damien me door de gemeenschappelijke zitkamer van het meisjesverblijf. Ik wuifde naar de diverse groepjes meisjes die om de flatscreen-tv's zaten, terwijl wij naar het zijkamertje doorliepen dat dienstdeed als computerruimte en bibliotheek. Damien opende de deur en mijn vrienden begonnen uit volle borst en volslagen vals 'Lang zal ze leven' te zingen. Ik hoorde Nala blazen en zag haar vanuit mijn ooghoek achteruit bij de deur weglopen en door de gang wegtrippelen. Lafaard, dacht ik, al was ik maar wat graag met haar meegevlucht.

Mijn vrienden waren (godzijdank) uitgezongen en dromden om me heen.

'Gefeliciteerd!' zei de tweeling in koor. Nou ja, ze zijn niet echt een tweeling. Erin Bates is een erg wit meisje uit Tulsa en Shaunee Cole is een beeldschoon caramelkleurig meisje van Jamaicaans-Amerikaanse afkomst dat in Connecticut is opgegroeid, maar die twee zijn zo bizar hetzelfde dat huidskleur en afkomst er helemaal niet toe doen. Ze zijn zielsverwanten en dat is veel hechter dan alleen maar biologie.

'Gefeliciteerd, Z,' zei een diepe, sexy stem die ik echt heel goed kende. Ik maakte me los uit de tweelingsandwich en liep in de armen van mijn vriendje Erik. Nou, technisch gesproken is Erik een van mijn vriendjes. De andere is Heath, een menselijke tiener met wie ik verkering had voor ik werd gemerkt en met wie ik nu eigenlijk niet meer zou mogen omgaan, maar ik heb zeg maar per ongeluk zijn bloed opgezogen en nu draagt hij mijn stempel en dus is hij mijn vriendje bij verstek. Ja, het is verwarrend. Ja, het maakt Erik razend. Ja, ik verwacht dat hij me een dezer dagen om die reden dumpt.

'Dank je wel,' prevelde ik, en toen ik naar hem opkeek, raakte ik weer helemaal in de ban van zijn ogen. Erik is lang en een spetter, met Superman-donker haar en ongelooflijk blauwe ogen. Ik ontspande me in zijn armen, een traktatie die ik mezelf de afgelopen maand maar zelden had gegund, en koesterde me tijdelijk in zijn verrukkelijke geur en het gevoel van geborgenheid dat ik in zijn nabijheid ervoer. We keken elkaar aan, en net als in de film leek het heel even alsof iedereen verdween en wij alleen met z'n tweeën waren. Toen ik me niet uit zijn armen losmaakte, glimlachte hij langzaam en ietwat verbaasd, wat me een steek in mijn hart bezorgde. Ik had hem het leven knap zuur gemaakt en hij begreep eigenlijk niet echt waarom. In een impuls ging ik op mijn tenen staan en zoende hem, tot algemene hilariteit van mijn vrienden.

'Zeg, Erik, waarom deel je niet wat van dat verjaarslekkers rond?' Shaunee trok haar wenkbrauwen op naar mijn grijnzende vriendje.

'Ja, lekker ding,' zei Erin, en zoals het een tweeling betaamt, trok ze haar wenkbrauwen op net als Shaunee. 'Wat dacht je van een klein verjaarskusje hier?'

Ik rolde met mijn ogen naar de tweeling. 'Eh, het is niet zíjn verjaardag, hoor. Er wordt alleen maar gezoend met de jarige.'

'Verdomme,' zei Shaunee. 'Ik ben dol op je, Z, maar jou wil ik niet zoenen.'

'Alsjeblieft, zeg, geen gezoen met dezelfde sekse,' zei Erin, en toen grijnsde ze naar Damien (die vol aanbidding naar Erik keek). 'Dat laat ik aan Damien over.'

'Hè?' zei Damien, die duidelijk meer aandacht had voor Eriks aantrekkelijkheden dan voor de tweeling.

'We zeggen het nogmaals...' begon Shaunee.

'Verkeerde team!' maakte Erin de zin af.

Erik lachte vriendelijk, gaf Damien een bijzonder mannelijke stoot op de arm en zei: 'Hoor eens, als ik ooit besluit om van team te veranderen, dan ben jij de eerste die het hoort.' (Weer een reden waarom ik hem aanbid. Hij is megacool en populair, maar hij accepteert mensen zoals ze zijn en neemt nooit zo'n houding aan van ik-ben-je-van-het.)

'Eh, ik hoop eigenlijk dat ík de eerste ben die het hoort als je besluit om van team te veranderen,' zei ik.

Erik lachte, knuffelde me en fluisterde in mijn oor: 'Daar hoef jij je echt geen zorgen over te maken.'

Terwijl ik ernstig overwoog om nog een Erik-zoen te stelen, kwam een miniatuurtornado in de vorm van Damiens vriendje, Jack Twist, de kamer binnenstormen.

'Hoera! Ze heeft haar cadeautjes nog niet uitgepakt. Hartelijk gefeliciteerd, Zoey!' Jack sloeg zijn armen om ons heen (ja, om Damien en mij) en omhelsde ons innig.

'Ik zei toch dat je moest opschieten,' zei Damien, terwijl we ons van elkaar losmaakten.

'Dat weet ik, maar ik moest het precies goed inpakken,' zei Jack. Met een zwierig gebaar dat alleen een gay kan klaarspelen, stak hij zijn hand in de herentas die over zijn arm hing en haalde een pakje tevoorschijn waar rood folie omheen zat en dat was versierd met een glinsterende groene strik die bijna groter was dan het pakje zelf. 'Ik heb de strik zelf gemaakt.'

'Jack is erg creatief,' zei Erik. 'Waar hij niet zo goed in is, is opruimen na het botvieren van zijn creatieve lusten.'

'Sorry,' zei Jack innemend. 'Ik beloof je dat ik alles meteen na het feestje zal opruimen.'

Erik en Jack zijn kamergenoten, nog een bewijs van hoe cool Erik is. Hij is een vijfdeklasser (in gewone taal is dat een derdejaars) en hij is veruit de populairste jongen op school. Jack is een derdeklasser (een eerstejaars), een nieuweling, leuk om te zien maar nogal een sukkeltje, en absoluut gay. Erik had een hoop stennis kunnen maken over het feit dat hij met een flikker werd opgezadeld en had voor elkaar kunnen krijgen dat Jack een andere kamer kreeg, waarmee hij Jacks leven in het Huis van de Nacht tot een hel zou hebben gemaakt. In plaats daarvan ontfermt hij zich over hem en behandelt hem als een jonger broertje, een behandeling waarin hij ook Damien betrekt, die vandaag officieel precies vijf komma twee weken met Jack gaat. (Dat weten we allemaal, aangezien Damien absurd romantisch is en niet alleen de wekelijkse gedenkdagen maar ook de halfwekelijkse viert. Ja, daarvan gaat de rest van ons over onze nek. Op een leuke manier.)

'Hallo! Over cadeautjes gesproken!' zei Shaunee.

'Ja, zet dat pakje met die overdreven grote strik nou maar op de cadeautafel zodat Zoey kan beginnen met uitpakken,' zei Erin.

Ik hoorde Jack tegen Damien fluisteren 'Overdreven grote strik?' en zag dat Damien hem aankeek met een uitdrukking die 'help' schreeuwde terwijl hij hem geruststelde. 'Welnee, die strik is perfect!'

'Ik neem het mee naar de tafel en maak het als eerste open.' Ik griste het pakje uit zijn hand, haastte me naar de tafel en begon de gigantische glinsterende groene strik voorzichtig van het rode folie te halen. 'Ik denk dat ik de strik ga bewaren omdat die zo cool is,' zei ik. Damien gaf me een dankbare knipoog. Ik hoorde Erik en Shaunee zachtjes grinniken en gaf een van beiden een trap, wat ze allebei de mond snoerde. Ik legde de strik op de tafel, opende het pakje en zag een...

O jezus.

'Een sneeuwbol,' zei ik, en ik deed mijn best om blij te klinken. 'Met een sneeuwpop erin.' Oké, een sneeuwbol met een sneeuwpop erin is geen verjaarscadeautje. Het is kerstversiering. En bovendien nog een waardeloze kerstversiering.

'Ja! En moet je horen wat die speelt!' zei Jack. Hij sprong zowat op en neer van opwinding toen hij de bol uit mijn hand pakte en aan een knop in de onderkant draaide, waarna de bol met blikkerige, valse tonen 'Frosty the Snowman' begon te tingelen.

'Dank je, Jack. Hartstikke leuk,' loog ik.

'Ik ben blij dat je hem leuk vindt,' zei Jack. 'Het is eigenlijk een thema voor je verjaardag.' Toen keek hij naar Erik en Damien en de drie jongens grijnsden naar elkaar als ondeugende jongetjes.

Ik zette een glimlach op. 'O, nou, goed. Dan ga ik nu maar het volgende cadeautje uitpakken.'

'Nu dat van mij!' Damien gaf me een lang, zacht pakje.

Met de glimlach om mijn mond gefixeerd maakte ik het pakje open, hoewel ik onwillekeurig wenste dat ik in een kat kon veranderen en blazend de kamer uit kon vluchten.

2

'Ooo, wat mooi!' Ik streek met mijn hand over de opgevouwen sjaal, volledig geschokt door het feit dat ik zowaar een cool cadeau had gekregen.

'Hij is van kasjmier,' zei Damien zelfvoldaan.

Ik haalde hem uit de doos, verrukt van de chique, glanzende crèmekleur in plaats van de rode of groene verjaarscadeaus die ik doorgaans krijg. Maar ik verstarde toen ik besefte dat mijn blijdschap voorbarig was geweest.

'Zie je de geborduurde sneeuwpoppen aan de uiteinden?' zei Damien. 'Zijn ze niet beeldig?'

'Ja, beeldig,' zei ik. Tuurlijk, voor de kerst zijn ze beeldig. Voor een verjaarscadeau, nou ja, iets minder.

'Oké, nu wij,' zei Shaunee, en ze reikte me een grote doos aan die ietwat slordig was ingepakt in groen kerstboomfolie.

'Maar we hebben ons niet gehouden aan het sneeuwpopthema,' zei Erin, met een frons naar Damien.

'Ja, ons is niks verteld,' zei Shaunee, terwijl ook zij naar Damien fronste.

'Dat maakt niet uit!' zei ik een beetje te snel en te enthousiast, en toen maakte ik hun pakje open. Het bevatte een paar zwartleren laarzen met naaldhakken die echt te gek zouden zijn geweest en chic... als er op de zijkanten geen kerstbomen, compleet met rode en goudkleurige versierselen, waren gestikt. Ze. Konden. Alleen. Met. De. Kerst. Gedragen. Worden. Wat ze tot een waardeloos verjaarscadeau maakte.

'O, reuze bedankt.' Ik probeerde een beetje dweperig te doen. 'Ze zijn echt fantastisch.'

'We hebben stad en land ervoor afgelopen,' zei Erin.

'Ja, gewone laarzen konden écht niet voor Miss Geboren-op-de-vierentwintigste,' zei Shaunee.

'Nee, inderdaad. Gewone zwartleren laarzen met naaldhakken zijn echt niet goed genoeg,' zei ik, en ik kon wel janken.

'Hé, er ligt nog een pakje.'

Eriks stem trok me uit het zwarte gat van mijn verjaarskerstcadeaudip. 'O, nog iets?' Ik hoopte dat ik de enige was die in mijn toon hoorde: o, nog een tragisch goedbedoeld cadeau?

'Ja, nog iets.' Bijna verlegen reikte hij me een klein rechthoekig pakje aan. 'Ik hoop echt dat je het mooi vindt.'

Ik keek naar het pakje voor ik het aannam en slaakte bijna een gilletje van blije verrassing. Erik had een in zilver- en goudkleurig papier verpakt cadeautje in zijn hand met in het midden een etiketje van Moody's Fine Jewelry. (Ik zweer dat ik ergens op de achtergrond het 'Halleluja-koor' naar een climax toe hoorde werken.)

'Het is van Moody's!' Ik klonk ademloos, maar daar kon ik niets aan doen.

'Ik hoop dat je het mooi vindt,' zei Erik nog eens, en hij bood me het pakje als een glanzende schat aan.

Ik scheurde het prachtige pakje open en onthulde een zwartfluwelen doosje. Ik zweer het. Echt fluweel. Ik beet op mijn lip om te voorkomen dat ik ging giechelen, hield mijn adem in en maakte het open.

Het eerste wat ik zag was de schitterende platina ketting. Sprakeloos van blijdschap liet ik mijn blik langs de ketting gaan tot aan de prachtige parels die op het fluweel lagen. Fluweel! Platina! Parels! Ik haalde diep adem zodat ik dweperig kon zeggen o-mijn-god-dank-je-wel-Erik-je-bent-het-beste-vriendje-ooit toen het me opviel dat de parels een vreemde vorm hadden. Waren het misvormde parels? Had de exclusieve en onvoorstelbaar dure Moody's Fine Jewelry-zaak mijn vriendje afgezet? En toen drong het tot me door wat ik zag.

De parels waren tot een sneeuwpophangertje gevormd.

'Vind je het mooi?' vroeg Erik. 'Toen ik het zag, schreeuwde het "Zoeys verjaardag" tegen me, en ik moest het gewoon voor je kopen.'

'Ja. Ik vind het mooi. Het is... eh... uniek,' wist ik uit te brengen.

'Erik heeft het sneeuwpopthema bedacht!' riep Jack vrolijk.

'Nou, het was niet echt een thema,' zei Erik; zijn wangen werden een tikje roze. 'Ik vond het gewoon apart, iets anders dan die eeuwige hartjes en zo die iedereen krijgt.'

'Ja, hartjes en zo zijn altijd het geijkte verjaarscadeau. Daar zit echt niemand op te wachten,' zei ik.

'Zal ik hem even bij je omdoen?' vroeg Erik.

Er zat niets anders op dan mijn haar omhoog te houden en Erik de fijne ketting om mijn hals te laten hangen. Ik voelde de sneeuwpop zwaar en walgelijk feestelijk net boven mijn decolleté hangen.

'Hij is beeldig,' zei Shaunee.

'En peperduur,' zei Erin. De tweeling knikte goedkeurend.

'Hij past precies bij mijn sjaal,' zei Damien.

'En mijn sneeuwbol!' voegde Jack eraan toe.

'Het is een echt kerst-verjaardagthema,' zei Erik, met een wat schaapachtige blik naar de tweeling, die ze beantwoordden met een vergevende glimlach.

'Ja, zeg dat wel,' zei ik, terwijl mijn hand naar de parelsneeuwpop ging. Toen zette ik een stralende lach op en zei tegen mijn vrienden: 'Bedankt, jongens. Ik stel het echt op prijs dat jullie zo veel tijd en moeite erin hebben gestoken om zulke bijzondere cadeaus te zoeken.' En dat meende ik. De cadeautjes mochten dan afschuwelijk zijn, maar de achterliggende gedachte was iets totaal anders.

Mijn nietsvermoedende vrienden kwamen om me heen staan en we omarmden elkaar in een nogal onbeholpen groepsknuffel, waar we allemaal om moesten lachen. Op dat moment ging de deur open, en het licht uit de hal glansde op een dikke bos hoogblond haar.

'Hier.'

Mijn nieuwe vampierreflexen waren behoorlijk snel en ik ving de doos die ze me toegooide.

'Er is post voor je gekomen terwijl je hier met je kudde oenen zat,' zei ze spottend.

'Ga weg, Aphrodite helleveeg,' zei Shaunee.

'Voor we water over je heen gieten en je smelt,' voegde Erin eraan toe.

'Het zou wat,' zei Aphrodite. Ze wilde zich omdraaien, maar aarzelde en schonk me een brede, onschuldige glimlach voor ze zei: 'Leuke sneeuwpopketting.' Onze ogen ontmoetten elkaar en ik zweer dat ze naar me knipoogde voor ze haar haar naar achteren zwiepte en wegliep; haar lach zweefde als mist achter haar in de lucht.

'Wat is het toch een kreng,' zei Damien.

'Je zou denken dat ze haar lesje wel had geleerd toen je de Duistere Dochters van haar overnam en Neferet zei dat de godin Aphrodite haar gaven had afgepakt,' zei Erik. 'Maar die meid zal nooit veranderen.'

Ik keek hem scherp aan. *En dat uit de mond van Erik Night, haar ex-vriendje.* Ik hoefde de woorden niet hardop te zeggen. Ik wist door de manier waarop Erik haastig zijn blik afwendde dat hij ze in mijn ogen had kunnen lezen.

'Laat je verjaardag niet door haar verpesten, Z,' zei Shaunee.

'Je moet die gemene helleveeg gewoon negeren. Dat doet iedereen,' zei Erin.

Erin had gelijk. Sinds Aphrodite door haar egoïsme het leiderschap over de Duistere Dochters, de meest prestigieuze leerlingengroep van de school, was kwijtgeraakt en de positie van leider van de Duistere Dochters en de opleiding tot priesteres aan mij was gegeven, had ze haar status als populairste en machtigste halfwas verloren. Onze hogepriesteres, Neferet, die tevens mijn mentrix was, had ons duidelijk gemaakt dat Aphrodite uit de gunst was geraakt van onze godin, Nux. Het kwam erop neer dat Aphrodite werd gemeden, terwijl ze vroeger op een populariteits-voetstuk stond en aanbeden werd.

Helaas wist ik dat er meer achter het verhaal zat dan wat ieder-een dacht. Aphrodite had haar visioenen, die haar duidelijk níet waren afgenomen, gebruikt om niet alleen mijn oma maar ook Heath, mijn menselijke vriendje, te redden. Zeker, ze was daarbij krengerig en egoïstisch geweest, maar toch. Heath en oma leefden nog en dat dankten ze grotendeels aan Aphrodite.

Daar komt nog bij dat ik er onlangs achter ben gekomen dat Neferet, onze hogepriesteres – mijn mentrix, de vampier naar wie het meest werd opgekeken in de school – ook niet was wat ze leek te zijn. Eerlijk gezegd ging ik zelfs geloven dat Neferet waarschijn-lijk even duivels als machtig was.

Duisternis staat niet altijd gelijk aan het kwaad en licht brengt niet altijd het goede. De woorden die Nux tegen me had gezegd op de dag dat ik werd gemerkt schoten door mijn hoofd en vatten het probleem met Neferet uitstekend samen. Ze was niet wat ze leek.

En ik kon het niemand vertellen, althans niemand die leefde (wie overbleef was mijn ondode beste vriendin met wie ik de af-gelopen maand geen woord had kunnen wisselen). Godzijdank had ik de afgelopen maand ook niet met Neferet gesproken. Ze was voor een winterretraite naar Europa vertrokken en werd pas in het nieuwe jaar terugverwacht. Ik had me voorgenomen om een plan te bedenken voor wat ik met haar aan moest als ze terug was. Tot dusver bestond mijn plan uit het voornemen. Ik had dus geen plan. Shit.

'Zeg, wat zit er in dat pakje?' vroeg Jack, waarmee hij me uit mijn mentale nachtmerrie naar mijn verjaarsfeestnachtmerrie terughaalde.

We keken allemaal naar het in bruin papier gewikkelde pakje dat ik in mijn handen had.

'Weet ik veel,' zei ik.

'Ik durf te wedden dat het een verjaarscadeau is!' riep Jack. 'Maak open!'

'Joepie...' zei ik. Maar toen mijn vrienden me niet-begrijpend aankeken boog ik me er snel overheen en pakte het uit. In het neutrale bruine pakpapier zat een ander pakje, waar prachtig lavendelkleurig cadeaupapier omheen zat.

'Het is echt nog een verjaarscadeau!' zei Jack met een gilletje.

'Van wie zou het zijn?' vroeg Damien.

Ik vroeg me juist hetzelfde af en bedacht dat het papier me aan mijn oma deed denken, die op een te gekke lavendelboerderij woonde. Maar waarom zou ze mijn cadeau met de post sturen terwijl ik later die avond met haar had afgesproken?

In het lavendelkleurige papier zat een effen wit doosje. Ik maakte het open en zag binnenin nog een doosje, veel kleiner, in een nestje van lavendelkleurig vloeipapier. Brandend van nieuwsgierigheid pakte ik het kleine doosje eruit. Verscheidene stukjes van het papier kleefden statisch aan de onderkant van het doosje en ik veegde ze eraf voor ik het openmaakte. Terwijl ze naar de tafel dwarrelden tuurde ik in het doosje en mijn adem stokte. Op een bedje van witte watten lag de mooiste zilveren armband die ik ooit had gezien. Ik pakte hem eruit en bewonderde de fonkelende bedeltjes: zeesterren, schelpen en zeepaardjes en daartussenin beeldige zilveren hartjes.

'Hij is absoluut prachtig!' zei ik, terwijl ik de armband om mijn pols deed. 'Wie zou me dit hebben gestuurd?' Lachend draaide ik mijn pols heen en weer, en het licht van de gaslampen, dat zo rustig was voor onze gevoelige halfwasogen, viel op het glanzende zilver waardoor het fonkelde als gefacetteerde edelstenen. 'Hij kan eigenlijk alleen maar van mijn oma zijn, al is dat wel vreemd, aangezien we elkaar over...' En toen besefte ik dat iedereen volslagen, absoluut, ongemakkelijk stil was.

Ik keek van mijn pols naar mijn vrienden. De gezichtsuitdrukkingen varieerden van geschokt (Damien) tot geërgerd (de tweeling) tot woedend (Erik).

'Wat is er?'

'Hier,' zei Erik, en hij gaf me een kaartje dat waarschijnlijk met het statische vloeipapier uit het doosje was gevallen.

'O,' zei ik, want ik herkende het krabbelige handschrift meteen. O jezus! Het was van Heath, oftewel vriendje nummer twee. Terwijl ik het korte briefje las voelde ik mijn gezicht warm worden en wist ik dat ik onaantrekkelijk knalrood werd.

Zo, HARTELIJK GEFELICITEERD!! Ik weet dat je een bloedhekel aan die knullige cadeautjes hebt die proberen je verjaardag aan Kerstmis te koppelen, dus stuur ik je iets waarvan ik weet dat je het leuk zult vinden. Het heeft absoluut niets met Kerstmis te maken! Duh! Ik haat die stomme Caymaneilanden en deze duffe vakantie met mijn ouders en tel de dagen af tot ik weer bij je kan zijn. Tot kijk op de 26e! Ik hartje je!
Heath

'O,' zei ik nog eens, als een volslagen debiel. 'Het is... eh... van Heath.' Ik wenste dat ik mezelf kon laten verdwijnen.

'Wacht eens even. Alsjeblieft. Waarom heb je nooit tegen iemand gezegd dat je een hekel hebt aan verjaarscadeaus die iets met kerst te maken hebben?' vroeg Shaunee, zoals altijd recht voor zijn raap.

'Ja, dat had je toch gewoon kunnen zeggen?' zei Erin.

'Eh...' zei ik gevat.

'Wij vonden het sneeuwpopthema een leuk idee, maar dat is

het niet als je een hekel hebt aan kerstgedoe,' zei Damien.

'Ik heb geen hekel aan kerstgedoe,' wist ik uit te brengen.

'Ik vind sneeuwbollen leuk,' zei Jack zacht; hij zag eruit alsof hij op het punt stond in huilen uit te barsten. 'Die sneeuw maakt me blij.'

'Het lijkt erop dat Heath beter weet wat je leuk vindt dan wij.' Eriks stem klonk mat en emotieloos, maar zijn ogen waren donker van pijn, wat mijn maag deed verkrampen.

'Nee, Erik, zo is het niet,' zei ik vlug, en ik deed een stap naar hem toe.

Hij deed een stap achteruit alsof ik een afschuwelijke besmettelijke ziekte had, en opeens werd ik pissig. Ik kon er toch niets aan doen dat Heath me al kende sinds ik in groep vier van de basisschool zat en dat hij jaren geleden al die kwestie van gekoppelde verjaarskerstcadeaus had uitgedokterd. Oké, het klopt dat hij meer over me wist dan zij. Alsof dat zo raar was! De jongen was al ruim zeven jaar in mijn leven. Erik, Damien, de tweeling en Jack waren pas twee maanden – of korter nog – in mijn leven. Daar kon ik toch niets aan doen?

Ik keek demonstratief op mijn horloge. 'Ik heb over een kwartier met mijn oma afgesproken bij Starbucks. Ik moet opschieten.' Ik liep naar de deur, maar ging niet meteen weg. Ik draaide me om en keek naar mijn groepje vrienden. 'Het was niet mijn bedoeling om iemands gevoelens te kwetsen. Het spijt me als Heath' briefje lullig op jullie overkwam, maar daar kan ik niets aan doen. En ik heb wel degelijk aan iemand verteld dat ik het niet leuk vind als mensen mijn verjaardag aan Kerstmis koppelen: aan Stevie Rae.'

3

In de Starbucks op Utica Square, het coole, niet-overdekte winkelcentrum vlak bij het Huis van de Nacht, was het veel drukker dan ik had verwacht. Ik bedoel, zeker, het was een ongewoon warme winteravond, maar het was ook 24 december en bijna negen uur. Je zou denken dat de mensen thuis zouden zijn en zich klaarmaakten voor de komst van de Kerstman en zo en niet op zoek waren naar een cafeïneshot.

Nee, zei ik streng tegen mezelf, genoeg van dat gechagrijn. Ik zie oma bijna nooit meer en ik ga de korte tijd die we met elkaar doorbrengen niet verpesten. Bovendien was oma het volkomen met me eens dat verjaarskerstcadeaus waardeloos waren. Ze gaf me altijd iets wat net zo uniek en geweldig was als zij.

'Zoey! Hier zit ik!'

Aan de rand van het terras voor Starbucks zag ik oma's armen naar me zwaaien. Ik hoefde nu geen neplach op te zetten. Het blije gevoel dat me altijd overspoelde als ik haar zag was echt, en zigzaggend door de menigte rende ik naar haar toe.

'O, Zoeybird! Wat heb ik je gemist, *u-we-tsi-a-ge-ya*!' Het Cherokee-woord voor dochter omhelsde me, tegelijk met de warme, vertrouwde armen van mijn oma, waaraan de geruststellende geur van lavendel en thuis kleefde. Ik klampte me aan haar vast en slorpte liefde, geborgenheid en aanvaarding op.

'Ik heb u ook gemist, oma.'

Ze drukte me nog één keer stevig tegen zich aan en hield me toen op armslengte van zich af. 'Laat me eens naar je kijken. Ja, ik kan zien dat je zeventien bent. Je ziet er veel volwassener uit, en ik geloof zelfs iets langer dan toen je nog maar zestien was.'

Ik lachte. 'O, oma, u weet best dat ik er niet anders uitzie.'

'Zeker wel. Jaren voegen bij een bepaald type vrouw altijd schoonheid en kracht toe, en jij bent zo'n type.'

'U ook, oma. U ziet er fantastisch uit!' En dat waren geen loze woorden. Oma was tig jaar oud, minstens ergens in de vijftig, maar in mijn ogen was ze leeftijdloos. Oké, niet leeftijdloos zoals vampiervrouwen, die er op hun vijftigste (of honderdvijftigste) uitzagen als twintig. Oma was een schat van een leeftijdloos mens met haar dikke bos zilverwit haar en vriendelijke bruine ogen.

'Ik had liever gezien dat je je prachtige tatoeages niet had hoeven verbergen om me hier te ontmoeten.' Oma's vingers raakten vluchtig mijn wang aan waar ik in allerhaast de dikke, camouflerende make-up had aangebracht die halfwassen moesten dragen als ze de campus van het Huis van de Nacht verlieten. Ja, mensen weten dat vampiers bestaan; volwassen vampiers camoufleerden zich niet. Maar voor halfwassen golden andere regels. Dat had natuurlijk een reden: tieners gaan niet altijd goed om met conflictsituaties en de mensenwereld had nu eenmaal de neiging om met vampiers te botsen.

'Zo is het nu eenmaal. Regels zijn regels, oma,' zei ik met een schouderophalen.

'Maar je hebt die prachtige merktekens op je hals en schouders toch niet gecamoufleerd?'

'Nee, daarom heb ik dit jasje aan.' Ik keek om me heen om me ervan te vergewissen dat niemand naar ons keek, streek mijn haar naar achteren en trok de schouder van mijn jasje naar beneden zodat het saffierblauwe kantachtige patroon op mijn hals en schouder te zien was.

'O, Zoey, het is betoverend,' zei oma zacht. 'Ik ben zo trots dat de godin jou als bijzonder heeft verkozen en je zo uniek heeft gemerkt.'

Ze omhelsde me weer en ik klemde me aan haar vast, onvoorstelbaar blij dat ik haar in mijn leven had. Ze accepteerde me voor wie en wat ik was. Het maakte voor haar niet uit dat ik in een vampier veranderde. Het maakte voor haar niet uit dat ik al bloeddorst ervoer en dat ik de gave bezat om alle vijf de elementen aan te roepen: lucht, vuur, water, aarde en geest. Voor oma was ik haar waarachtige u-we-tsi-a-ge-ya, de dochter van haar hart, en alles wat ik meebracht was een bijkomstigheid. Het was vreemd en heerlijk dat zij en ik zo'n hechte band hadden en zo veel op elkaar leken, terwijl haar echte dochter, mijn moeder, totaal anders was.

'Daar zitten jullie. Het verkeer was afschuwelijk. Ik vind het vreselijk om Broken Arrow uit te moeten en me door de chaos te moeten worstelen op de weg naar Tulsa rond de feestdagen.'

Alsof mijn gedachten haar tevoorschijn hadden getoverd wierp de stem van mijn moeder een plens koud water op mijn geluksgevoel. Oma en ik lieten elkaar los en zagen mijn moeder naast ons tafeltje staan met een rechthoekige gebaksdoos en een ingepakt cadeau.

'Mam?'

'Linda?'

Oma en ik spraken gelijktijdig. Het verbaasde me niet dat oma net zo geschokt leek als ik door de plotselinge verschijning van mijn moeder. Oma zou mijn moeder nooit hebben uitgenodigd zonder me dat te vertellen. We dachten precies hetzelfde over mijn moeder. Op de eerste plaats maakte ze ons verdrietig. Op de tweede plaats wilden we dat ze zou veranderen. Op de derde plaats wisten we dat dat hoogst onwaarschijnlijk was.

'Kijk niet zo verbaasd. Alsof ik niet naar de verjaardag van mijn eigen dochter zou komen!'

'Maar Linda, toen ik je vorige week sprak, zei je dat je Zoeys verjaarscadeau per post zou opsturen,' zei oma, die er net zo geërgerd uitzag als ik me voelde.

'Dat was voor je zei dat je hier met haar had afgesproken,' zei mijn moeder tegen oma, en toen keek ze fronsend naar mij. 'Niet dat Zoey me zelf heeft uitgenodigd om te komen, maar ik ben er inmiddels aan gewend dat ik een onverschillige dochter heb.'

'Mam, we hebben elkaar al een maand niet meer gesproken. Hoe had ik je kunnen uitnodigen?' Ik probeerde mijn toon neutraal te houden. Ik wilde echt niet dat oma's bezoek op een enorm dramatische scène zou uitdraaien, maar mijn moeder had nog geen tien zinnen gezegd en mijn nekharen stonden al recht overeind. Op die stomme kerstverjaarskaart na die ze me had gestuurd, was de enige communicatie die ik met mijn moeder had gehad een maand geleden geweest, toen ze met haar afschuwelijke man, de stief-loser, naar de ouderbezoekdag in het Huis van de Nacht was gekomen. Dat bezoek was een regelrechte nachtmerrie geweest. De stief-loser, die een ouderling was van de People of Faith-kerk, was zijn gebruikelijke bekrompen, zich een oordeel aanmatigende, intolerante zelf geweest, wat ertoe had geleid dat hij eruit was gegooid met de boodschap dat hij niet meer terug hoefde te komen. Zoals gewoonlijk was mijn moeder hem zoals een braaf onderdanig vrouwtje betaamt achternagedraafd.

'Heb je mijn kaart niet ontvangen?' Haar kribbige toon begon onder mijn vaste blik te wankelen.

'Ja, mam. Die heb ik ontvangen.'

'Dan weet je dat ik aan je heb gedacht.'

'Goed, mam.'

'Je zou je moeder af en toe best eens kunnen bellen, weet je,' zei ze een beetje huilerig.

Ik slaakte een zucht. 'Sorry, mam. Ik heb het erg druk gehad met school, met de semesterexamens en zo.'

'Ik hoop dat je goede cijfers haalt op die school.'

'Dat lukt aardig, mam.' Ze wekte verschillende gevoelens bij me op; ik voelde me tegelijkertijd verdrietig, eenzaam en boos.

'Nou, goed dan.' Mijn moeder depte haar ogen en ging druk in de weer met de pakjes die ze had meegebracht. Met een duidelijk geforceerd opgewekte stem voegde ze eraan toe: 'Kom op, laat ik maar gaan zitten. Zoey, je kunt zo bij Starbucks even iets te drinken voor ons halen. Het is maar goed dat je oma me heeft uitgenodigd. Zoals gewoonlijk heeft verder niemand eraan gedacht om een taart mee te brengen.'

We gingen zitten en mijn moeder worstelde met het plakband op de gebaksdoos. Terwijl ze daarmee bezig was wisselden oma en ik een blik van verstandhouding. Ik wist dat ze mijn moeder niet had uitgenodigd en zij wist dat ik een bloedhekel had aan verjaardagstaart. Vooral zo'n goedkope walgelijk zoete taart die mijn moeder altijd bij de bakker bestelde.

Met een soort gruwelijke fascinatie die doorgaans voorbehouden blijft aan staren naar in puin gereden auto's, keek ik toe terwijl mijn moeder de gebaksdoos openmaakte en er een kleine, rechthoekige, witte taart van één laag zichtbaar werd. Het algemene HAPPY BIRTHDAY was in rood geschreven, wat paste bij de rode kerststerren op de hoeken. De taart was versierd met groen glazuur.

'Mooi, hè? Echt kersterig,' zei mijn moeder, terwijl ze de halveprijssticker van het deksel van de doos probeerde te peuteren. Toen verstarde ze en keek ze me met grote ogen aan. 'Maar je viert Kerstmis niet meer, toch?'

Ik zocht de neplach die ik eerder had gebruikt en zette die weer op. 'We vieren Yule, de winterzonnewende, en dat was twee dagen geleden.'

'Ik durf te wedden dat de campus er nu prachtig uitziet.' Oma gaf me glimlachend een klopje op mijn hand.

'Waarom zou de campus er prachtig uitzien?' Mijn moeders kribbige toon was weer terug. 'Als ze geen Kerstmis vieren, versieren ze toch ook geen kerstbomen?'

Oma was me voor en legde het uit. 'Linda, Yule werd lang voor Kerstmis gevierd. Volkeren in de oudheid versierden al duizenden jaren "kerstbomen"', zei ze op een ietwat sarcastische toon. 'Christenen hebben die traditie van heidenen overgenomen, en niet andersom. Feitelijk heeft de Kerk 25 december als de geboortedatum van Jezus gekozen zodat die samenviel met de Yule-viering. Je zult je vast wel herinneren dat we vroeger elk jaar dennenappels door de pindakaas rolden, appels, popcorn en cranberry's aaneenregen en daarmee buiten een boom versierden die ik altijd onze Yule-boom noemde, terwijl we binnen een kerstboom hadden.' Oma lachte een beetje triest en beduusd naar haar dochter en keek toen weer naar mij. 'Hebben jullie de bomen op de campus versierd?'

Ik knikte. 'Ja, ze zien er prachtig uit, en de vogels en eekhoorns vinden het te gek.'

'Goed, maak dan nu je cadeaus maar open en dan kunnen we aan de koffie met taart,' zei mijn moeder, alsof oma en ik niets hadden gezegd.

Oma fleurde op. 'Ja, ik verheug me er al een maand op om je deze te geven.' Ze haalde twee cadeaus van onder haar kant van de tafel tevoorschijn. Het ene was groot en tentvormig en verpakt in kleurig cadeaupapier (beslist geen kerstpapier). Het andere was zo groot als een boek en ingepakt in crèmekleurig vloeipapier van het soort dat ze in een chique boetiek gebruiken. 'Dit eerst.' Oma schoof het tentvormige cadeau naar me toe en ik maakte het gretig open en vond de magie van mijn kindertijd erin.

'O, oma! Dank u wel!' Ik drukte mijn gezicht in de bloeiende lavendelplant, die oma in een paarse sierpot had geplant, en snoof eraan. De geur van het heerlijke kruid bracht visioenen boven van lome zomerdagen en picknicks met oma. 'Hij is prachtig,' zei ik.

'Ik moest hem in de broeikas opkweken om hem voor je verjaardag in bloei te krijgen. O, en je zult dit nodig hebben.' Oma gaf me een papieren zak. 'Er zit een groeilamp in en een ophangbeugel zodat hij genoeg licht krijgt zonder dat je je slaapkamergordijnen hoeft open te trekken en je pijn krijgt aan je ogen.'

Ik lachte naar haar. 'U denkt echt aan alles.' Ik keek vluchtig naar mijn moeder en zag de uitdrukking op haar gezicht waarvan ik maar al te goed wist wat die betekende: ze wenste dat ze heel ergens anders was. Ik wilde haar vragen waarom ze eigenlijk de moeite had genomen om te komen, maar pijn kneep mijn keel dicht, wat me verbaasde. Ik had gedacht dat ik over haar vermogen om me pijn te doen heen was gegroeid. Nu bleek dat zeventien jaar niet zo oud was als ik me had voorgesteld.

'Hier, Zoeybird, ik heb nog iets voor je,' zei oma, en ze gaf me het in vloeipapier ingepakte cadeautje. Ik zag aan haar dat ze het ijzige stilzwijgen van mijn moeder had opgemerkt en dat ze, zoals gewoonlijk, haar best deed om het waardeloze ouderschap van haar dochter goed te maken.

Ik slikte het brok in mijn keel door en maakte het pakje open. Het bevatte een in leer gebonden boek dat duidelijk stokoud was. Toen zag ik de titel en mijn adem stokte. '*Dracula*! Een oud exemplaar van *Dracula*!'

'Kijk naar de colofon, lieve schat,' zei oma; haar ogen schitterden van plezier.

Ik zocht de bedoelde bladzijde en kon mijn ogen niet geloven. 'O mijn god! Het is een eerste druk!'

Oma lachte blij. 'Sla een paar bladzijden om.'

Dat deed ik en ik vond onder aan de titelpagina Stokers handtekening en de datum: januari 1899.

'Een gesigneerde eerste druk! Dit moet een fortuin hebben gekost!' Ik sloeg mijn armen om oma heen en knuffelde haar.

'Eerlijk gezegd heb ik het gevonden in een rommelige winkel voor tweedehandsboeken die zijn deuren ging sluiten. Het was een koopje. Per slot van rekening is het maar een eerste druk van Stokers Amerikaanse uitgave.'

'Het is te gek, oma! Heel erg bedankt.'

'Nou ja, ik weet hoe dol je bent op dat oude griezelverhaal, en in het licht van de recente gebeurtenissen leek het me ironisch grappig als je een gesigneerd exemplaar zou hebben,' zei oma.

'Wist u dat Bram Stoker een stempel opgedrukt heeft gekregen door een vampier en dat hij daarom het boek heeft geschreven?' zei ik dweperig, terwijl ik heel voorzichtig de dikke bladzijden omsloeg en de oude illustraties bekeek, die werkelijk griezelig waren.

'Ik had geen idee dat Stoker een relatie met een vampier had,' zei oma.

'Ik zou door een vampier gebeten worden en vervolgens in zijn ban raken niet echt een relatie noemen,' zei mijn moeder.

Oma en ik keken haar aan. Ik slaakte een zucht. 'Mam, het is heel goed mogelijk voor een mens en een vampier om een relatie te hebben. Dat heeft met dat stempel te maken.' Nou ja, het had ook te maken met bloeddorst en hevige verlangens, en bovendien met een geestelijke verbinding die behoorlijk verontrustend kon zijn, allemaal dingen die ik wist door mijn ervaring met Heath. Maar dat ging ik mijn moeder echt niet vertellen.

Mijn moeder huiverde alsof iets gruwelijks zijn vinger over haar ruggengraat had gehaald. 'Ik vind het maar weerzinwekkend.'

'Mam, begrijp je niet dat er maar twee opties voor mijn toekomst zijn? De eerste zou zijn dat ik het wezen word dat volgens jou weerzinwekkend is. De tweede zou zijn dat ik ergens in de komende vier jaar doodga.' Daar had ik het helemaal niet met haar over willen hebben, maar ik was haar houding spuugzat. 'Dus wat heb je liever: dat ik doodga of dat ik een volwassen vampier word?'

'Geen van beide, natuurlijk,' zei ze.

'Linda,' zei oma, terwijl ze haar hand onder de tafel op mijn been legde en er zacht in kneep. 'Wat Zoey bedoelt is dat je haar en haar nieuwe toekomst moet accepteren en dat je met je houding haar gevoelens kwetst.'

'Míjn houding!' Ik dacht dat mijn moeder zich in een van haar tirades zou storten over 'waarom moet je mij altijd hebben', maar in plaats daarvan verraste ze me door een keer diep in en uit te ademen en me vervolgens recht in de ogen te kijken. 'Het was echt niet mijn bedoeling om je gevoelens te kwetsen, Zoey.'

Heel even leek ze de moeder van vroeger, de moeder die ze was geweest voordat ze met John Heffer trouwde en in de perfecte echtgenote van een ouderling veranderde, en ik voelde mijn hart verkrampen. 'Maar dat doe je wel, mam,' hoorde ik mezelf zeggen.

'Dat spijt me dan,' zei ze. Toen stak ze me haar hand toe. 'Wat zeg je ervan om dat verjaarsgedoe nog eens te proberen?'

Ik legde mijn hand in die van haar en voelde me voorzichtig hoopvol. Misschien had ze nog steeds iets van mijn vroegere moeder in zich. Ik bedoel, ze was in haar eentje gekomen, zonder de stief-loser, wat al behoorlijk dicht bij een wonder zat. Ik gaf een kneepje in haar hand en glimlachte. 'Dat lijkt me een goed idee.'

'Goed, dan moet je nu eerst je cadeau uitpakken en dan kunnen we taart eten,' zei mijn moeder, terwijl ze het pakje naast de nog altijd onaangeroerde taart naar me toe schoof.

'Oké!' Ik probeerde enthousiast te blijven klinken, hoewel het cadeau was ingepakt in papier waarop een sombere kerstvoorstelling stond afgebeeld. Mijn glimlach bleef in stand tot ik de witleren band en de goudkleurige bladsneden herkende. Met een gevoel alsof mijn hart in mijn maag zakte draaide ik het boek om en las: *The Holy Word, People of Faith Edition*, dat in kostbaar bladgoud in cursief schrift op de band was gedrukt. Toen viel mijn oog op nog meer gouden drukletters. Onder aan de band stond *De familie Heffer*. Er stak een roodfluwelen boekenlegger met een gouden kwastje uit het boek, en in een poging tijd te winnen zodat ik iets anders kon bedenken om te zeggen dan 'wat een afschuwelijk cadeau', liet ik het boek daar openvallen. Ik knipperde met mijn ogen en hoopte dat wat ik las slechts gezichtsbedrog was. Nee, het stond er echt. Het boek was opengevallen op de bladzijde waarop de stamboom stond. In het rare achteroverhellende linkshandige schrift dat ik meteen herkende als het handschrift van de stief-loser was de naam van mijn moeder geschreven: Linda Heffer. Er was een lijn getrokken die haar verbond met John Heffer, met daarnaast hun trouwdatum. Onder hun namen, alsof we uit hun huwelijk waren geboren, stonden de namen van mijn broer, mijn zus en mij.

Oké, mijn biologische vader, Paul Montgomery, had ons verlaten toen ik nog maar klein was. Hij was van de ene op de andere dag van de aardbodem verdwenen. Heel af en toe was er met de post een cheque gekomen met een armzalig klein bedrag aan alimentatie, zonder retouradres, maar op die sporadische levenstekens na maakte hij al ruim tien jaar geen deel meer uit van ons leven. Ja, hij was een waardeloze vader. Maar hij was wel mijn vader, en John Heffer, die werkelijk gloeiend de pest aan me had, was dat niet.

Ik maakte mijn blik los van de nepstamboom en keek mijn moeder recht in de ogen. Mijn stem klonk verbazingwekkend vast, zelfs kalm, maar vanbinnen was ik een kolkende brij van emoties. 'Wat heeft je ertoe gebracht om me dit voor mijn verjaardag te geven?'

Mijn moeder leek zich te ergeren aan mijn vraag. 'We dachten dat je zou willen weten dat je nog steeds deel uitmaakt van ons gezin.'

'Maar dat is niet zo. Ik hoor er al heel lang niet meer bij, sinds lang voordat ik gemerkt werd. Dat weet jij en dat weet ik en dat weet John.'

'Je vader vindt echt...'

Ik stak mijn hand op om haar de mond te snoeren. 'Nee! John Heffer is niet mijn vader. Hij is je man en meer niet. Jouw keus, niet de mijne. Meer is hij nooit geweest.' De wond in mijn binnenste, die was gaan bloeden op het moment dat mijn moeder verscheen, sprong wijd open en joeg golven woede door mijn lichaam. 'Zal ik je eens wat zeggen, mam? Toen je een cadeau voor me zocht had je iets moeten uitzoeken waarvan je dacht dat ik het leuk zou vinden en niet iets wat je man me wilde opdringen.'

'Je weet niet wat je zegt, jongedame,' zei mijn moeder. Toen keek ze nijdig naar oma. 'Dit gedrag heeft ze van jou.'

Mijn oma trok een van haar zilverkleurige wenkbrauwen op en zei: 'Dank je wel, Linda, dat kon wel eens het aardigste zijn wat je ooit tegen me hebt gezegd.'

'Waar is hij?' vroeg ik aan mijn moeder.

'Wie?'

'John. Waar is hij? Je bent niet voor mij hierheen gekomen. Je bent gekomen omdat hij wilde dat je me een rotgevoel bezorgde en dat is niet iets wat hij graag zou missen. Dus waar is hij?'

'Ik weet niet wat je bedoelt.' Ze keek schuldbewust om zich heen en ik wist dat ik het bij het rechte eind had.

Ik stond op en riep over het terras: 'John! Kom maar tevoorschijn!'

En ja hoor. Aan de andere kant van het terras, vlak bij de ingang van Starbucks, maakte een man zich los van een van de statafels. Ik bekeek hem aandachtig terwijl hij naar ons toe kwam lopen en probeerde te begrijpen wat mijn moeder ooit in hem had aangetrokken. Hij was een volstrekt onopvallende man. Gemiddelde lengte, donker, grijzend haar, zwakke kin, smalle schouders, magere benen. Pas als je hem in de ogen keek zag je iets opmerkelijks: een totaal gebrek aan warmte. Ik had het altijd vreemd gevonden dat zo'n kille, zielloze man de hele tijd religie kon lopen spuien.

Hij kwam bij onze tafel aan en deed zijn mond open, maar voor hij iets kon zeggen gooide ik mijn 'cadeau' naar hem toe.

'Hou maar. Het is niet mijn familie en niet mijn overtuiging,' zei ik, waarbij ik hem recht in de ogen keek.

'Je kiest dus voor het kwaad en de duisternis,' zei hij.

'Nee. Ik kies voor een liefdevolle godin die me heeft gemerkt als de hare en me bijzondere gaven heeft geschonken. Ik kies voor iets anders dan jij. Zo zit het.'

'Zoals ik al zei: je kiest voor het kwaad.' Hij legde zijn hand op de schouder van mijn moeder alsof ze zijn steun nodig had om daar te kunnen blijven zitten. Mijn moeder legde haar hand op de zijne en maakte snottergeluidjes.

Ik negeerde hem en richtte me tot haar.

'Mam, doe dit alsjeblieft nooit meer. Als je me kunt accepteren en als je me echt wilt zien, dan kun je me bellen en dan spreken we iets af. Maar net doen alsof je me wilt zien omdat John je voorschrijft wat je moet doen, is kwetsend en doet ons geen van beiden goed.'

'Het is goed voor een vrouw om zich aan haar man te onderwerpen,' zei John.

Ik overwoog om te zeggen hoe bevooroordeeld en neerbuigend en gewoon verkeerd dat klonk, maar besloot dat dat verspilde moeite zou zijn en zei alleen maar: 'John, val dood.'

'Ik wilde dat je het kwaad de rug zou toekeren,' zei mijn moeder, zachtjes huilend.

Mijn oma mengde zich in het gesprek. Haar stem klonk verdrietig, maar hard. 'Linda, het is betreurenswaardig dat je een geloofsovertuiging hebt gevonden waarvan een van de grondbeginselen benadrukt dat anders gelijkstaat aan het kwaad, en dat je je daar helemaal door hebt laten inpalmen.'

'Wat je dochter heeft gevonden is God, maar niet bepaald dankzij jou,' zei John bits.

'Nee. Mijn dochter heeft jou gevonden, en triest maar waar, ze heeft nooit graag zelfstandig gedacht. Jij denkt nu voor haar. Maar Zoey en ik willen je graag een onafhankelijke gedachte meegeven,' zei oma. En ze bleef praten terwijl ze me mijn lavendelplant en de eerste editie van *Dracula* aangaf en me overeind trok. 'Dit is Amerika en dat wil zeggen dat je niet het recht hebt om voor de rest van ons te denken. Linda, ik ben het helemaal met Zoey eens. Als je je verstand terugkrijgt en ons wilt zien omdat je van ons houdt zoals we zijn, dan kun je me bellen. Zo niet, dan wil ik nooit meer iets van je horen.' Oma zweeg even en schudde vervuld van afschuw haar hoofd naar John. 'En van jou wil ik sowieso nooit meer iets horen.'

Toen we wegliepen haalde Johns stem naar ons uit, scherp en snijdend van woede en haat. 'O, je zult weer van me horen. Jullie allebei. Er zijn heel veel goede, fatsoenlijke, godvrezende mensen die het meer dan zat zijn jullie kwaad te dulden, en die vinden dat de maat vol is. We weigeren nog langer zij aan zij te leven met aanbidders van duisternis. Hoor goed wat ik zeg... wacht maar af... het is tijd om te boeten...'

We waren godzijdank al snel buiten gehoorsafstand van zijn tirade. Ik had het gevoel dat ik in tranen zou uitbarsten, tot het tot me doordrong wat mijn lieve oude oma in zichzelf liep te mompelen.

'Wat is die man toch een allejezus verachtelijke zak.'

'Oma!' zei ik.

'O, Zoeybird, heb ik de man van je moeder hardop een allejezus verachtelijke zak genoemd?'

'Ja, oma.'

Ze keek me aan en haar donkere ogen schitterden. 'Goed zo.'

4

Oma deed haar best om de rest van mijn verjaarsviering te redden. We liepen over Utica Square naar het Stonehorse Restaurant voor een stuk behoorlijke verjaarstaart, wat neerkwam op twee glazen rode wijn voor oma en bruine frisdrank en een grote mierzoete plak *devil's food cake* voor mij. (Ja, we moesten lachen om de ironie.)

Oma deed geen poging om het gedrag van mijn moeder goed te praten met onzinverhalen in de trant van 'ze bedoelde het niet zo' en 'ze draait wel bij' en 'geef haar wat tijd'... blabla. Daarvoor is oma veel te verstandig en duizendmaal te cool.

'Je moeder is een zwakke vrouw die alleen haar identiteit kan vinden via een man,' zei ze, terwijl ze nipte van haar rode wijn. 'Helaas heeft ze een bar slechte man gekozen.'

'Ze zal nooit veranderen, hè?'

Oma streelde mijn wang. 'Misschien wel, al betwijfel ik dat ten zeerste, Zoeybird.'

'Ik vind het fijn dat u niet tegen me liegt, oma,' zei ik.

'Leugens lossen niets op. Ze maken de dingen niet eens makkelijker, althans niet op de lange duur. Het is beter om je aan de waarheid te houden en dan een eerlijke knoeiboel op te ruimen.'

Ik slaakte een zucht.

'Lieve schat, heb jij een knoeiboel die opgeruimd moet worden?' vroeg oma.

'Ja, maar jammer genoeg is dat geen eerlijke.' Ik lachte schaapachtig en vertelde haar over mijn rampzalige verjaarsfeestje.

'Je zult in die kwestie van die vriendjes echt orde op zaken moeten stellen. Heath en Erik zullen elkaar niet langer dulden dan ongeveer zo lang.' Ze stak haar hand op met grofweg drie centimeter tussen haar duim en wijsvinger om aan te geven hoe lang 'zo lang' ongeveer was.

'Dat weet ik, maar Heath heeft bijna een week in het ziekenhuis gelegen na dat gedoe met die seriemoordenaar waarvan ik hem had gered, en toen hebben zijn ouders hem meegesleurd naar de Caymaneilanden voor hun kerstvakantie. Ik heb hem al een maand niet gezien. Ik heb dus echt nog geen gelegenheid gehad om iets aan de kwestie Heath-Erik te doen.' Ik ging druk in de weer met het bijeenschrapen van de kruimels op mijn bord zodat ik oma niet aan hoefde te kijken. Dat seriemoordenaarverhaal was natuurlijk je reinste onzin. Ik had Heath gered, maar niet van zoiets simpels als een krankzinnig mens. Ik had hem gered van een groep wezens waarover mijn beste vriendin, de ondode Stevie Rae, de leiding had gehad (en waarschijnlijk nog steeds had). Maar dat kon ik oma niet vertellen. Dat kon ik aan niemand vertellen omdat de hogepriesteres van het Huis van de Nacht, mijn mentrix, Neferet, erachter zat, en zij was me veel te paranormaal. Ze lijkt míjn gedachten niet te kunnen lezen, tenminste niet erg goed, maar als ik het iemand vertel en ze leest zijn of haar gedachten, dan heb je de poppen aan het dansen.

Over stress gesproken.

'Misschien moest je maar naar huis gaan om het in orde te brengen,' zei oma. Toen ze mijn verschrikte uitdrukking zag, voegde ze eraan toe: 'Ik bedoel de kwestie van de verjaarskerstcadeaus, niet de kwestie Heath-Erik.'

'O, juist. Ja, dat moest ik eigenlijk maar doen.' Ik zweeg even en dacht na over wat ze zojuist had gezegd. 'Weet u, het is echt mijn thuis geworden.'

'Dat weet ik.' Ze glimlachte. 'En ik ben blij voor je. Je hebt je plek gevonden, Zoeybird, en ik ben trots op je.'

Oma was met me meegelopen naar de plek waar ik mijn vintage
vw-kever had geparkeerd en nam afscheid van me met een omhelzing. Ik had haar nogmaals bedankt voor de geweldige cadeaus en we hadden geen van beiden mijn moeder genoemd.
Over sommige dingen kun je het maar beter niet meer hebben.
Ik had tegen oma gezegd dat ik terugging naar het Huis van de
Nacht om het met mijn vrienden uit te praten en dat was ik op
dat moment ook echt van plan. Maar in plaats daarvan reed ik de
stad in. Alweer.

De afgelopen maand had ik elke avond dat ik een excuus kon
verzinnen of dat ik ongemerkt in mijn eentje naar buiten kon
glippen, rondgewaard in de straten van het centrum van Tulsa.
Rondgewaard... ik snoof tegen mezelf. Dat was een uitstekend
woord voor mijn speurtocht naar mijn beste vriendin, Stevie Rae,
die een maand geleden was gestorven en toen ondood was geworden.

Ja, het was zo raar als het klonk.

Halfwassen gingen dood. Dat wisten we allemaal. Ik was getuige geweest van de dood van twee van de drie halfwassen die waren gestorven sinds ik in het Huis van de Nacht woon. Oké, iedereen wist dus dat we konden doodgaan. Wat niet iedereen wist was
dat de laatste drie halfwassen die waren gestorven, waren herre-
zen, of weer tot leven waren gekomen, of... jezus! De makkelijkste
manier om het te beschrijven is denk ik dat ze het stereotype van
vampiers waren geworden: wandelende ondoden, bloedzuigende
monsters die geen greintje menselijkheid meer in zich hadden.
En ze stonken ook nog een uur in de wind.

Ik wist het omdat ik de pech had gehad iets tegen te komen
wat ik aanvankelijk aanzag voor de geesten van de eerste twee gestorven halfwassen. Toen werden er menselijke tieners gedood
en had het er de schijn van dat iemand probeerde het eruit te laten zien alsof ze door een vampier waren vermoord. Dat was
zwaar kut, vooral omdat ik de eerste twee jongens die waren ver-

moord had gekend en de aandacht van de politie een tijdlang op mij werd gericht. Nog kutter was dat Heath de derde was die werd ontvoerd.

Nou, ik kon hem natuurlijk niet laten vermoorden. Bovendien heb ik min of meer per ongeluk mijn stempel op hem gedrukt. Met Aphrodites hulp had ik uitgedokterd hoe ik het stempel naar Heath kon volgen. De politie dacht dat ik toen een behoorlijk toegetakelde Heath van een menselijke seriemoordenaar had gered.

Wat had ik in werkelijkheid ontdekt?

Mijn ondode beste vriendin en haar weerzinwekkende volgelingen. Ik had Heath daar weggehaald (het 'daar' waren de oude tunnels uit de tijd van de drooglegging onder de verlaten remise in de binnenstad van Tulsa) en een confrontatie met Stevie Rae gehad. Of liever gezegd met wat er van haar over was.

Kijk, het eerste probleem was dat ik niet geloofde dat al haar menselijkheid verdwenen was, zoals wel het geval leek te zijn bij de andere ondode en bijzonder kwaadaardige ex-halfwassen die hadden geprobeerd happen uit Heath te nemen.

Het tweede probleem was Neferet. Stevie Rae had me verteld dat Neferet schuldig was aan hun ondoodheid. Ik wist dat dat waar was, aangezien Neferet vlak voor de komst van de politie een afschuwelijke betovering over Heath en mij had uitgestort. Die had ervoor moeten zorgen dat we alles wat er in de tunnels was gebeurd, vergaten. Volgens mij werkte dat wel bij Heath. Maar bij mij werkte het slechts tijdelijk. Ik had de kracht van de vijf elementen aangewend om mijn betovering te doorbreken.

Dat was een lang verhaal in het kort. Sindsdien heb ik me suf zitten piekeren over wat ik in jezusnaam moest doen aan ten eerste de kwestie Stevie Rae, ten tweede de kwestie Neferet, en ten derde de kwestie Heath. Het lijkt misschien handig dat geen van mijn drie bronnen van zorgen de afgelopen maand in de buurt was geweest, maar dat was niet zo.

'Goed,' zei ik hardop, 'het is mijn verjaardag, en een wel heel erg kloteverjaardag, zelfs voor mij. Dus, Nux, ik wil u om een klein verjaarsgunstje vragen. Ik wil Stevie Rae vinden.' Ik voegde er haastig 'alstublieft' aan toe. (Damien zou zeggen dat je vooral beleefd moest zijn als je tegen je godin sprak.)

Ik had niet echt een antwoord verwacht, dus toen de woorden 'draai je raampje open' door mijn hoofd warrelden, dacht ik dat het de tekst van een nummer op de radio was. Maar mijn radio stond niet aan en de woorden werden niet begeleid door muziek, en bovendien klonken ze in mijn hoofd en kwamen ze niet uit de radio.

Ik was behoorlijk zenuwachtig toen ik mijn raampje opendraaide.

Het was de hele week abnormaal warm geweest. Vandaag was de temperatuur opgelopen tot vijftien graden, wat vreemd was voor december, maar dit was Oklahoma en 'vreemd' was gewoon een ander woord voor het weer in Oklahoma. Maar het liep inmiddels tegen middernacht en het was behoorlijk afgekoeld. Niet dat ik daar last van had. Volwassen vampiers voelen de kou minder intens dan mensen. Nee, dat komt niet doordat ze koude, dode, weer tot leven gewekte wandelende massa's vlees zijn (getver, dat was mogelijk wel wat Stevie Rae is). Dat komt doordat hun stofwisseling anders werkt dan bij mensen. Als halfwas, vooral eentje die verder ontwikkeld is dan de meeste die nog maar een paar maanden geleden zijn gemerkt, was mijn weerstand tegen de kou al veel beter dan die van een mens. Dus ik had geen last van de koude lucht die mijn kever binnenstroomde, waardoor het heel vreemd was toen ik plotseling moest niezen en kippenvel kreeg.

Getver, wat was dat voor stank? Het rook naar een bedompte kelder en eiersalade die niet snel genoeg in de koelkast was gezet en viezigheid, een walgelijke mengeling van iets wat me akelig bekend voorkwam.

'Ah, jezus!' Ik besefte opeens wat ik rook en stuurde mijn kever dwars over alle drie de eenrichtingsverkeersbanen en parkeerde iets ten noorden van het busstation in het centrum. Ik nam nauwelijks de tijd om mijn raampje dicht te draaien en het portier op slot te doen (ik zou het gewoon niet overleven als mijn eerste editie van *Dracula* werd gestolen) voor ik uitstapte en het trottoir op vloog, waar ik stil bleef staan en de lucht opsnoof. Ik pikte de stank direct op. Getver. Die was zo walgelijk dat je er niet omheen kon. Snuffelend als een achterlijke hond volgde ik mijn neus over het trottoir, weg van het geruststellende licht van het busstation.

Ik vond haar in een steeg. Aanvankelijk dacht ik dat ze over een grote vuilniszak gebogen stond, en mijn hart verkrampte. Ik moest haar weg zien te halen uit dit leven; ik moest een manier bedenken om haar te beschermen totdat dit afschuwelijke wat haar was overkomen ongedaan gemaakt kon worden. *Of ze moest definitief sterven.* Nee! Daar wilde ik niet eens aan denken. Ik had al een keer toegekeken terwijl Stevie Rae stierf. Dat wilde ik niet nog eens.

Maar voor ik haar kon bereiken en mijn armen om haar heen kon slaan (terwijl ik mijn adem inhield) en tegen haar kon zeggen dat ik ervoor zou zorgen dat alles weer goed kwam, bewoog en kreunde de vuilniszak, en toen drong het tot me door dat Stevie Rae niet door het afval spitte maar dat ze een zwerfster in de hals beet!

'Walgelijk, zeg! Jezus, hou daar alsjeblieft mee op!'

Onmenselijk snel draaide Stevie Rae zich om. De zwerfster viel op de grond, maar Stevie Rae hield een van haar smerige polsen vast. Met ontblote tanden en ogen die griezelig rood opgloeiden siste ze naar me. Ik was te zeer van afschuw vervuld om bang te zijn of zelfs maar te schrikken. Bovendien had ik zojuist een afgrijselijke verjaardag achter de rug en mensen, zelfs ondode beste vrienden, konden me wat.

'Stevie Rae, ik ben het. Hou maar op met dat gesis. Dat is trouwens een bespottelijk vampiercliché.'

Ze reageerde niet meteen en de afschuwelijke gedachte kwam bij me op dat ze in de maand sinds de laatste keer dat ik haar had gezien mogelijk was gedegenereerd tot een punt waarop ze net als de rest van die wezens was geworden: beestachtig en onbereikbaar. Mijn maag maakte een pijnlijke salto, maar ik ontmoette haar rode ogen en rolde met de mijne. 'En, alsjeblieft, je stinkt een uur in de wind. Zijn er in macaber ondodenland geen douches?'

Stevie Rae fronste haar voorhoofd, wat in wezen een verbetering was, aangezien haar lippen haar tanden bedekten. 'Ga weg, Zoey,' zei ze. Haar stem was koud en vlak, en wat vroeger een innemend boers accent was geweest, klonk nu als grove straattaal, maar ze had me bij mijn naam genoemd, en meer aanmoediging had ik niet nodig.

'Ik ga nergens heen voor we met elkaar hebben gepraat. Dus laat die zwerfster los – getver, Stevie Rae, ze heeft waarschijnlijk luizen en wie weet wat nog meer – en laten we praten.'

'Als je wilt praten zul je moeten wachten tot ik klaar ben met eten.' Stevie Rae hield haar hoofd schuin, een beweging die iets insectachtigs had. 'Ik meen me te herinneren dat jij je stempel hebt gedrukt op je menselijke toyboy. Dus volgens mij ben je niet vies van bloed. Wil je misschien een hapje mee-eten?' Ze glimlachte en likte haar hoektanden.

'Oké, dat is vals, gewoon een rotopmerking! En voor alle duidelijkheid: Heath is niet mijn toyboy. Hij is mijn vriendje, beter gezegd, één van mijn vriendjes. Dat ik zijn bloed heb gedronken is min of meer per ongeluk gebeurd. Ik zou het je hebben verteld, maar je ging dood. Dus, nee, ik wil die persoon niet bijten. Ik heb geen idee waar ze allemaal is geweest.' Ik schonk de arme vrouw met haar grote angstige ogen en geklitte haar een zwak lachje. 'Eh, dat is niet lullig bedoeld, mevrouw.'

'Goed. Des te meer voor mij.' Stevie Rae boog zich weer over de keel van de vrouw.

'Hou op!'

Ze keek me over haar schouder aan. 'Zoals ik al zei: ga weg, Zoey. Je hoort hier niet.'

'Jij ook niet,' zei ik.

'Dat is een van de vele dingen waarin je je vergist.'

Toen ze zich weer over de vrouw boog, die nu huilde en steeds weer 'alsjeblieft, o, alsjeblieft' zei, deed ik een paar stappen naar voren en hief mijn handen boven mijn hoofd. 'Ik zei: laat haar los.'

Stevie Rae reageerde met gesis en deed haar mond open om haar tanden in de hals van de vrouw te zetten. Ik deed mijn ogen dicht en concentreerde me. 'Lucht, kom tot mij!' beval ik. Mijn haar waaide op in de wind die me omringde. Ik draaide rondjes met mijn hand en stelde me een miniatuurtornado voor. Ik deed mijn ogen open en wierp met een snelle polsbeweging de kracht van lucht naar de huilende dakloze vrouw. Precies zoals ik het me had voorgesteld, werd de vrouw door de wervelende lucht omsloten, terwijl er nauwelijks een haar op Stevie Raes hoofd werd beroerd. De wind tilde Stevie Raes slachtoffer op, droeg haar de steeg door en zette haar pas weer neer in de veiligheid van een straatlantaarn. 'Bedankt, lucht,' prevelde ik, en ik voelde de wind langs mijn gezicht strijken voordat die verdween.

'Daar word je aardig goed in.'

Ik draaide me weer om naar Stevie Rae. Ze stond naar me te kijken met een wantrouwige uitdrukking op haar gezicht, alsof ze dacht dat ik nog een wervelwind tevoorschijn zou toveren en haar naar de vergetelheid zou laten afvoeren.

Ik haalde mijn schouders op. 'Ik heb geoefend. Het is gewoon een kwestie van concentratie en beheersing. Jij zou dat ook weten als je had geoefend.'

De pijn flitste zo snel over Stevie Raes uitgemergelde gezicht dat ik me afvroeg of ik het echt had gezien of dat ik het me alleen maar had verbeeld. 'De elementen hebben niets meer met me te maken.'

'Dat is gelul, Stevie Rae. Je hebt affiniteit voor aarde. Die had je voor je doodging of wat dan ook,' stamelde ik; het was heel raar om met de ondode Stevie Rae te praten over doodgaan. 'Zoiets gaat niet zomaar weg. Bovendien, weet je nog in de tunnels? Toen had je de affiniteit nog.'

Stevie Rae schudde haar hoofd en haar korte blonde krullen, de lokken die nog niet geklit en smerig waren, dansten en deden me denken aan hoe ze er vroeger had uitgezien. 'Het is weg. Wat ik vroeger was is gestorven met het deel van me dat menselijk was. Dat moet je accepteren en je moet doorgaan met je leven. Net als ik.'

'Dat zal ik nooit accepteren. Je bent mijn beste vriendin. Ik ga niet verder met mijn leven.'

Stevie Rae siste, een akelig, woest geluid, en haar ogen gloeiden bloedrood op. 'Zie ik eruit als je beste vriendin?'

Ik negeerde de manier waarop mijn hart in mijn borst tekeer-ging. Ze had gelijk. Wat ze was geworden leek totaal niet op de Stevie Rae die ik had gekend. Maar ik weigerde te geloven dat ze helemaal weg was. Ik had in de tunnels glimpen opgevangen van mijn beste vriendin en dat wilde zeggen dat ik haar niet als verlo-ren kon beschouwen. Ik kon wel janken, maar ik beheerste me en dwong mijn stem om normaal te klinken.

'Nou, nee. Je ziet er niet uit als Stevie Rae. Wanneer heb je voor het laatst je haar gewassen? En wat heb je in jezusnaam aan?' Ik wees naar de trainingsbroek en het bovenmaatse shirt onder een lange zwarte trenchcoat vol smerige vlekken, zo'n jas die die freaky gothtypes zo graag dragen als het buiten tegen de veertig graden loopt. 'Als ik er zo bij liep zou ik er ook niet als mezelf uit-zien.' Ik slaakte een zucht en deed een paar stappen naar haar toe. 'Waarom ga je niet gewoon met me mee? Ik smokkel je stiekem het meisjesonderkomen binnen. Dat zal niet moeilijk zijn; er is bijna niemand. Neferet is er niet,' voegde ik eraan toe, en toen ging ik snel verder (ik betwijfelde of een van ons beiden het op dat moment over Neferet wilde hebben, jezus, misschien wel nooit). 'De meeste docenten zijn weg tot na de feestdagen en de leerlingen zijn allemaal bij hun familie op bezoek. Het Huis van de Nacht is zo goed als uitgestorven. We zullen zelfs niet gestoord worden door Damien, de tweeling en Erik, want die zijn kwaad op me. Je kunt een heerlijke lange schuimende douche nemen, ik regel een stel echte kleren voor je en dan kunnen we praten.' Ik keek haar de hele tijd in de ogen en zag daar verlangen in op- flitsen. Heel even maar, maar ik wist dat ik het echt had gezien. Toen wendde ze snel haar blik af.

'Ik kan niet met je meegaan. Ik moet me voeden.'

'Dat is geen probleem. Ik haal wel iets te eten voor je uit de keuken van het meisjesverblijf. Ik wil wedden dat ik een kom Lucky Charms kan vinden,' zei ik glimlachend. 'Weet je nog? Die zijn magisch verrukkelijk en hebben totaal geen voedingswaar- de.'

'Count Chocula wel soms?'

Mijn glimlach verbreedde zich tot een opgeluchte grijns toen Stevie Rae de draad oppakte van onze eeuwige discussie over welk van onze favoriete ontbijtgranen beter was. 'Count Chocula heeft een heerlijke kokossmaak. Kokos is een plant en dus ge- zond.'

Stevie Raes blik ontmoette de mijne. Haar ogen gloeiden niet meer rood op en ze probeerde evenmin de tranen te verbergen die erin opwelden en langs haar wangen stroomden. Ik wilde mijn armen om haar heen slaan, maar ze stapte achteruit.

'Nee! Ik wil niet dat je me aanraakt, Zoey. Ik ben niet meer wie ik was. Ik ben smerig en weerzinwekkend.'

'Ga dan met me mee naar de school en fris je op!' smeekte ik. 'We gaan dit probleem oplossen, dat beloof ik je.'

Stevie Rae schudde triest haar hoofd en veegde over haar ogen. 'Er valt niets op te lossen. Toen ik zei dat ik smerig en weerzinwekkend ben, had ik het niet over de buitenkant. Wat je aan de buitenkant ziet is niet half zo stuitend als hoe ik vanbinnen ben. Zoey, ik moet me voeden. En dan bedoel ik niet met ontbijtgranen of sandwiches en bruine frisdrank. Ik heb bloed nodig. Menselijk bloed. Als ik geen...' Ze zweeg even en ik zag een huivering door haar lichaam trekken. 'Als ik geen bloed drink, dan krijg ik een knagend, brandend hongergevoel dat ik niet kan verdragen. En je moet begrijpen dat ik me wíl voeden. Ik wíl mensenkelen openscheuren en dat warme bloed drinken waarin zo veel angst, woede en pijn zit dat ik er duizelig van word.' Ze zweeg weer even en hijgde zwaar.

'Je kunt niet echt mensen willen doden, Stevie Rae.'

'Je vergist je. Dat wil ik wel.'

'Dat kun je nu wel zeggen, maar ik weet dat je nog steeds stukjes van mijn beste vriendin in je hebt, en Stevie Rae zou het niet eens over haar hart kunnen verkrijgen om een hondje een tik te geven, laat staan dat ze iemand zou kunnen vermoorden.' Toen ze haar mond opendeed om me tegen te spreken, ging ik snel verder. 'En als ik nou kan zorgen voor mensenbloed zodat je niemand hoeft te doden?'

Op die akelige emotieloze toon zei ze: 'Ik vind het leuk om te doden.'

'Vind je het ook leuk om er zo smerig en weerzinwekkend uit te zien en zo gruwelijk te stinken?' snauwde ik.

'Het kan me niet meer schelen hoe ik eruitzie.'

'O nee? En als ik nou eens zei dat ik een Roper-spijkerbroek, cowboylaarzen en een leuk shirt met lange mouwen, keurig gestreken, voor je kan regelen?' Ik zag haar ogen schitteren en wist dat ik de oude Stevie Rae had bereikt. Mijn gedachten sloegen op hol terwijl ik vertwijfeld naar de juiste woorden zocht nu ik haar interesse had gewekt. 'Hoor eens, we spreken af dat we elkaar

morgen om middernacht treffen... nee, wacht. Morgen is het za-
terdag. Om middernacht is het nog niet rustig genoeg om naar
buiten te glippen. Laten we zeggen om drie uur 's nachts bij het
prieel op het terrein van het Philbrook.' Ik zweeg even en lachte
naar haar. 'Dat herinner je je nog wel, toch?' Ik wist natuurlijk dat
ze precies wist waar ik bedoelde. Ze was daar al eens eerder met
mij geweest, alleen was zij die avond degene die mij wilde redden
en niet andersom.

'Ja, ik weet waar je bedoelt,' zei ze op diezelfde koude, vlakke
toon.

'Goed, dan spreken we daar af. Ik neem de kleren voor je mee
en ook bloed. Je kunt eten of drinken of wat dan ook en je omkleden. Dan kunnen we eens kijken of we niet een oplossing kunnen
bedenken.' Voor mezelf voegde ik eraan toe dat ik ook zeep en
shampoo zou meenemen en water tevoorschijn zou toveren zodat die meid zich kon opfrissen. Getver, ze stonk net zo afschuwelijk als dat ze eruitzag. 'Oké?'

'In wezen heeft dat totaal geen zin.'

'Mag ik dat alsjeblieft zelf beoordelen? Ik heb je trouwens nog
niets verteld over de verschrikkingen van mijn verjaardag. Oma
en ik hebben een nachtmerrieachtige scène beleefd met mijn
moeder en de stief-loser. Oma noemde de stief-loser een allejezus
verachtelijke zak.'

Stevie Rae barstte in lachen uit en even leek ze zo veel op haar
vroegere zelf dat mijn zicht wazig werd van de tranen, die ik ver-
woed moest wegknipperen.

'Kom alsjeblieft,' zei ik; mijn stem was schor van emoties. 'Ik
heb je zo vreselijk gemist.'

'Ik kom,' zei Stevie Rae. 'Maar daar zul je spijt van krijgen.'

5

Na die onheilspellende woorden draaide Stevie Rae zich vliegensvlug om, stormde weg door de steeg en verdween in de stinkende
duisternis. Veel langzamer liep ik terug naar mijn kever en stapte
in. Ik was verdrietig en rusteloos en had veel te veel om over na te
denken om rechtstreeks naar de school terug te gaan, dus reed
ik naar het pannenkoekenhuis op Seventy-first Street in Tulsa-
Zuid, dat dag en nacht open was, bestelde een grote chocolade-
milkshake en een stapel pannenkoeken met chocoladeschilfers en
dacht diep na terwijl ik me op het troostvoer stortte.

Het gesprek met Stevie Rae was eigenlijk wel goed verlopen.
Ik bedoel, ze had ermee ingestemd om me morgen te ontmoeten.
En ze had niet geprobeerd me te bijten, wat natuurlijk een plus-
punt was. Dat hele gedoe van haar-tanden-in-de-zwerfster-zetten
was natuurlijk hoogst verontrustend, net als haar absoluut walgelijke uiterlijk en de stank die ze uitwasemde. Maar ik zweer dat ik
onder die façade van verachtelijkheid in het ondode meisje nog
steeds mijn Stevie Rae, mijn beste vriendin, bespeurde. Ik zou me
daaraan vastklampen en proberen haar terug te halen naar het
licht. Figuurlijk gesproken dan. Ik geloof dat zij nog meer last
heeft van licht dan ik of volwassen vampiers. Wat eigenlijk niet
meer dan logisch was. Die walgelijke ondode dode gasten waren
absoluut stereotypen van vampiers. Ik vroeg me af of ze in brand
zou vliegen als het zonlicht op haar viel. Shit. Dat zou niet best
zijn, vooral omdat we hadden afgesproken om drie uur 's nachts,
slechts een paar uur voor zonsopgang. Shit, dus.

Alsof me zorgen maken over zonlicht en noem maar op niet genoeg was, moest ik ook nog nadenken over wat ik ging doen als alle docenten (met name Neferet) in de al te nabije toekomst naar de school terugkeerden, en over het feit dat ik geheim moest houden dat Stevie Rae ondood en niet dood-dood was. Nee. Daar zou ik me pas mee bezighouden nadat ik Stevie Rae had opgefrist en ergens op een veilige plek had verborgen. Ik zou stapje voor stapje te werk gaan en hopen dat Nux, die me duidelijk naar Stevie Rae had geleid, me zou helpen met het vinden van een oplossing voor al die problemen.

Tegen de tijd dat ik weer terug was bij de school, werd het al bijna licht. Het parkeerterrein was zo goed als leeg en ik kwam niemand tegen toen ik langzaam om de kasteelachtige groep gebouwen liep waaruit het Huis van de Nacht bestond. Het meisjesonderkomen was aan de andere kant van de campus, maar ik had geen haast. Bovendien moest ik nog iets doen voor ik naar mijn kamer ging, waar ik hoogstwaarschijnlijk een paar van mijn ontstemde vrienden tegen het lijf zou lopen. (Getver, ik haat mijn verjaardag uit de grond van mijn hart.)

Het gebouw tegenover het hoofdgebouw van het Huis van de Nacht was gemaakt van dezelfde vreemde mengeling van oude bakstenen en uitstekende stenen als de rest van de school, maar kleiner en ronder, en ervoor stond een marmeren standbeeld van onze godin Nux, met haar armen geheven alsof ze een vollemaan in haar handen hield. Ik bleef staan en keek naar de godin. De ouderwetse gaslantaarns die de campus verlichtten waren niet alleen vriendelijk voor onze gevoelige ogen. Ze gaven zacht, warm licht dat flakkerde als een streling en Nux' standbeeld leven inblies.

Vervuld van ontzag voor de godin zette ik mijn lavendelplant op de grond en legde *Dracula* (voorzichtig) ernaast, en toen zocht ik tussen het wintergras aan de voet van Nux' standbeeld tot ik de lange, groene gebedskaars had gevonden, die was omgevallen. Ik pakte hem op, deed mijn ogen dicht en concentreerde me op de warmte en schoonheid van de gaslichtvlam en op hoe één kaars genoeg licht kon werpen om de sfeer in een donkere kamer te veranderen.

'Ik roep vlam. Brand voor mij, alstublieft,' fluisterde ik.

Ik hoorde de pit sputteren en voelde een vlaag hitte op mijn gezicht. Toen ik mijn ogen opendeed, zag ik dat de groene kaars, die het element aarde vertegenwoordigt, levendig brandde. Ik glimlachte tevreden. Ik had niet overdreven tegen Stevie Rae. Ik had de afgelopen maand geoefend met het aanroepen van de elementen en ik begon er echt goed in te worden. (Niet dat mijn door de godin geschonken kracht zou helpen de gekwetste gevoelens van mijn vrienden te sussen, maar toch.)

Ik zette de brandende kaars voorzichtig aan Nux' voeten. Toen boog ik mijn hoofd niet voor- maar achterover, en keek ik op naar de luister van de nachthemel. En daarna bad ik tot mijn godin, al moet ik bekennen dat mijn manier van bidden veel weg heeft van gewoon praten. Dat heeft niets met gebrek aan respect voor Nux te maken. Zo ben ik gewoon. Vanaf de dag dat ik werd gemerkt en de godin voor me verscheen, heb ik een hechte verbondenheid met haar gevoeld, alsof ze echt geeft om wat er in mijn leven gebeurt. Ze is voor mij geen naamloze God in den hoge die fronsend op me neerkijkt met een aantekenboekje bij de hand om doorreispasjes naar de hel in te vullen.

'Nux, bedankt dat u me vannacht hebt geholpen. Ik ben erg in de war en volslagen verbijsterd door de toestand met Stevie Rae, maar ik weet dat als u me – ons – wilt helpen, we ons erdoorheen kunnen slaan. Let een beetje op haar, alstublieft, en help me weten wat ik moet doen. Ik weet dat u me met een reden hebt gemerkt en me bijzondere krachten hebt geschonken en ik begin het idee te krijgen dat het misschien iets te maken heeft met Stevie Rae. Ik zal niet tegen u liegen... ik vind het doodeng. Maar u wist dat ik een slappeling was doen u me uitkoos.' Ik glimlachte naar de hemel. Tijdens mijn eerste gesprek met Nux had ik haar verteld dat ik echt niet door haar als bijzonder gemerkt kon zijn, omdat ik niet eens kon fileparkeren. Dat had voor haar toen niets uitgemaakt en ik hoopte maar dat dat nog steeds zo was. 'Hoe dan ook, ik wilde de kaars voor Stevie Rae aansteken als symbool voor het feit dat ik haar niet zal vergeten, en dat ik niet zal weglopen voor wat u ook wilt dat ik doe, al heb ik geen flauw idee wat dat zou kunnen zijn.'

Ik zat op mijn knieën voor het standbeeld en besloot om nog een poosje te blijven zitten in de hoop dat me misschien weer iets ingefluisterd zou worden om me een idee te geven van hoe ik de ontmoeting met Stevie Rae morgen moest aanpakken. Ik zat dus nog steeds voor Nux' standbeeld naar de hemel te staren toen Eriks stem me de stuipen op het lijf joeg.

'Je bent echt ondersteboven van de dood van Stevie Rae, hè?'

Ik schrok me wild en slaakte een onaantrekkelijke gil. 'Jezus, Erik! Je laat me zo schrikken dat ik het bijna in mijn broek deed. Doe dat alsjeblieft niet meer, me zo stiekem besluipen.'

'Best. Sorry. Ik had je niet moeten storen. Tot later.' Hij begon weg te lopen.

'Wacht, ik wil niet dat je weggaat. Je hebt me gewoon overrompeld. De volgende keer moet je gewoon bladeren laten ritselen of hoesten of zo. Oké?'

Hij bleef staan en draaide zich weer om. Zijn gezicht stond behoedzaam, maar hij knikte gespannen en zei: 'Oké.'

Ik stond op en lachte een naar ik hoopte bemoedigend lachje. Ondode vriendin en menselijk vriendje met stempel terzijde, ik was dol op Erik en wilde beslist niet dat het uitging. 'Eigenlijk ben ik blij dat je er bent. Ik wil me verontschuldigen voor wat er een paar uur geleden is gebeurd.'

Erik maakte een bruusk gebaar met zijn hand. 'Zit er maar niet over in, en je hoeft die sneeuwpopketting niet te dragen, of je kunt hem terugbrengen en ruilen voor iets anders. Wat dan ook. Ik heb de bon bewaard.'

Mijn hand ging omhoog naar de parelsneeuwpop. Nu ik hem kon kwijtraken (en ook Erik) besefte ik opeens dat hij eigenlijk wel leuk was. (En Erik was meer dan eigenlijk wel leuk.) 'Nee! Ik wil hem niet terugbrengen.' Ik zweeg even en raapte mezelf bijeen zodat ik niet zo neurotisch en wanhopig zou klinken. 'Oké, het zit zo. Er is een stellige mogelijkheid dat ik misschien een beetje overgevoelig ben over die verjaars-kerstkwestie. Ik had jullie moeten vertellen hoe ik daarover dacht, maar ik heb al zo lang kutverjaardagen gehad dat ik daar gewoon niet bij stil heb gestaan. Tot vandaag, tenminste. En toen was het te laat. Ik was niet van plan om iets te zeggen en jullie zouden het niet eens hebben geweten als dat briefje van Heath er niet was geweest.' Ik bedacht opeens dat ik Heath' beeldige armband nog om mijn pols had, dus liet ik mijn hand zakken en drukte hem tegen mijn zij, terwijl ik wenste dat die beeldige kleine hartjes ophielden zo vrolijk te rinkelen. Toen voegde ik er zwakjes aan toe: 'Bovendien, je hebt gelijk. Ik ben echt ondersteboven van Stevie Raes toestand.' Toen hield ik stijf mijn mond dicht, omdat het tot me doordrong dat ik (al weer) over de zogenaamd dode Stevie Rae had gesproken alsof ze nog leefde, of in haar geval zou ik eigenlijk moeten zeggen alsof ze ondood was. En natuurlijk wauwelde ik als de wanhopige neuroot die ik probeerde niet te lijken.

Eriks blauwe ogen leken bij me naar binnen te kijken. 'Zou het makkelijker voor je zijn als ik me op een afstand hou, en je een poosje met rust laat?'

'Nee!' Hij bezorgde me gewoon pijn in mijn buik. 'Het zou beslist niet makkelijker zijn als je je op een afstand houdt.'

'Je bent gewoon helemaal niet jezelf sinds Stevie Rae is gestorven. Ik zou het kunnen begrijpen als je wat ruimte nodig hebt.'

'Erik, eerlijk gezegd is het niet alleen Stevie Rae. Er spelen ook andere dingen waarover ik niet kan praten.'

Hij kwam dichterbij, pakte mijn hand en verstrengelde zijn vingers met de mijne. 'Kun je het mij niet vertellen? Ik ben behoorlijk goed in het oplossen van problemen. Misschien kan ik helpen.'

Ik keek op in zijn ogen en wilde hem zo wanhopig graag alles vertellen over Stevie Rae en Neferet en zelfs Heath dat ik mezelf naar hem toe voelde wankelen. Erik sloot de kleine ruimte tussen ons in en ik liet me met een zucht in zijn armen vallen. Hij rook altijd zo heerlijk, en hij voelde onvoorstelbaar sterk en solide aan.

Ik legde mijn wang tegen zijn borst. 'Dat weet ik toch. Natuurlijk ben je goed in problemen oplossen. Je bent overal goed in. In feite benader je op een bizarre manier volmaaktheid.'

Ik voelde zijn borst rommelen toen hij lachte. 'Dat zeg je alsof het iets slechts is.'

'Het is niet slecht, het is intimiderend,' mompelde ik.

'Intimiderend?' Hij ging een stukje achteruit zodat hij me kon aankijken. 'Dat meen je niet!' Hij lachte weer.

Ik keek fronsend naar hem op. 'Waarom lach je me uit?'

Hij trok me dicht tegen zich aan en zei: 'Z, heb jij enig idee hoe het is om met een meisje om te gaan dat de krachtigste halfwas in de geschiedenis van de vampiers is?'

'Nee, ik ga nooit met meisjes uit.' Niet dat ik iets tegen lesbo's heb, hoor.

Hij legde zijn hand onder mijn kin en tilde mijn gezicht op. 'Je bent af en toe angstaanjagend. Je hebt controle over de elementen, alle elementen. Wat je noemt een meisje hebben dat je maar beter niet tegen de haren in kunt strijken.'

'Alsjeblieft, zeg! Doe niet zo gek. Ik heb de elementen nog nooit op jou losgelaten.' Ik zei er niet bij dat ik dat bij anderen wel had gedaan. Voornamelijk ondoden. Oké, en zijn ex-vriendin Aphrodite (die zo'n beetje even kwaadaardig en ergerlijk is als de ondode doden). Maar het leek me geen goed idee om dat allemaal ter sprake te brengen.

'Ik wil alleen maar zeggen dat jij je nooit geïntimideerd hoeft te voelen. Je bent wonderbaarlijk, Zoey. Besef je dat niet?'

'Niet echt. Ik leef de laatste tijd nogal in een waas.'

Erik ging weer een stukje achteruit en keek me aan. 'Laat me je dan helpen het waas te laten verdwijnen.'

Ik had het gevoel dat ik in zijn blauwe ogen verdronk. Misschien kon ik het hem vertellen. Erik was een vijfdeklasser, halverwege zijn derde jaar in het Huis van de Nacht. Hij was bijna negentien en een bovenmatig getalenteerd acteur. (Zingen kan hij ook.) Als er een halfwas bestond die een geheim kon bewaren, dan was dat Erik. Maar toen ik mijn mond opendeed om de waarheid over de ondode Stevie Rae eruit te gooien, verkrampte mijn maag en bleven de woorden in mijn keel steken. Het was weer dát gevoel. Dat diepgewortelde gevoel dat me soms overvalt en dat me waarschuwt dat ik mijn mond moet houden, of dat ik moet maken dat ik wegkom, of soms gewoon dat ik even de tijd moet nemen om na te denken. Op dit moment vertelde het me op een onmogelijk te negeren manier dat ik mijn mond moest houden, en dat werd door Eriks volgende woorden versterkt.

'Hoor eens, ik weet dat je liever met Neferet praat, maar zij komt pas over een week of zo terug. Ik zou haar tot dan kunnen vervangen.'

Neferet was nou net die persoon of vampier met wie ik absoluut niet kon praten. Jezus. Neferets paranormale gave was de reden dat ik niet met mijn vrienden of Erik over Stevie Rae kon praten.

'Bedankt voor het aanbod, Erik.' Ik begon me automatisch uit zijn armen los te maken. 'Maar ik moet er in mijn eentje uit zien te komen.'

Hij liet me zo plotseling los dat ik bijna achteroverviel. 'Hij is het, nietwaar?'

'Hij?'

'Die menselijke knaap. Heath. Je ex-vriendje. Hij komt over twee dagen terug en daarom doe je zo vreemd.'

'Ik doe helemaal niet vreemd. Tenminste niet zo vreemd.'

'Waarom mag ik je dan niet aanraken?'

'Waar heb je het over? Je raakte me zojuist nog aan. Ik heb je omhelsd.'

'Ja, twee seconden lang. Toen nam je weer afstand, zoals je nu al een tijdje doet. Hoor eens, als ik iets verkeerds heb gedaan, zeg dat dan alsjeblieft, en...'

'Je hebt helemaal niets verkeerds gedaan!'

Erik bleef even stil en toen hij sprak klonk hij veel ouder dan bijna negentien, en erg verdrietig. 'Ik kan niet wedijveren met iemand die jouw stempel draagt. Dat weet ik. En dat probeer ik ook niet. Ik dacht gewoon dat jij en ik iets bijzonders hadden. Wat wij hebben zal veel langer standhouden dan een of andere biologische band die je hebt met een mens. Jij en ik zijn gelijksoortig, en jij en Heath zijn dat niet. Tenminste niet meer.'

'Erik, je wedijvert niet met Heath.'

'Ik heb het fenomeen "stempel drukken" opgezocht. Het gaat om seks.'

Ik voelde mijn gezicht warm worden. Hij had natuurlijk gelijk. Je stempel op iemand drukken was seksueel; het drinken van menselijk bloed activeerde dezelfde receptor in de hersenen van een vampier en een mens die tijdens een orgasme werd geactiveerd. Niet dat ik dat met Erik wilde bespreken. Dus in plaats daarvan besloot ik om bij de oppervlakkige feiten te blijven en er niet dieper op in te gaan. 'Het gaat om bloed, niet seks.'

Zijn gezichtsuitdrukking vertelde me dat hij (jammer genoeg) gelijk had. Hij had het opgezocht.

Ik ging natuurlijk in de verdediging. 'Ik ben nog steeds maagd, Erik, en ik ben er nog niet aan toe om daar verandering in te brengen.'

'Ik heb niet gezegd dat je...'

'Volgens mij verwar je me met je vorige vriendinnetje,' onderbrak ik hem. 'Die meid die ik voor je op haar knieën zag liggen en probeerde je wéér te pijpen.' Oké, het was niet echt fair om het akelige incident tussen Aphrodite en hem waarvan ik per ongeluk getuige was geweest, ter sprake te brengen. Ik kende Erik toen niet eens, maar het leek me gewoon veel makkelijker om bonje te zoeken dan te moeten praten over de bloeddorst die Heath in me opwekte.

'Ik verwar je niet met Aphrodite,' zei hij tussen opeengeklemde kaken door.

'Nou, misschien is het probleem helemaal niet dat ik vreemd doe. Misschien gaat het erom dat je meer wilt dan ik je op dit moment kan geven.'

'Dat is niet waar, Zoey. Je weet donders goed dat ik je niet onder druk zet om met me naar bed te gaan. Ik wil niet iemand als Aphrodite. Ik wil jou. Maar ik wil je kunnen aanraken zonder dat je voor me terugdeinst alsof ik een lepralijder ben of zo.'

Had ik dat gedaan? Shit. Waarschijnlijk wel. Ik haalde een keer diep adem. Ruziemaken met Erik was stom en ik zou hem geheid kwijtraken als ik niet een manier bedacht om hem bij me in de buurt te laten komen zonder hem dingen te verklappen die hij echt niet aan Neferet mocht doorvertellen. Ik keek naar de grond en probeerde uit te puzzelen wat ik wel en niet tegen hem kon zeggen. 'Ik zie je echt niet als een lepralijder. Ik vind je de grootste spetter van de hele school.'

Ik hoorde Eriks diepe zucht. 'Nou, je hebt al gezegd dat je nooit met meisjes uitgaat, dus dat zou moeten betekenen dat je het prettig vindt als ik je aanraak.'

Ik keek naar hem op. 'Dat is ook zo.' Toen besloot ik om hem de waarheid te vertellen. Dat wil zeggen, zo veel van de waarheid als ik kon vertellen. 'Het is gewoon moeilijk om je zo dichtbij te hebben als ik van alles, nou ja... dingen aan mijn hoofd heb.' O, geweldig. Ik noemde het 'dingen'. Ik ben een debiel. Hoe bestaat het dat die jongen me nog steeds leuk vindt?

'Z, hebben die díngen te maken met uitdokteren hoe je met je krachten om moet gaan?'

'Ja.' Oké, dat was dan wel een leugen, maar niet helemaal. Al die dingen (dat wil zeggen Stevie Rae, Neferet, Heath) waren me overkomen ten gevolge van mijn krachten, en daar moest ik een oplossing voor zoeken, al bakte ik er duidelijk niets van. Ik had het gevoel dat ik mijn vingers achter mijn rug moest kruisen, maar ik was bang dat Erik dat zou zien.

Hij deed een stap dichter naar me toe. 'Dus onder die díngen valt niet dat je er een hekel aan hebt dat ik je aanraak?'

'Nee, dat valt niet onder die díngen. Beslist niet. Zeker weten van niet.' Ik deed een stap naar hem toe.

Hij glimlachte en opeens lagen zijn armen weer om me heen, en deze keer boog hij zijn hoofd om me te zoenen. Hij smaakt net zo lekker als dat hij ruikt, dus de zoen was heerlijk, en terwijl we zo bezig waren drong het plotseling tot me door dat het al erg lang geleden was dat Erik en ik een lekker potje hadden gevrijd. Ik bedoel, ik ben geen slet zoals Aphrodite, maar ik ben ook geen non. En ik loog niet toen ik tegen Erik zei dat ik het fijn vond als hij me aanraakte. Ik sloeg mijn armen om zijn brede schouders en drukte me nog steviger tegen hem aan. We pasten goed bij elkaar. Hij is echt lang, maar daar hou ik wel van. Hij geeft me het gevoel dat ik klein ben en meisjesachtig en veilig, en ook dat vind ik fijn. Ik liet mijn vingers zijn nek strelen, waar zijn donkere haar een beetje krulde. Met mijn nagels plaagde ik de zachte huid en ik voelde hem huiveren en hoorde hem zachtjes kreunen.

'Je voelt zo lekker aan,' fluisterde hij tegen mijn lippen.

'Jij ook,' fluisterde ik terug. Onze kus werd heftiger. En toen, in een opwelling (een behoorlijk sletterige opwelling) pakte ik zijn hand die onder op mijn rug lag en bracht die naar de zijkant van mijn borst. Hij kreunde weer en zijn kus werd nog heftiger en wellustiger. Zijn hand gleed omlaag en onder mijn trui weer omhoog, en toen lag zijn hand om mijn borst, die op mijn zwartkanten bh na bloot was.

Oké, ik geef het toe. Ik vond het lekker dat hij mijn borst aanraakte. Het voelde goed. Wat ook goed voelde was dat ik Erik bewees dat ik hem niet afstootte. Ik bewoog me iets zodat hij er beter bij kon en op de een of andere manier gleden door die kleine, onschuldige (nou ja, niet helemaal onschuldige) beweging onze lippen van elkaar en haalde mijn voortand zijn onderlip open.

De smaak van zijn bloed trof me als een mokerslag en mijn adem stokte tegen zijn mond. De smaak was vol en warm en onbeschrijflijk zoutzoet. Ik weet dat het walgelijk klinkt, maar mijn reactie daarop had ik niet in de hand. Ik nam Eriks gezicht tussen mijn handen en trok zijn lip naar mijn mond. Ik likte erover en het bloed ging sneller stromen.

'Ja, toe maar. Drink,' zei Erik; zijn stem was schor en zijn ademhaling versnelde.

Meer aanmoediging had ik niet nodig. Ik zoog zijn lip in mijn mond en proefde de wonderbaarlijke magie van zijn bloed. Het was anders dan Heath' bloed. Het gaf me niet het intense genot dat bijna pijn deed, waardoor ik amper de controle over mezelf kon bewaren. Eriks bloed bracht niet de withete hartstocht van dat van Heath. Eriks bloed was als een klein kampvuur, warm, gestaag en krachtig. Het vulde mijn lichaam met een vlam die een vloeibaar genot verwarmde, helemaal tot aan mijn tenen, en het zorgde ervoor dat ik meer wilde; meer van Erik en meer van zijn bloed.

'Hm-hm!'

Het geluid van een keel die opvallend (en erg luid) werd geschraapt had tot gevolg dat Erik en ik bij elkaar weg vlogen alsof we een schok hadden gehad. Ik zag Eriks ogen groot worden toen hij over mijn schouder keek, en toen glimlachte hij, waardoor hij precies leek op een jongetje dat was betrapt met zijn hand in een koektrommel (mijn koektrommel dus).

'Sorry, professor Blake. We dachten dat we alleen waren.'

6

O. Mijn. God. Ik wilde sterven. Ik wilde sterven en tot stof ver-
gaan en me door de wind laten meevoeren, waar dan ook heen,
als het maar weg was. In plaats daarvan draaide ik me om. Ja
hoor, daar stond Loren Blake, vampier-poet laureate en de aan-
trekkelijkste man in het universum, met een glimlach op zijn
klassiek-knappe gezicht.

'O... eh... hallo,' stamelde ik, en omdat dat niet stom genoeg
klonk, flapte ik eruit: 'U bent in Europa.'

'Dat was ik. Ik ben vanavond teruggekomen.'

'En hoe was Europa?' Erik sloeg rustig en beheerst zijn arm om
mijn schouders.

Lorens glimlach werd breder en hij keek van Erik naar mij.
'Minder gezellig dan hier.'

Erik, die het amusant leek te vinden, lachte zacht. 'Tja, het is
geen kwestie van waar je bent, maar van wie je kent.'

Loren trok een perfecte wenkbrauw op. 'Kennelijk.'

'Zoey is jarig. Dat was de verjaarskus,' zei Erik. 'Zoals u weet
gaan Z en ik met elkaar.'

Ik keek van Erik naar Loren. Je kon het testosteron bijna zien
hangen in de lucht tussen hen in. Jezus, wat een stelletje haantjes.
Vooral Erik. Ik zweer dat ik niet eens verbaasd was geweest als hij
me een klap op mijn hoofd had gegeven en me aan mijn haar had
meegesleurd. Wat geen aantrekkelijk mentaal beeld was.

'Ja, ik heb gehoord dat jullie met elkaar omgaan,' zei Loren.
Zijn glimlach was vreemd, ietwat sarcastisch, bijna spottend.

Toen wees hij naar mijn lip. 'Er zit bloed op je lip, Zoey. Dat kun je maar beter afvegen.' Mijn gezicht werd knalrood. 'O, en gefeliciteerd met je verjaardag.' Hij draaide zich om en liep weg naar het deel van de campus waar de privévertrekken van de docenten zich bevonden.

'Dat had niet gênanter kunnen zijn,' zei ik, nadat ik het bloed van mijn lip had gelikt en mijn trui had rechtgetrokken.

Erik haalde grijnzend zijn schouders op.

Ik gaf hem een klap tegen zijn borst en bukte me om mijn plant en mijn boek van de grond te pakken. 'Ik begrijp niet waarom jij het zo grappig vindt,' zei ik terwijl ik wegliep in de richting van het meisjesverblijf. Hij kwam me natuurlijk achterna.

'We stonden alleen maar te zoenen, Z.'

'Jij was aan het zoenen. Ik was je bloed aan het opzuigen.' Ik keek hem zijdelings aan. 'En dan had je ook nog je hand onder mijn trui. Vergeet dat niet.'

Hij nam de lavendelplant van me over en pakte mijn hand. 'Dat zal ik echt niet vergeten, Z.'

Ik had geen hand vrij om hem nog een klap te geven en moest dus genoegen nemen met een woedende blik. 'Wat gênant. Het idee dat Loren ons heeft gezien!'

'Het was Blake maar en hij is niet eens een echte docent.'

'Het was gênánt,' zei ik nog eens, en ik wenste dat mijn gezicht zou afkoelen. Ik wenste ook dat ik meer van Eriks bloed kon opzuigen, maar dat ging ik echt niet zeggen.

'Ik zit er niet mee. Ik ben blij dat hij ons heeft gezien,' zei Erik zelfvoldaan.

'Blij? Sinds wanneer krijg jij een kick van publiekelijk vrijen?' Geweldig. Erik was een kinky freak en daar kwam ik nu pas achter.

'Ik krijg geen kick van publiekelijk vrijen, maar toch ben ik blij dat Blake ons heeft gezien.' De pret was uit Eriks stem verdwenen en zijn glimlach was grimmig geworden. 'De manier waarop hij naar je kijkt, bevalt me niet.'

Mijn maag maakte een salto. 'Wat bedoel je? Hoe kijkt hij dan naar me?'

'Alsof jij geen leerling bent en hij geen docent.' Hij zweeg even. 'Dat is jou dus niet opgevallen?'

'Erik, je bent gek.' Ik vermeed zorgvuldig de vraag te beantwoorden. 'Loren kijkt niet anders naar mij dan naar anderen.' Mijn hart bonkte alsof het mijn borst uit wilde. Jezus, natuurlijk was het me opgevallen hoe Loren naar me keek! Zeker weten. Daar had ik het zelfs met Stevie Rae over gehad. Maar door alles wat er de laatste tijd was gebeurd en doordat Loren bijna een maand was weggeweest, had ik mezelf er bijna van overtuigd dat ik me het meeste van wat zich tussen ons had afgespeeld, had verbeeld.

'Je noemt hem Loren,' zei Erik.

'Ja, zoals je al zei: hij is geen echte docent.'

'Ik noem hem geen Loren.'

'Erik, hij heeft me geholpen met de research voor de nieuwe regels voor de Duistere Dochters.' Dat was meer een overdrijving dan een regelrechte leugen. Ik had research gedaan. Loren had erbij gezeten. We hadden erover gesproken. Toen had hij mijn gezicht aangeraakt. Daar wilde ik nu niet aan denken, dus ging ik snel verder: 'Hij heeft me ook naar mijn tatoeages gevraagd.' Dat had hij inderdaad gedaan. Onder de vollemaan had ik bijna mijn hele rug ontbloot zodat hij ze kon bekijken... en kon aanraken... en er inspiratie voor zijn poëzie uit kon halen. Ik zette die gedachten ook snel van me af en eindigde met: 'Dus ken ik hem min of meer.'

Erik bromde iets.

Ik had het gevoel dat een stel woestijnratten in een groot looprad rondjes draaide in mijn hoofd, maar ik zorgde ervoor dat mijn stem luchtig en plagerig klonk. 'Erik, ben je soms jaloers op Loren?'

'Nee.' Erik keek me aan, wendde zijn blik af en keek me toen weer aan. 'Ja. Oké, misschien.'

'Niet doen. Er is geen enkele reden om jaloers te zijn. Er is hele-maal niets tussen hem en mij. Geloof me.' Ik stootte met mijn schouder tegen zijn schouder. En op dat moment meende ik wat ik zei. Het was al stressig genoeg om te moeten bedenken wat ik met Heath en zijn stempel aan moest. Het laatste wat ik kon ge-bruiken was wel een stiekem avontuurtje met iemand die een nog groter verboden terrein was dan een menselijk ex-vriendje. (Triest genoeg leek het erop dat het laatste wat ik kan gebruiken door-gaans het eerste is wat ik krijg.)

'Ik krijg bij die vent gewoon geen goed gevoel,' zei Erik.

We stonden inmiddels voor het meisjesonderkomen en zonder zijn hand los te laten draaide ik me naar hem om en keek ik hem met onschuldig knipperende ogen aan. 'Hoe weet je dat? Heb je dan ook aan Loren gezeten?'

Hij fronste zijn voorhoofd. 'Dat is wel het laatste wat bij me zou opkomen.' Hij trok me tegen zich aan en sloeg zijn arm om me heen. 'Sorry dat ik me zo gek heb laten maken door Blake. Ik weet dat jullie niets met elkaar hebben. Ik was gewoon jaloers en stom.'

'Je bent niet stom en ik vind het niet erg dat je jaloers bent. Een beetje dan.'

'Je weet dat ik stapelgek ben op je, Z,' zei hij, en hij boog zijn hoofd en kuste mijn oor. 'Ik wou maar dat het niet zo laat was.'

Ik huiverde. 'Ik ook.' Maar ik zag dat de hemel boven zijn schouder al licht begon te worden. Bovendien was ik doodop. Na dat gedoe met mijn verjaardag, mijn moeder en stief-loser en mijn ondode beste vriendin had ik echt behoefte aan een beetje tijd om na te denken en een goede nachtrust (of in ons geval dag-rust). Maar dat weerhield me er niet van om tegen Erik aan te kruipen.

Hij kuste me boven op mijn hoofd en hield me stevig vast. 'Zeg, heb je al besloten wie aarde gaat vertegenwoordigen tijdens het vollemaansritueel?'

'Nee, nog niet,' zei ik. Shit. Het vollemaansritueel was over twee nachten en ik had er nog niet aan willen denken. Stevie Rae vervangen zou al behoorlijk akelig zijn als ze dood-dood was. Wetend dat ze ondood dood is en rondhangt in stinkende stegen en naargeestige tunnels maakte haar vervangen in één woord deprimerend. En helemaal verkeerd.

'Je weet dat ik het wel wil doen. Je hoeft het me alleen maar te vragen.'

Ik hield mijn hoofd schuin om naar hem op te kijken. Hij was lid van de prefectenraad, samen met de tweeling, Damien en ik, natuurlijk. Ik was de hoofdprefect, hoewel ik technisch gesproken een eerstejaars ben en geen laatstejaars. Stevie Rae was ook lid van de raad geweest. En nee, ik had nog niet besloten wie haar moest vervangen. In feite moest ik nog twee leerlingen voor de raad uitkiezen en daar had ik evenmin over nagedacht. God, wat een stress allemaal. Ik ademde een keer diep in en uit. 'Wil jij alsjeblieft tijdens ons vollemaansritueel in de cirkel aarde vertegenwoordigen?'

'Natuurlijk, Z. Maar lijkt het je geen goed idee om voor die tijd een oefencirkel te werpen? De rest van jullie heeft allemaal een affiniteit voor een element, in jouw geval alle vijf de elementen, en we kunnen er maar beter voor zorgen dat alles gladjes verloopt als er een vent zonder gaven bij komt.'

'Je bent bepaald niet onbegaafd.'

'Nou, ik had het niet over mijn enorme vaardigheden als vrijer.'

Ik rolde met mijn ogen. 'Ik ook niet.'

Hij trok me dichter tegen zich aan en mijn lichaam voegde zich naar het zijne. 'Ik moet mijn talent blijkbaar wat vaker demonstreren.'

Ik giechelde en hij kuste me. Ik proefde nog steeds een zweem van bloed op zijn lip, wat de kus nog heerlijker maakte.

'Zo te zien hebben jullie het weer bijgelegd,' zei Erin.

'Afgezoend, zul je bedoelen,' zei Shaunee.

Deze keer vlogen Erik en ik niet uit elkaar. We slaakten alleen een zucht.

'Privacy kun je op deze school echt wel vergeten,' mompelde Erik.

'Hallo! Jullie staan elkaar open en bloot af te lebberen,' zei Erin.

'Ik vind het eigenlijk best schattig,' zei Jack.

'Dat komt doordat jij eigenlijk best schattig bent,' zei Damien, en hij gaf Jack een arm terwijl ze samen de brede trap voor het meisjesonderkomen af liepen.

'Tweelingzus, ik geloof dat ik moet kotsen. Jij ook, misschien?' zei Shaunee.

'Beslist. Projectielkotsen,' zei Erin.

'Jullie worden dus misselijk van een beetje geknuffel, hè?' zei Erik, met een duivelse schittering in zijn ogen. Ik vroeg me af wat hij in zijn schild voerde.

'Kotsmisselijk,' zei Erin.

'Idem dito,' zei Shaunee.

'Dan zijn jullie dus ook niet geïnteresseerd in wat ik namens Cole en T.J. aan jullie moest doorgeven?'

'Cole Clifton?' zei Shaunee.

'T.J. Hawkins?' zei Erin.

'Ja en nog eens ja,' zei Erik.

Ik zag dat de identiek cynische Shaunee en Erin abrupt hun negatieve houding lieten varen.

'Cole is echt gewéldig,' zei Shaunee, bijna spinnend als een poes. 'Van dat blonde haar en die ondeugende blauwe ogen krijg ik de neiging hem een pak voor zijn broek te geven.'

'T.J.' – Erin wuifde zichzelf theatraal koelte toe – 'Wat kan die jongen zingen. En hij is lang... O, hij is zó verdomde geweldig.'

'Wil dit theatrale gedoe zeggen dat jullie toch niet zo vies zijn van een beetje geknuffel?' vroeg Damien met zelfgenoegzaam opgetrokken wenkbrauwen.

'Ja, tante Damien,' zei Shaunee, terwijl Erin met tot spleetjes geknepen ogen naar hem knikte.

'Zeg nou maar wat je namens Cole en T.J. aan de tweeling moest doorgeven,' zei ik tegen Erik, voordat Damien naar de tweeling kon terugschieten, waardoor ik voor de tigste keer Stevie Rae miste. Ze was een veel betere vredesbewaarder dan ik.

'Gewoon dat we het cool zouden vinden om morgenavond met Shaunee, Erin en jou' – hij gaf me een kneepje in mijn schouders – 'naar de IMAX te gaan.'

'En met "we" bedoel je jezelf, Cole en T.J.?' vroeg Shaunee.

'Ja. O, en Damien en Jack zijn ook uitgenodigd.'

'Wat gaan we zien?' vroeg Jack.

Erik wachtte even voor een dramatisch effect en zei toen: '300 wordt herhaald als een speciaal IMAX-evenement tijdens de vakantie.'

Nu was het Jacks beurt om zich koelte toe te wuiven.

Damien grijnsde. 'Wij zijn ervoor in.'

'Wij ook,' zei Shaunee, en Erin knikte zo heftig dat haar lange blonde haar alle kanten op sprong, waardoor ze net een dolle cheerleader leek.

'Weet je, 300 zou wel eens de perfecte film kunnen zijn. Er zit voor iedereen iets in,' zei ik. 'Mannenborsten voor diegenen die daarvan houden. En meisjestieten voor diegenen die daarvan houden. Plus een enorme dosis heldhaftige actie, en wie houdt daar nou niet van?'

'En een IMAX-voorstelling om middernacht voor degenen die niet van daglicht houden,' zei Erik.

'Je reinste perfectie,' zei Damien.

'Wat je zegt,' zei de tweeling in koor.

Ik stond daar maar met een grijns op mijn gezicht. Ik was dol op hen. Op alle vijf. Ik miste Stevie Rae nog steeds, maar voor het eerst in een maand voelde ik me weer mezelf: tevreden, zelfs gelukkig.

'Dat is dus afgesproken?' zei Erik.

Iedereen viel hem bij.

'Nu moeten we als de bliksem naar het jongensverblijf. We willen niet na spertijd op heilige meisjesgrond worden betrapt,' zei hij plagerig.

'Ja, we kunnen maar beter gaan,' zei Damien.

'Zeg, Zoey, nog gefeliciteerd,' zei Jack.

Jeetje, wat een lieverd. Ik lachte naar hem. 'Bedankt, schat.' Toen keek ik naar de rest van mijn vrienden. 'Sorry dat ik zo onaardig was. Ik ben echt blij met mijn cadeaus.'

'Bedoel je dat je ze ook echt gaat drágen?' zei Shaunee, met een scherpe blik uit haar vernauwde chocolakleurige ogen.

'Ja, ga je die waanzinnig te gekke laarzen die ons 295,52 dollar hebben gekost echt aantrekken?' voegde Erin eraan toe.

Ik moest even slikken. De families van Shaunee en Erin hadden geld. Ik daarentegen was er echt niet aan gewend om laarzen van driehonderd dollar te bezitten. Nu ik wist hoe duur ze waren, ging ik ze eigenlijk steeds leuker vinden. 'Ja. Ik ga die gewéldige laarzen echt aantrekken,' zei ik, waarbij ik Shaunee nadeed.

'De kasjmieren sjaal was ook niet bepaald goedkoop,' zei Damien hooghartig. 'Had ik erbij vermeld dat die van kasjmier is? Honderd procent.'

'Vaker dan we kunnen tellen,' mompelde Erin.

'Ik ben dol op kasjmier,' verzekerde ik hem.

Jack keek fronsend naar zijn voeten. 'Mijn sneeuwbol was niet zo duur.'

'Maar hij is beeldig en helemaal volgens het sneeuwpopthema. Hij past precies bij mijn prachtige sneeuwpopketting, die ik nooit meer zal afdoen.' Ik glimlachte naar Erik.

'Zelfs 's zomers niet?' vroeg hij.

'Zelfs 's zomers niet,' zei ik.

Erik fluisterde 'Bedankt, Z', en toen kuste hij me zacht.

'Ik voel mijn maaginhoud weer omhoogkomen,' zei Shaunee.

'Ik heb ook al braaksel in mijn mond,' zei Erin.

Erik omhelsde me nog een keer en draafde toen achter Jack en Damien aan, die al wegliepen. Hij riep over zijn schouder: 'Moet ik tegen Cole en T.J. zeggen dat jullie niks moeten hebben van zoenen en zo?'

'Als je dat doet, maken we je af,' zei Shaunee poeslief.

'We maken je morsdood,' zei Erin, net zo poeslief.

Ik hoorde Eriks wegstervende lach en moest zelf ook lachen, en toen pakte ik mijn lavendelplant op, drukte *Dracula* tegen mijn borst en liep met mijn vriendinnen het meisjesverblijf binnen. Ik begon zelfs te denken dat ik misschien een oplossing zou kunnen vinden voor de Stevie Rae-kwestie en dat we weer allemaal bij elkaar zouden kunnen zijn.

Helaas bleek die gedachte even naïef als onmogelijk.

7

Zaterdagavond (in wezen onze zaterdagochtend) is gewoonlijk tijd voor luieren. De meisjes hangen rond in hun pyjama, met warrige ongekamde haren, eten slaperig kommen ontbijtgraan of koude popcorn en kijken naar herhalingen op de diverse breed-beeld-tv's in de gemeenschappelijke zitkamer. Het was dus niet verwonderlijk dat Shaunee en Erin me verdwaasd en fronsend aankeken toen ik met een mueslireep en een blikje bruine fris-drank (géén light, getver) in mijn hand tussen hun glazige blik-ken en de tv verscheen.

'Wat is er?' vroeg Erin.

'Z, waarom ben je zo wakker?' vroeg Shaunee.

'Ja, het is helemaal niet gezond om zo vroeg al zo kwiek te zijn,' zei Erin.

'Precies, tweelingzus. Iedereen heeft maar een bepaalde hoe-veelheid kwiekheid in zich. Als je die zo vroeg op de dag uitput, heb je niets meer over en ben je de rest van de dag chagrijnig,' zei Shaunee.

'Ik ben niet kwiek; ik heb gewoon dingen te doen.' Godzijdank hielden ze op met preken. 'Ik ga naar de bibliotheek om een beet-je onderzoek te doen naar rituele dingen.' Dat was geen leugen. Ze gingen er gewoon van uit dat ik het aankomende vollemaans-ritueel bedoelde, terwijl ik het in feite had over een ritueel om die arme ondood-dode Stevie Rae on-ondood te maken. 'Terwijl ik daarmee bezig ben, wil ik dat jullie Damien en Erik gaan zoeken om hun te zeggen dat we elkaar treffen onder de boom bij de muur om...' Ik keek op mijn horloge. 'Het is nu half zes. Ik verwacht om een uur of zeven met mijn research klaar te zijn. Laten we afspreken om kwart over zeven.'

'Oké,' zei de tweeling.

'Maar waarom moeten we bij elkaar komen?' vroeg Erin.

'O, neem me niet kwalijk. Erik gaat morgen aarde vertegenwoordigen.' Ik slikte om het brok heen dat opeens in mijn keel zat. De tweeling keek me even verdrietig aan als ik me voelde. Het was wel duidelijk dat niemand van ons het heengaan van Stevie Rae helemaal had verwerkt, zelfs niet degenen die geloofden dat ze dood was. 'Erik dacht dat het een goed idee zou zijn om voorafgaand aan het ritueel een oefencirkel te werpen. Je weet wel, omdat de rest van ons een affiniteit voor de elementen heeft en hij niet. Mij leek het ook een goed idee.'

'Ja... klinkt goed...' mompelde de tweeling.

'Stevie Rae zou niet willen dat we een ritueel verknallen omdat we haar missen,' zei ik. 'Ik hoor het haar al zeggen: "Jullie moeten goed je best doen, hoor, en ervoor zorgen dat jullie niet voor paal staan."' Mijn imitatie van haar boerse accent bracht een glimlach op de gezichten van de tweeling.

'We zullen er zijn, Z,' zei Shaunee.

'Goed, dan gaan we daarna naar *300* kijken,' zei ik.

Dat leverde een brede grijns op.

'O ja, en willen jullie ervoor zorgen dat alle elementaire kaarsen daar zijn?'

'Komt voor elkaar, Z,' zei Erin.

'Bedankt, jongens.'

'Zeg, Z,' riep Shaunee me achterna toen ik al bijna de deur uit was.

Ik bleef staan en keek achterom.

'Leuke laarzen,' zei Erin.

Ik lachte en stak een voet omhoog. Ik had een spijkerbroek aan, zo'n model dat je tot vlak onder je knieën moest oprollen, en de fonkelende kerstbomen op de zijkant van elke laars waren voor iedereen dus duidelijk te zien. Ook had ik Damiens sneeuwpopsjaal om mijn hals, die werkelijk zo zacht was als een kasjmieren droom. Een stel meisjes dat op de tweezitsbank het dichtst bij de deur zat, maakte geluidjes die me zeiden dat zij de laarzen ook beeldig vonden, en ik zag de tweeling elkaar aankijken met een zelfvoldane blik van dat-zeiden-we-toch.

'Bedankt, een verjaarscadeau van de tweeling,' zei ik, zo hard dat Shaunee en Erin het konden horen. Ze wierpen me kushandjes toe toen ik naar buiten liep.

Knabbelend aan mijn mueslireep ging ik op weg naar het mediacentrum in het hoofdgebouw. Ik had een goed gevoel over het vollemaansritueel. Het zou natuurlijk vreemd zijn dat Stevie Rae aarde niet zou vertegenwoordigen, maar ik zou omringd zijn door mijn vrienden. We vormden nog steeds een hechte groep, ook al was een van ons weggevallen.

De school was vandaag nog meer uitgestorven dan de afgelopen maand, wat niet zo verwonderlijk was. Het was Kerstmis, en hoewel halfwassen in de fysieke nabijheid van volwassen vampiers moeten blijven, mogen we tot aan een hele dag de campus verlaten. (Vampiers scheiden een feromoon af dat de Verandering die zich in ons lichaam voltrekt min of meer reguleert en ons in staat stelt de metamorfose tot volwassen vampier te voltooien, dat wil zeggen, sommigen van ons. De rest van ons gaat dood.) Dus een heleboel leerlingen brachten Kerstmis bij hun menselijke familie door.

Zoals ik al had verwacht, was er niemand in de bibliotheek. Ik hoefde niet bang te zijn dat die op slot was en dat er een alarminstallatie was ingeschakeld zoals op een gewone school. Door hun paranormale en fysieke krachten hadden vampiers geen sloten nodig om ons in het gareel te houden. Ik wist eigenlijk niet wat ze deden wanneer een halfwas een typische debiele tienerstunt uithaalde. Het gerucht ging dat de vampiers de snoodaard (haha, 'snoodaard', dat was typisch zo'n woord dat Damien zou gebruiken) een tijdlang in de ban deden. Wat betekende dat de leerling doodziek kon worden en bijvoorbeeld zou kunnen verdrinken in zijn eigen afbrekende lichaamsweefsels en kon sterven.

Welbeschouwd was het maar beter om de vampiers niet op de kast te jagen. Ik had natuurlijk de krachtigste hogepriesteres van de school tot mijn vijand gemaakt. Soms was het goed om mij te zijn – zoals wanneer Erik me zoende of wanneer ik bij mijn vrienden was – maar meestal was mij zijn een massa stress en angst.

Ik snuffelde in de muffe oude boeken in de metafysische afdeling van de bibliotheek (zoals je je waarschijnlijk wel kunt voorstellen was dat in deze bibliotheek een grote afdeling). Het was een moeizame speurtocht, maar ik had besloten om geen gebruik te maken van de zoekmachine in de computer. Het laatste wat ik kon gebruiken was een elektronisch spoor dat schreeuwde: Zoey Redbird zoekt informatie over halfwassen die sterven en als bloedzuigende monsters gereanimeerd zijn door een hogepriesteres, die een duivelse controlfreak is met een tot nog toe onbekend masterplan! Nee. Zelfs ik wist dat dat geen goed idee zou zijn.

Ik was al ruim een uur bezig en begon gefrustreerd te raken omdat ik maar niet opschoot. Ik zou dolgraag Damien om hulp hebben gevraagd. Hij was niet alleen slim en een snelle lezer, maar in research was hij een kei. Met *Rituelen voor het healen van lichaam en geest* tegen mijn borst geklemd reikte ik naar een in leer gebonden stokoud boek getiteld *Kwaad bestrijden met bezweringen en rituelen* op de bovenste plank, toen een gespierde arm zich boven mijn hoofd uitstrekte en het boek met gemak pakte. Ik draaide me om en botste bijna als een malloot tegen Loren Blake op.

'*Kwaad bestrijden*, hè? Interessante keuze van leesvoer.'

Zijn nabijheid maakte me zenuwachtig. 'Je weet hoe ik ben.' (Al wist hij dat natuurlijk helemaal niet.) 'Ik ben graag voorbereid.'

Hij fronste zijn voorhoofd. 'Verwacht je soms een aanval van het kwaad?'

'Nee!' zei ik, veel te snel. Dus lachte ik en probeerde ik een vrolijke, luchtige toon aan te slaan, maar ik voelde gewoon dat die volslagen nep klonk. 'Maar ja, een paar maanden geleden had niemand verwacht dat Aphrodite de controle zou verliezen over een stel bloedzuigende vampiergeesten, en toch is dat gebeurd. Dus dacht ik: laat ik maar het zekere voor het onzekere nemen.' God wat ben ik een debiel.

'Daar zit wat in. Dus je bereidt je niet op iets specifieks voor?'

Ik verwonderde me over de scherpe belangstelling in zijn ogen. 'Nee,' zei ik achteloos. 'Ik probeer gewoon mijn werk als leider van de Duistere Dochters goed te doen.'

Hij wierp een blik op de boeken die ik in mijn hand had. 'Je weet toch wel dat die rituelen voor volwassen vampiers zijn bedoeld? Als halfwassen ziek worden, zit daar helaas altijd maar één reden achter: hun lichaam stoot de Verandering af en dan sterven ze.' Toen voegde hij er zachter aan toe. 'Je voelt je toch niet ziek?'

'Lieve help, welnee!' zei ik haastig. 'Ik voel me prima. Maar, nou ja...' Ik aarzelde en zocht naarstig naar een excuus. Ik kreeg opeens een ingeving en flapte er uit: 'Ik vind het eigenlijk een beetje gênant om toe te geven, maar ik wilde me vast een beetje voorbereiden voor als ik hogepriesteres word.'

Loren glimlachte. 'Waarom zou dat gênant zijn? Ik geloof er niks van dat jij zo'n dwaze vrouw zou kunnen zijn die belezenheid en ontwikkeld zijn als gênant ziet.'

Ik voelde mijn wangen warm worden: hij had me een 'vrouw' genoemd, wat veel beter was dan halfwas of meisje. Hij gaf me altijd een volwassen gevoel, een vróúwelijk gevoel. 'Nee, dat is het niet. Het is gênant omdat het nogal hoogmoedig klinkt om ervan uit te gaan dat ik op een dag echt hogepriesteres zal zijn.'

'Ik vind die veronderstelling juist van gezond verstand en gerechtvaardigd zelfvertrouwen getuigen.' Zijn glimlach werd zo warm dat ik zweer dat ik die hete uitstraling op mijn huid voelde. 'Ik heb me altijd aangetrokken gevoeld tot zelfverzekerde vrouwen.'

God, ik viel nog net niet in katzwijm.

'Je hebt echt geen idee hoe bijzonder je bent, Zoey. Je bent uniek. Heel anders dan de rest van de halfwassen. Je bent een godin onder degenen die zichzelf als halfgoden zien.' Toen zijn hand de zijkant van mijn gezicht streelde en op de tatoeages die mijn ogen omlijstten bleef liggen, had ik het gevoel dat ik met de boekenplanken zou versmelten. "Want gij, die 'k schoon in eng'lenlichtkleed dacht, Zijt donker als de hel, zwart als de nacht."'

'Waar is dat uit?' Zijn aanraking deed mijn lichaam tintelen en maakte me licht in het hoofd, maar toch slaagde ik erin om de cadans te herkennen die hij in zijn prachtige stem legde wanneer hij poëzie reciteerde.

'Shakespeare,' zei hij zacht, terwijl hij met zijn duim over de tatoeages op mijn jukbeen streek. 'Het is uit een van de sonnetten die hij aan de "Dark Lady" schreef, die zijn ware liefde was. We weten natuurlijk dat hij een vampier was. Maar we vermoeden dat de ware liefde van zijn leven een jong meisje was dat was gemerkt en als halfwas stierf zonder de Verandering te voltooien.'

'Ik dacht dat volwassen vampiers geen relaties mochten hebben met halfwassen.' We stonden zo dicht bij elkaar dat ik niet veel harder dan fluisterend hoefde te praten.

'Dat klopt. Het is hoogst ongepast. Maar soms is er sprake van een aantrekkingskracht tussen twee individuen die niet alleen de grens tussen vampier en halfwas te boven gaat, maar ook die van leeftijd en gepastheid. Geloof jij in een dergelijke aantrekkingskracht, Zoey?'

Hij had het over ons! We keken elkaar in de ogen en ik had het gevoel dat ik verdronk. Zijn tatoeages waren een krachtig patroon van elkaar snijdende lijnen die aan bliksemschichten deden denken, en ze kleurden perfect bij zijn donkere haar en ogen. Hij was zo waanzinnig knap en zo veel ouder dat hij me tegelijkertijd onvoorstelbaar sterk aantrok en me het angstige gevoel gaf dat ik met iets speelde wat zo ver buiten mijn ervaringen lag dat het makkelijk uit de hand kon lopen. Maar de aantrekkingskracht was er, en als hij gelijk had, ging die beslist de vampier-halfwasgrens te boven. Zo ver dat het zelfs Erik was opgevallen hoe Loren naar me keek.

Erik... Ik werd overspoeld door schuldgevoel. Hij zou het besterven als hij kon zien wat er tussen Loren en mij gebeurde. Een gemene gedachte kronkelde door mijn hoofd, *Erik kan ons nu niet zien*, en ik haalde een keer diep, huiverend adem en hoorde mezelf zeggen: 'Ja, ik geloof in een dergelijke aantrekkingskracht. Jij ook?'

'Nu wel.' Zijn glimlach was triest. Hij zag er plotseling zo jong en knap en kwetsbaar uit dat mijn schuldgevoel tegenover Erik vervloog. Ik wilde Loren in mijn armen nemen en hem vertellen dat het allemaal wel goed zou komen. Ik probeerde juist moed te verzamelen om de afstand tussen ons te dichten, toen zijn volgende woorden me zo overdonderden dat ik zijn vertederend jongensachtige lachje totaal vergat. 'Ik ben gisteren teruggekomen omdat ik wist dat je jarig was.'

Ik knipperde verbouwereerd met mijn ogen. 'Echt waar?'

Hij knikte en streelde nog steeds met zijn vinger over mijn wang. 'Ik was naar je op zoek toen ik jou en Erik tegen het lijf liep.' Zijn ogen werden donkerder en zijn stem werd diep en scherp. 'Ik vond het niet leuk om te zien hoe hij je stond te betasten.'

Ik aarzelde omdat ik eigenlijk niet wist hoe ik daarop moest reageren. Ik schaamde me kapot dat hij Erik en mij had zien flikflooien. Maar hoewel het gênant was om betrapt te worden bij wat we deden, hadden we in wezen niet echt iets verkeerds gedaan. Erik was per slot van rekening mijn vriendje en wat hij en ik samen deden ging Loren eigenlijk helemaal niets aan. Maar toen ik in zijn ogen keek besefte ik dat ik misschien wel wilde dat het Loren iets aanging.

Alsof hij mijn gedachten kon lezen, trok hij zijn hand van mijn gezicht en wendde hij zijn blik af. 'Ik weet het. Ik heb het recht niet om kwaad te zijn op jou omdat je met Erik gaat. Het is mijn zaak helemaal niet.'

Ik raakte zijn kin aan en draaide zijn gezicht weer naar me toe zodat hij me in de ogen kon kijken. 'Zou je willen dat het wel jouw zaak was?'

'Meer dan ik kan zeggen,' zei hij. Toen liet hij het boek vallen – hij had het nog steeds in zijn hand gehad – en omsloot mijn gezicht met zijn handen; zijn duimen lagen naast mijn lippen en zijn gespreide vingers in mijn haar. 'Ik geloof dat het mijn beurt is voor een verjaarskus.'

Hij eiste mijn mond op en ik had het gevoel dat hij tegelijkertijd mijn lichaam en ziel opeiste. Oké, Erik was een goede kusser. En Heath kus ik al vanaf dat ik in groep vijf van de basisschool zat en hij in groep zes, dus zijn kussen waren vertrouwd en lekker. Loren was een man. Toen hij me kuste was er geen sprake van de onbeholpen aarzeling waaraan ik gewend was. Zijn lippen en tong bewezen dat hij precies wist wat hij wilde en ook hoe hij dat moest verkrijgen. En er gebeurde iets wonderlijks, iets magisch met me. Toen ik hem terugkuste was ik geen meisje meer. Ik was een vrouw, volwassen en krachtig, en ook ik wist wat ik wilde en hoe ik dat moest verkrijgen.

Aan het eind van de kus stonden we allebei zwaar te hijgen. Loren had nog steeds mijn gezicht in zijn handen, maar hij was een stukje achteruitgegaan zodat we elkaar in de ogen konden kijken.

'Dat had ik niet mogen doen,' zei hij.

'Dat weet ik,' zei ik, maar dat weerhield me er niet van om hem

vrijmoedig aan te kijken. Ik had nog steeds dat stomme boek over
rituelen en bezweringen in mijn ene hand, maar mijn andere
hand lag op zijn borst. Langzaam spreidde ik mijn vingers, waardoor ze onder zijn shirt gleden, waarvan het bovenste knoopje
open was, en de naakte huid van zijn hals aanraakten. Hij huiverde en ik voelde die huivering ergens diep in mijn binnenste.

'Dit zal ingewikkeld worden,' zei hij.

'Dat weet ik,' zei ik nog eens.

'Maar ik wil er niet mee stoppen.'

'Ik ook niet,' zei ik.

'Niemand mag het te weten komen. Althans nog niet.'

'Oké.' Ik knikte. Ik wist eigenlijk niet wat er precies te weten
viel, maar het idee dat hij me vroeg om stiekem met hem om te
gaan bezorgde me een eigenaardige knoop onder in mijn maag.

Hij kuste me weer. Deze keer waren zijn lippen zoet en warm
en heel erg teder, en ik voelde de knoop verdwijnen. 'O ja, dat zou
ik nog bijna vergeten,' fluisterde hij met zijn mond op mijn
mond. 'Ik heb iets voor je.' Hij gaf me nog een snelle zoen en stak
zijn hand in de zak van zijn zwarte broek. Glimlachend haalde hij
een klein goudkleurig doosje van een juwelier tevoorschijn. Hij
reikte het me aan en zei: 'Gefeliciteerd met je verjaardag, Zoey.'

Mijn hart sprong als een gek in mijn borst op en neer toen ik
het doosje openmaakte... en naar lucht hapte. 'O mijn god! Ze
zijn magnifiek!' Diamanten oorknopjes fonkelden me toe als een
heerlijke gevangen droom. Ze waren niet groot en opzichtig,
maar klein en fijn, en de schittering deed bijna pijn aan mijn
ogen. Heel even zag ik Eriks lieve lach toen hij me de sneeuwpopketting gaf en toen hoorde ik in mijn geweten de stem van mijn
oma, die zei dat ik onmogelijk zo'n duur cadeau kon aannemen
van een man, maar Lorens stem verdreef het beeld van Erik en
oma's waarschuwing.

'Toen ik ze zag, moest ik aan jou denken: volmaakt, verfijnd en
vurig.'

'O, Loren! Ik heb nog nooit zoiets prachtigs gehad.' Ik leunde tegen hem aan en keek naar hem op, en hij boog zich voorover, sloeg zijn armen om me heen en kuste me tot ik het gevoel had dat mijn schedeldak eraf zou vliegen.

'Kom, doe ze eens in,' fluisterde Loren terwijl ik op adem probeerde te komen na onze kus.

Ik had geen oorbellen ingedaan toen ik opstond, dus kon ik ze meteen in mijn oren steken.

'In de leeshoek hangt een oude spiegel. Dan kun je zien hoe ze je staan.' We zetten de boeken terug op de plank en toen nam Loren me bij de hand en trok me mee naar de gezellige zithoek van het mediacentrum, waar een grote zitbank met dikke kussens stond en twee bijpassende gemakkelijke stoelen. Aan de muur daartussenin hing een grote, duidelijk antieke spiegel met facet geslepen randen en een goudkleurige lijst. Loren ging achter me staan met zijn handen op mijn schouders zodat we allebei in de spiegel te zien waren. Ik streek mijn haar achter mijn oren en draaide met mijn hoofd zodat het flakkerende gaslicht op de facetten van de diamantjes viel, die fonkelden als sterren.

'Prachtig,' zei ik.

Loren gaf me een kneepje in mijn schouders en trok me tegen zich aan. 'Ja, dat ben je,' zei hij. Terwijl hij mijn blik in de spiegel vasthield boog hij zijn hoofd, kuste een van mijn met een diamantje versierde oorlelletjes en fluisterde: 'Ik vind dat je voor vandaag genoeg met je neus in de boeken hebt gezeten. Kom mee naar mijn kamer.'

Ik zag mijn oogleden zwaar worden toen hij mijn hals kuste en het pad van mijn tatoeages volgde tot op mijn schouder. Toen drong het tot me door wat hij eigenlijk vroeg en de schrik sloeg me om het hart. Hij wilde dat ik meeging naar zijn kamer om seks met hem te hebben! Dat wilde ik niet! Oké, nou ja, misschien wel. In theorie dan. Maar om mijn maagdelijkheid daadwerkelijk kwijt te raken aan deze onvoorstelbaar opwindende, ervaren man... nu, meteen? Vandaag? Ik hapte naar lucht en maakte me nogal onbeholpen los uit zijn armen. 'Dat... Dat kan niet.' Terwijl mijn geest paniekerig zocht naar iets wat ik kon zeggen wat niet debielerig en kinderachtig zou klinken, sloeg de grootvaderklok die statig achter de zitbank stond zeven keer, en ik werd overspoeld door opluchting. 'Dat kan niet omdat ik om kwart over zeven met Shaunee en Erin en de rest van de prefectenraad heb afgesproken om te oefenen voor het ritueel van morgennacht.'

Loren glimlachte. 'Je bent een toegewijde leider van de Duistere Dochters, hè? Een andere keer dan maar.' Hij kwam weer dichterbij en ik dacht dat hij me weer wilde zoenen. In plaats daarvan ging zijn hand naar mijn gezicht en streelde hij mijn tatoeages. Zijn aanraking bezorgde me rillingen en benam me de adem. 'Als je van gedachten verandert, dan ben ik in de dichtersruimte. Weet je waar die is?'

Ik knikte; praten ging nog steeds moeilijk. Iedereen wist dat de zetelende poet laureate de hele derde verdieping van het gebouw waarin de docenten waren gehuisvest helemaal voor zich alleen had. Ik had meer dan eens gehoord dat de tweeling fantaseerde over zichzelf inpakken als reuzencadeaus en zich laten bezorgen op de zwijmelzolder (zoals zij het noemden).

'Goed. Ik zal aan je denken, zelfs als je niet besluit om te komen en me uit mijn lijden te verlossen.'

Hij had zich al omgedraaid en liep weg, toen ik mijn stem weer vond. 'Maar ik kan echt niet naar je toe komen, dus wanneer zie ik je weer?'

Hij keek naar me over zijn schouder en lachte zijn sexy, veelbetekenende lachje. 'Maak je maar niet ongerust, klein hogepriesteresje van me. Ik kom wel naar jou toe.'

Toen hij weg was liet ik me zwaar op de zitbank vallen. Mijn benen leken wel van rubber en mijn hart bonkte zo hard dat het pijn deed. Mijn hand ging trillerig naar een van de diamanten oorknopjes. Het voelde koud aan, in tegenstelling tot de sneeuw-

pop van parels die beschuldigend om mijn hals hing en de zilveren armband om mijn pols. Die leken warmte uit te stralen. Ik
legde mijn gezicht in mijn handen en zei met een ellendig gevoel:
'Ik geloof dat ik een slet aan het worden ben.'

8

Iedereen was er al toen ik aan kwam rennen. Zelfs Nala was er. Ik zweer dat ze me aankeek met een blik die zei dat ze precies wist wat ik in de bibliotheek had uitgespookt. Toen wierp ze een knorrig *mi-uf-auw!* min of meer mijn kant op, niesde en trippelde weg. God, ben ik even blij dat ze niet kan praten!

Opeens lagen Eriks armen om me heen. Hij gaf me een vluchtige kus, trok me dicht tegen zich aan en fluisterde in mijn oor: 'Ik heb me de hele dag zitten verheugen op het moment dat ik je weer zou zien.'

'Nou, ik was in de bibliotheek.' Ik besefte dat mijn toon veel te kortaf en kribbig was (met andere woorden: schuldbewust) toen hij zich van me losmaakte en me met een lieve maar beteuterde glimlach aankeek.

'Ja, dat zei de tweeling al.'

Ik keek hem in de ogen en kon mezelf wel slaan. Hoe kon ik zelfs maar het risico nemen om hem kwijt te raken? Ik had me nooit door Loren mogen laten kussen. Ik wist dat het verkeerd was en...

'Hoi, Z, leuke sjaal,' zei Damien terwijl hij een rukje gaf aan een van de sneeuwpoppen aan de uiteindes en mijn schuldbewuste inwendige tirade onderbrak.

'Bedankt, die heb ik van mijn vriendje gekregen,' zei ik, in een zwakke poging plagerig te klinken, maar ik wist dat ik raar en gemaakt opgewekt klonk.

'Ze bedoelt dus eigenlijk een vriendin die een jongen is,' zei

Shaunee, terwijl ze naar mij met haar ogen rolde.

'Ja, bezorg Jack alsjeblieft geen stress,' zei Erin. 'Damien gaat echt niet van team veranderen.'

'Zouden jullie eigenlijk niet tegen mij moeten zeggen dat ik niet hoef te stressen?' vroeg Erik speels.

'Nee, lieve schat,' zei Erin.

'Als Z jou dumpt voor tante Damien, dan helpen wij je wel om je verdriet te verwerken,' zei Shaunee. Toen voerde de tweeling voor Erik spontaan een wulps dansje uit dat bestond uit bekkenstoten en heupgedraai. Ondanks mijn schuldgevoel moest ik lachen, en ik legde een hand op Eriks ogen.

Damien keek fronsend naar de tweeling en schraapte zijn keel. 'Jullie zijn volslagen onverbeterlijk.'

'Tweelingzus, wat bedoelt-ie daar nou weer mee?' zei Shaunee.

'Volgens mij bedoelt-ie dat we zo sexy zijn dat niemand het ons kan verbeteren,' zei Erin, die nog steeds met haar bekken stootte en met haar heupen draaide.

'Jullie zijn een stel uilskuikens, en daarmee bedoel ik dat jullie bitter weinig verstand hebben,' zei Damien, maar zelfs hij moest om hen lachen, vooral toen Jack giechelend ging meedoen met het bekkenstoten en heupgedraai. 'Hoe dan ook,' vervolgde hij, 'ik was van plan om naar de bibliotheek te gaan, maar toen werden Jack en ik meegesleept in een marathonuitzending van herhalingen van *Will and Grace* en ben ik de tijd vergeten. De volgende keer dat je research wilt doen moet je dat even laten weten. Ik wil je maar al te graag een handje helpen.'

'Hij is een onvoorstelbare boekenwurm,' zei Jack, met een speelse por tegen Damiens schouder.

Damien bloosde. De tweeling maakte kokhalsgeluiden. Erik lachte. Ik had echt het gevoel dat ik moest overgeven.

'O, dat geeft niet, hoor. Ik wilde alleen maar een paar, nou ja, dingen opzoeken,' zei ik.

'Nog meer díngen?' Erik keek grijnzend op me neer.

Ik haatte het dat hij zo een en al begrip en steun was. Als hij wist dat dat díngen opzoeken van mij neerkwam op flikflooien met Loren Blake... o god. Nee. Daar mocht hij nooit, helemaal nooit achter komen.

En ja, ik weet best hoe lichtzinnig en sletterig het is dat ik kort daarvoor sidderend van opwinding Loren had staan aflebberen, maar nu verdronk ik bijna in een golf schuldgevoel.

Ik moest duidelijk in therapie.

'Hebben jullie de kaarsen meegebracht?' vroeg ik de tweeling, terwijl ik me voornam om later na te denken over het Loren-probleem.

'Natuurlijk,' zei Erin.

'Uiteraard. Dat was een fluitje van een cent,' zei Shaunee. 'We hebben ze zelfs op hun plek neergezet.' Ze wees achter ons naar een mooi egaal stukje grond onder het bladerdak van de reusachtige eik. Ik zag dat de vier kaarsen die de elementen vertegenwoordigden op de juiste plek stonden, met de vijfde kaars, die geest vertegenwoordigde, midden in de cirkel.

'Ik heb de lucifers meegebracht,' zei Jack enthousiast.

'Oké. Goed dan. Laten we maar beginnen,' zei ik. We liepen alle vijf naar onze kaars. Damien bleef iets bij de anderen achter en fluisterde tegen me: 'Als je wilt dat Jack weggaat, dan hoef je dat maar te zeggen en dan zeg ik wel tegen hem dat hij weg moet.'

'Nee,' zei ik automatisch, en toen haalde mijn geest mijn mond in en voegde ik eraan toe: 'Nee, Damien. Hij mag best blijven. Hij hoort erbij.'

Damien schonk me een dankbare glimlach en gebaarde naar Jack dat hij me de lucifers moest brengen. Hij kwam op een holletje naar het midden van de cirkel.

'Ik wilde eerst een aansteker meenemen, maar toen ik erover nadacht, voelde dat niet goed.' Hij legde het me ernstig uit: 'Ik geloof dat het beter is om echt hout te gebruiken. Je weet wel, echte lucifers. Een aansteker is gewoon te kil en te modern voor een eeuwenoud ritueel. Dus heb ik deze meegebracht.' Hij stak me een lang cilindervormig ding toe. Toen ik er alleen maar naar keek als een, nou ja, uilskuiken, haalde hij het deksel eraf en gaf mij het onderste deel. 'Kijk, lange, chique haardlucifers. Ik heb ze uit de gemeenschappelijke ruimte in het jongensverblijf meegenomen. Je weet wel, bij de open haard.'

Ik pakte de lucifers van hem aan. Ze waren lang en dun en mooi paarsachtig blauw van kleur met rode koppen. 'Ze zijn perfect,' zei ik, blij dat ik tenminste iemand een fijn gevoel kon bezorgen. 'Vergeet ze vooral niet morgen mee te brengen naar het echte ritueel. Dan gebruik ik deze in plaats van de gebruikelijke aansteker.'

'Geweldig!' zei hij, en met een tevreden glimlach naar Damien rende hij de cirkel uit naar de boom, waar hij op zijn gemak ging zitten met zijn rug tegen de stam.

'Oké, zijn jullie zover?'

Mijn drie vrienden en één vriendje (godzijdank was maar één van mijn vriendjes aanwezig) zeiden allemaal ja.

'Laten we maar gewoon de grote lijnen doornemen en het niet al te ingewikkeld maken. Jullie staan op de aangewezen plaats in de kring bij de rest van de Duistere Dochters en Zonen. Dan start Jack de muziek en kom ik binnen, net als vorige maand.'

'Gaat professor Blake weer een gedicht opzeggen?' vroeg Damien.

'O man, dat hoop ik echt,' zei Shaunee.

'Die vampier is zo gewéldig dat hij poëzie bijna interessant maakt,' zei Erin.

'Nee!' zei ik kortaf. Toen ze me allemaal vreemd aankeken (ik veronderstel dat ze me allemaal vreemd aankeken; de tweeling en Damien in elk geval wel, en ik vermeed het om naar Erik te kijken) vervolgde ik op minder bitse toon: 'Ik bedoel, ik geloof niet dat hij iets gaat opzeggen. Ik heb het er niet met hem over gehad of zo,' zei ik achteloos, en toen ging ik snel verder. 'Dus ik kom binnen en dans op het ritme van de muziek om de kring heen, met of zonder poëzie, tot ik mijn plek in het midden heb bereikt. Dan werp ik de cirkel, vraag om Nux' zegen aan het begin van een nieuw jaar, ga met de wijn rond, sluit de cirkel en dan gaan we allemaal eten.' Ik keek naar Damien. 'Jij hebt voor het eten gezorgd, hè?'

'Ja, de kok is terug van haar wintervakantie en zij en ik hebben gisteren het menu doorgepraat. We krijgen op tig manieren bereide chili. En,' voegde hij eraan toe op een toon die zei dat hij zichzelf wel heel erg ondeugend vond, 'ook geïmporteerd bier.'

'Klinkt goed,' zei ik, met een waarderende glimlach naar hem. Ja, het klinkt vreemd en vagelijk onwettig dat minderjarigen bier zouden drinken tijdens een door een school goedgekeurd evenement. Maar het is niet zo vreemd als je bedenkt dat door de fysiologische Verandering die zich in het lichaam van halfwassen voltrekt, alcohol geen invloed meer op ons heeft, dat wil zeggen niet genoeg om ons gedrag te beïnvloeden zoals bij gewone tieners. (Met andere woorden, we worden niet dronken en gebruiken dat niet als excuus om seks met elkaar te hebben.)

'Zeg, Z, was je niet van plan om tijdens het ritueel bekend te maken wie je hebt uitgekozen voor de prefectenraad voor het komende jaar?' vroeg Erik.

'Je hebt gelijk. Dat was ik helemaal vergeten.' Ik slaakte een zucht. 'Dus, ja, voor ik de cirkel sluit zal ik bekendmaken welke twee halfwassen ik heb uitgekozen.'

'Wie zijn het?' vroeg Damien.

'Daar, eh, ben ik nog niet helemaal uit. Vanavond neem ik het definitieve besluit,' loog ik. Eerlijk gezegd had ik nog helemaal niemand in gedachten. Ik had er nog niet over na willen denken omdat een van beiden Stevie Raes plaats in de raad zou innemen. Toen herinnerde ik me dat ik mijn huidige raad moest laten meebeslissen over welke nieuwe leden we zouden kiezen. 'Eh, jongens, morgen voor het ritueel kunnen we bij elkaar komen om de namen door te nemen.'

'Hoor eens, Z, niet zo moeilijk, hoor,' zei Erik. 'Kies nou maar gewoon twee leerlingen. Wij vinden alles best.'

Mijn opluchting was groot. 'Zeker weten?'

Mijn vrienden riepen in koor 'Zeker weten' en 'Mij best'. Ze hadden stuk voor stuk duidelijk het grootste vertrouwen in me. Getver.

'Oké, goed. We zijn dus allemaal cool met het verloop van het ritueel?' vroeg ik.

Ze knikten.

'Goed dan. Laten we dan nu maar het werpen van de cirkel oefenen.' Zoals altijd deed het er niet toe hoeveel stress en onzin er in mijn leven speelde. Als ik bezig ben een cirkel te werpen en de vijf elementen op te roepen waarvoor ik een bijzondere affiniteit heb, overschaduwen (godzijdank) de opwinding en het plezier die mijn gave me schenkt al het overige. Toen ik naar Damien liep voelde ik mijn stress verdwijnen terwijl mijn geest zich verhief. Ik haalde een lange lucifer uit de houder en streek hem af op de schuurpapierachtige onderkant van de houder. De lucifer ontvlamde en ik zei: 'Ik roep lucht naar onze cirkel. We ademen die in met onze eerste ademteug en het is dus niet meer dan gepast dat lucht het eerste element is dat we oproepen. Kom tot ons, lucht.' Ik hield de lucifer bij de gele kaars die Damien vasthield en de kaars ontvlamde, en bleef branden, zelfs in de woeste windvlagen die rond Damien en mij wervelden alsof we midden in een niet meer echt woeste, speelse miniatuurtornado stonden.

Damien en ik keken elkaar lachend aan. 'Ik geloof niet dat ik het ooit anders dan als wonderbaarlijk zal kunnen beschouwen,' zei hij zacht.

'Ik weet precies wat je bedoelt,' zei ik, en ik blies de heftig flakkerende lucifer uit. Ik liep met de wijzers van de klok mee, of deosil, de cirkel rond naar Shaunee en haar rode kaars. Toen ik de volgende lucifer uit de houder pakte hoorde ik Shaunee zachtjes iets neuriën wat ik herkende als het oude nummer van Jim Morrison: 'Light My Fire'. Ik lachte naar haar. 'Vuur verwarmt ons met zijn hartstochtelijke vlam. Ik roep vuur naar onze cirkel!' Zoals gewoonlijk hoefde ik de brandende lucifer nauwelijks bij Shaunees kaars te houden. De kaars ontvlamde als uit zichzelf en wierp licht en warmte op onze huid.

'Ik kon niet heter zijn als ik in brand stond,' zei Shaunee.

'Nou, Nux heeft jou beslist het juiste element gegeven,' zei ik. Toen liep ik naar Erin, die stond te trillen van opwinding. Mijn lucifer brandde nog, dus ik lachte naar Erin en zei: 'Water is een perfecte tegenhanger van vlam, zoals Erin een perfecte tweeling-zus voor Shaunee is. Ik roep water naar onze cirkel!' Ik hield de lucifer bij de blauwe kaars en werd onmiddellijk ondergedompeld in de geuren en geluiden van de zee. Ik zweer dat ik warm tropisch water tegen mijn benen voelde klotsen, dat afkoelde wat vuur had oververhit.

'Ik ben dol op water,' zei Erin blij.

Toen ademde ik een keer diep in en uit, zette een kalme glim-lach op mijn gezicht en liep naar Erik, die boven aan de cirkel stond met de groene kaars, die het vierde element van de cirkel vertegenwoordigde: aarde.

'Ben je er klaar voor?' vroeg ik.

Erik zag een beetje bleek, maar hij knikte en zijn stem was krachtig en zeker toen hij zei: 'Ja. Ik ben er klaar voor.'

Ik bracht de nog steeds brandende lucifer omhoog en... 'Au! Shit!' Ik voelde me volslagen debiel en allesbehalve een hoge-priesteres in opleiding en de enige halfwas ooit die was begun-stigd met een affiniteit voor alle vijf de elementen, toen ik de luci-fer liet vallen die ik veel te lang had laten branden en die nu mijn vingers schroeide. Ik keek schaapachtig naar Erik en daarna de bijna voltooide cirkel rond. 'Sorry, jongens.'

Ze deden mijn sukkeligheid af met een goedhartig schouder-ophalen. Ik draaide me juist weer om naar Erik en wilde een nieuwe lucifer uit de houder pakken, toen het tot me doordrong wat ik had gezien, of beter gezegd, wat ik níet had gezien.

Damien, Shaunee en Erin waren niet verbonden door een draad van licht. Hun kaarsen brandden. Hun elementen hadden zich gemanifesteerd. Maar de onderlinge verbinding die we hadden gevoeld sinds we met z'n vijven onze eerste cirkel hadden geworpen, zo krachtig dat die als een prachtige draad van licht zichtbaar was geweest, ontbrak. Ik wist niet wat ik moest doen en richtte een stille smeekbede tot Nux: *Alstublieft, godin, laat me zien wat ik moet doen om zonder Stevie Rae onze cirkel te vormen!* Toen streek ik de lucifer af en lachte Erik bemoedigend toe.

'Aarde draagt en voedt ons. Ik roep aarde als vierde element naar onze cirkel!'

Ik hield de brandende lucifer bij de pit van de groene kaars. Eriks reactie kwam meteen. Hij slaakte een kreet van pijn en de groene kaars vloog uit zijn hand en verdween in de schaduwen achter de boom. Erik wreef over zijn hand en mompelde iets over dat het net voelde alsof hij was gestoken, en tegelijkertijd kwam er een reeks krachttermen vanuit de duisternis; iemand die zo te horen knap pissig was, kwam onze kant op.

'Verdomme! Au! Shit! Wat voor de...'

Aphrodite kwam uit de schaduwen tevoorschijn. Ze had de niet-brandende groene kaars in haar hand en wreef met haar andere hand over een rode plek op haar voorhoofd die al begon op te zwellen.

'Ja hoor, geweldig. Ik had het verdomme kunnen weten. Mij wordt gezegd dat ik hiernaartoe moet gaan, naar de' – ze zweeg even, keek om zich heen naar de boom en het gras en trok toen haar volmaakte neus op – 'wíldernis omringd door natúúr, en wat tref ik behalve insecten en aarde aan? Een kudde oenen die me met rotzooi bekogelt,' zei ze.

'O, hadden wij dat maar bedacht,' zei Erin poeslief.

'Aphrodite, je bent een verachtelijke helleveeg,' zei Shaunee, net zo poeslief.

'Stelletje sukkels, praat alsjeblieft niet tegen me.'

Ik negeerde hun gekibbel en zei: 'Wie heeft je gezegd dat je hiernaartoe moest komen?'

Aphrodite keek me aan. 'Nux,' zei ze.

'Ja hoor!'

'Natuurlijk!'

'Zal wel, ja!'

Damien en de tweeling riepen door elkaar. Het viel me op dat Erik verdacht stil bleef. Ik stak mijn hand op. 'Genoeg!' zei ik bits, en ze hielden hun mond.

'Waarom heeft Nux je hiernaartoe gestuurd?' vroeg ik aan Aphrodite.

Ze bleef me recht in de ogen kijken en kwam naar me toe. Erik nauwelijks een blik waardig keurend zei ze: 'Uit de weg, zak van een ex.' Tot mijn verbazing ging Erik opzij en ging Aphrodite op de plaats van aarde staan. 'Roep aarde en steek de kaars aan, dan zul je zien waarom,' zei Aphrodite.

Voordat iemand kon protesteren volgde ik mijn gevoel en door het voorgevoel dat ik kreeg wist ik al wat er zou gebeuren. 'Aarde draagt en voedt ons. Ik roep aarde als vierde element naar onze cirkel!' zei ik nog eens, en toen hield ik mijn brandende lucifer bij de groene kaars. De kaars vatte onmiddellijk vlam en Aphrodite en ik werden gehuld in de geuren en geluiden van een sappige wei vol bloemen in hartje zomer.

Aphrodite zei zacht: 'Nux besloot dat ik nog meer shit nodig had in mijn toch al stinkende rotleven. Dus nu heb ik een affiniteit voor aarde. Ironisch genoeg voor je?'

9

'O nee, om de donder niet!' riep Shaunee uit.

'Wat je zegt, tweelingzus! Om de verdomde donder niet!' zei Erin.

'Ik kan het niet geloven,' zei Damien.

'Geloof het maar,' zei ik, met mijn rug nog steeds naar de rest van de cirkel terwijl ik Aphrodite bleef aanstaren. Voordat mijn vrienden helemaal hysterisch werden voegde ik eraan toe: 'Kijk naar de cirkel.' Ik hoefde niet te kijken. Ik wist al wat ik zou zien, en hun stokkende adem vertelde me dat ik gelijk had. Toch draaide ik me langzaam om en werd weer van ontzag vervuld door de schoonheid van de krachtige draad van door de godin geschonken licht die mijn vier vrienden met elkaar verbond. 'Ze vertelt de waarheid. Nux heeft haar gestuurd. Aphrodite heeft een affiniteit voor aarde.'

Sprakeloos van schrik keken mijn vrienden toe toen ik naar het midden van de cirkel liep en mijn paarse kaars oppakte. 'Geest is wat ons uniek maakt, wat ons moed en kracht geeft, en wat voortleeft wanneer ons lichaam er niet meer is. Kom tot mij, geest!' Ik werd overspoeld door alle vier de elementen toen geest mijn lichaam binnenstroomde en me met vrede en blijdschap vervulde. Ik liep de cirkel rond, ontmoette de verbijsterde, geschokte blikken van mijn vrienden en probeerde ze te helpen begrijpen. Ik begreep het zelf niet eens echt, maar ik voelde wel dat het de wil van Nux was.

'Ik beeld me niet in dat ik Nux begrijp. De wegen van de godin zijn ondoorgrondelijk en soms vraagt ze erg moeilijke dingen van ons. Dit is een van die moeilijke dingen. Of we het leuk vinden of niet, Nux heeft ons duidelijk gemaakt dat Aphrodite de plaats van Stevie Rae in onze cirkel moet innemen.' Ik keek naar Aphrodite. 'Ik geloof niet dat zij daar echt blij mee is.'

'Op zijn zachtst gezegd,' mompelde Aphrodite.

Ik vervolgde: 'Maar we hebben een keus. Nux zal ons niet haar wil opleggen. We moeten ermee akkoord gaan dat Aphrodite erbij komt, of...' Ik aarzelde, omdat ik niet wist hoe ik de zin moest afmaken. We hadden geprobeerd met iemand anders de cirkel te werpen, maar Erik mocht aarde niet vertegenwoordigen. Misschien was Erik de enige die de godin niet in de cirkel wilde hebben, maar dat vond ik moeilijk te geloven. Erik deugde per slot van rekening en was bovendien al lid van onze raad, maar mijn gevoel fluisterde me in dat het probleem niet was dat Nux iets tegen Erik had, maar dat ze specifiek Aphrodite wilde. Ik slaakte een zucht en zei aarzelend: 'Of we moeten een stel andere leerlingen uitproberen om te zien of daar iemand tussen zit die aarde mag vertegenwoordigen.' Ik keek buiten de kring en ontmoette Eriks trieste blik. 'Maar ik geloof niet dat Erik het probleem is.' Hij glimlachte naar me, maar het was niet meer dan een beweging met zijn mond; de lach verspreidde zich niet over zijn gezicht en bereikte niet zijn ogen.

'Ik vind dat we moeten doen wat Nux wil dat we doen. Zelfs als we dat niet leuk vinden,' zei Damien.

'Shaunee?' Ik draaide me naar haar om. 'Wat vind jij?'

Shaunee en Erin keken elkaar aan en ik zweer, hoe gek het ook klinkt, dat ik de woorden bijna in de lucht tussen hen in kon zien.

'Van ons mag de helleveeg meedoen met de cirkel,' zei Shaunee.

'Maar alleen omdat Nux dat wil,' zei Erin.

'Ja, en we willen er wel graag bij zeggen dat we echt niet begrijpen wat Nux hiermee voorheeft,' voegde Shaunee eraan toe, terwijl Erin haar knikkend bijviel.

'Blijven ze me een helleveeg noemen?' vroeg Aphrodite.

'Adem je nog?' vroeg Shaunee.

'Zolang je ademt, blijf je een helleveeg,' zei Erin.

'En zo noemen we je,' besloot Shaunee.

'Nee,' zei ik resoluut. De tweeling richtte hun woedende blikken op mij. 'Jullie hoeven haar niet aardig te vinden. Je hoeft het niet eens leuk te vinden dat Nux haar erbij wil hebben. Maar als we Aphrodite accepteren, dan accepteren we haar ook echt. Dus geen gescheld meer.' De tweeling ademde een keer diep in en uit en wilde duidelijk protesteren, dus voegde ik er snel aan toe: 'Kijk bij jezelf naar binnen, vooral nu jullie je element hebben gemanifesteerd. Wat zegt jullie geweten?' Toen hield ik mijn adem in en wachtte.

De tweeling dacht even na.

'Ja, oké,' zei Erin bedrukt.

'We begrijpen wat je bedoelt. We vinden het alleen niet leuk,' zei Shaunee.

'En hoe zit het met haar? Mogen wij haar geen helleveeg meer noemen en zo, terwijl zij zich wel als een helleveeg mag blijven gedragen?' vroeg Erin.

'Daar zit wat in,' zei Damien.

Ik keek naar Aphrodite. Op het oog stond ze er verveeld bij, maar ik zag dat ze om de haverklap diep inademde, alsof ze maar niet genoeg kreeg van de geur van het weiland dat aarde rondom haar had gemanifesteerd. Af en toe streek ze met haar vingers door de lucht alsof ze ze door hoog, geurig gras haalde. Ze was duidelijk niet zo onaangedaan door wat er zojuist was gebeurd als ze deed voorkomen.

'Aphrodite gaat net als jullie haar geweten onderzoeken en dan doen wat haar geweten haar ingeeft.'

Aphrodite keek spottend om zich heen alsof ze naar iets zocht wat mogelijk in de duisternis verborgen lag. Toen haalde ze haar schouders op. 'Oeps. Ik heb schijnbaar geen geweten.'

'Hou op!' snauwde ik, en de energie die ik met de cirkel had opgewekt flitste als een zweepslag van mij naar Aphrodite en wond zich om haar lichaam. De kracht versterkte mijn stem, en Aphrodites blauwe ogen werden groot van verbazing en angst. 'Niet hier. Niet in deze cirkel. Je zult niet liegen en huichelen. Beslis nu. Ook jij hebt een keus. Ik weet dat je al eerder Nux hebt genegeerd. Je kunt ervoor kiezen om haar weer te negeren. Maar als je ervoor kiest om te blijven en te doen wat de godin van je wil, dan zul je dat niet met leugens en haat doen.'

Ik dacht dat ze de cirkel zou verbreken en weg zou lopen. Ik wenste bijna dat ze dat zou doen. Het zou makkelijker zijn om niemand aarde te laten vertegenwoordigen. Ik kon zelf de groene kaars aansteken en op de grond zetten. Wat dan ook. Maar Aphrodite verraste me, en dat zou slechts de eerste van de vele verrassingen zijn die Nux voor me in petto had.

'Goed dan. Ik blijf.'

'Oké,' zei ik. Ik keek naar mijn vrienden. 'Oké?'

'Ja, oké,' bromden ze.

'Goed. Dan is de cirkel dus compleet,' zei ik.

Voor er nog meer bizarre dingen konden gebeuren liep ik tegen de wijzers van de klok in de cirkel rond en nam ik afscheid van de elementen. De zilveren draad van kracht verdween, met achterlating van de geuren van de zee en wilde bloemen op een warme bries. Niemand zei iets en de ongemakkelijke stilte werd steeds ongemakkelijker, zo erg dat ik medelijden met Aphrodite begon te krijgen. Maar ze deed natuurlijk haar mond open, en elk greintje medelijden dat wie dan ook met haar had, werd onmiddellijk tenietgedaan.

'Wees maar niet bang. Ik ga weg zodat jullie weer door kunnen gaan met je Dungeons & Dragons-bijeenkomst of wat dan ook,' zei Aphrodite hatelijk.

'We spelen nooit Dungeons & Dragons, hoor!' zei Jack.

'Kom mee, we hebben nog net genoeg tijd om naar het pannenkoekenhuis te gaan om iets te eten voor de film begint,' zei Damien, en het groepje negeerde Aphrodite en liep weg, onderling babbelend over hoe geweldig de Spartanen waren en dat ze deze keer zouden bijhouden hoeveel vampieracteurs er in *300* speelden.

Ze hadden al enkele meters afgelegd voordat het Erik opviel dat ik er niet bij was.

'Zoey?' riep hij. Het groepje bleef staan en keek achterom, duidelijk verbaasd toen ze zagen dat Aphrodite en ik nog steeds in de ontbonden cirkel stonden. 'Kom je nog?' Zijn stem klonk angstvallig neutraal, maar ik zag zijn kaak verstrakken door een mengeling van ergernis en bezorgdheid.

'Gaan jullie maar vast vooruit. Ik zie jullie straks bij de IMAX. Ik moet even met Aphrodite praten.'

Ik verwachtte dat Aphrodite een kloteopmerking zou maken, maar dat deed ze niet. Ik wierp een snelle zijdelingse blik op haar en zag dat ze in de duisternis staarde en totaal geen aandacht schonk aan mijn vrienden of mij.

'Maar Z, dan mis je de pannenkoeken met chocoladeschilfers,' zei Jack.

Ik glimlachte naar hem. 'Dat geeft niet. Ik heb gisteravond nog een hele berg van die dingen gegeten, omdat het mijn verjaardag was en zo.'

'Ze moeten met elkaar praten, dus laten we maar gaan,' zei Erik.

Zijn toon beviel me niet, het was bijna alsof het hem koud liet, maar voor ik iets kon zeggen, liep hij al door. Verdomme. Ik had beslist het een en ander met hem goed te maken.

'Erik wil graag dat alles gaat zoals hij dat wil. Hij wil ook graag dat hij bij zijn vriendin op de eerste plaats komt. Volgens mij begin je daar nu zo'n beetje achter te komen,' zei Aphrodite.

'Ik wil niet met jou over Erik praten. Ik wil alleen van je horen wat Nux je nog meer heeft laten weten over wat ze wil.'

'Jij zou toch eigenlijk precies moeten weten wat Nux allemaal wil, blabla enzovoort? Jij bent toch haar uitverkorene?'

'Aphrodite, ik heb barstende koppijn. Ik zou graag met mijn vrienden meegaan om pannenkoeken met chocoladeschilfers te eten. Dan wil ik met mijn vriendje naar de IMAX om 300 te zien. Ik heb dus echt geen zin in die "wat ben ik toch altijd een kreng"-act van jou. Kortom, beantwoord de vraag en dan kunnen we allebei gaan doen wat we willen.' Ik wreef over mijn voorhoofd. Het laatste wat ik had verwacht was de bom die ze op me liet vallen.

'Wat je eigenlijk bedoelt is: beantwoord de vraag zodat je naar je afspraakje kunt met het wezen waarin Stevie Rae is veranderd, waar of niet?'

Ik voelde alle kleur uit mijn gezicht wegtrekken. 'Waar heb je het in godsnaam over, Aphrodite?'

'Laten we een eindje gaan lopen,' zei ze, en ze liep weg langs de hoge stenen muur die om de school loopt.

'Aphrodite, nee.' Ik greep haar arm vast. 'Vertel me wat je weet.'

'Hoor eens, het is heel moeilijk voor me om stil te blijven staan zo kort nadat ik een visioen heb gehad, en het visioen dat me hiernaartoe dreef was anders dan mijn normale visioenen.' Aphrodite trok zich los en streek met haar hand over haar voorhoofd alsof ze ook hoofdpijn had. Het viel me nu pas op dat haar handen trilden, eigenlijk dat haar hele lichaam beefde en dat ze abnormaal bleek zag.

'Goed. Dan gaan we een eindje lopen.'

Ze bleef geruime tijd stil en ik moest mijn best doen om haar niet vast te pakken, door elkaar te schudden en te dwingen om me te vertellen hoe ze dat van Stevie Rae wist. Toen ze eindelijk haar mond opendeed keek ze me niet aan en leek ze eerder tegen de nacht dan tegen mij te praten.

'Mijn visioenen zijn veranderd. Het begon met het visioen

waarin die menselijke jongens werden vermoord. Vroeger zag ik dingen alsof ik een toeschouwer was. Ik zag wat er gebeurde maar werd er niet door geraakt. Alles en iedereen was duidelijk, makkelijk te begrijpen. Met die jongens was het anders. Ik stond er niet meer los van. Ik was een van hen. Ik had het gevoel dat ik tegelijk met hen werd vermoord.' Ze zweeg even en huiverde. 'Ik zie de dingen ook niet meer duidelijk. Alles wordt een enorme warboel van angst en paniek en waanzinnige emoties. Soms zie ik in een flits iets wat ik herken of begrijp, zoals toen ik je zei dat je Heath uit die tunnels weg moest halen omdat hij anders zou sterven. Maar meestal ben ik hysterisch en volkomen in de war, en naderhand voel ik me afschuwelijk.' Aphrodite keek naar me alsof ze zich opeens herinnerde dat ik er echt was. 'Zoals bij dat visioen over je oma die verdronk. Ik was op dat moment echt je oma en het was stom geluk dat ik een glimp opving van de brug en wist waar ze het water in zou gaan.'

Ik knikte. 'Ik weet nog dat je me niet veel kon vertellen. Ik dacht dat het meer een kwestie was van dat je me niet meer wílde vertellen dan dat je dat niet kón.'

Haar glimlach was sarcastisch. 'Ja, dat weet ik. Al laat het me koud wat je dacht.'

'Vertel me nou maar over Stevie Rae.' God, wat was ze ergerlijk.

'Ik heb al in geen maand een visioen gehad. Gelukkig maar, aangezien mijn ouders per se willen dat ik tijdens de wintervakantie op bezoek kom. En vaak ook.'

Het gezicht dat ze trok vertelde me dat haar ouders bezoeken geen lolletje was, wat ik al wist. Tijdens de afgelopen ouderbezoekavond was ik min of meer per ongeluk getuige geweest van een nachtmerrieachtige scène tussen Aphrodite en haar ouders. Haar vader is de burgemeester van Tulsa. Haar moeder zou best wel eens Satan kunnen zijn. In wezen deden ze mijn ouders op de Brady-ouders lijken (ja, ik ben een oen en kijk naár herhalingen op Nickelodeon).

'Ik heb gisteren een verjaarsdrama met mijn ouders meegemaakt.'

'Je stiefvader is toch zo'n People of Faith-fanaat?'

'En hoe. Mijn oma noemde hem een verachtelijke zak.'

Daar moest ze om lachen. Ik bedoel echt lachen. Ik keek naar haar en verwonderde me over de verandering in haar gezicht, van kil en best knap naar warm en mooi.

'Ja, ik haat mijn ouders,' zei ik.

'Wie niet?' zei ze.

'Stevie Rae niet. Tenminste voor ze...' Mijn stem stierf weg en ik moest vechten tegen de neiging om in huilen uit te barsten.

'Dus dat deel van het visioen is al gebeurd. Stevie Rae is in een monster veranderd.'

'Ze is geen monster! Ze is alleen maar anders dan vroeger.'

Aphrodite trok een van haar perfecte wenkbrauwen op. 'Ik zou zeggen dat dat een verbetering zou kunnen zijn als ik niet had gezien waarin ze is veranderd.'

'Vertel me nou maar wat je hebt gezien.'

'Ik zag vampiers vermoord worden. Op een gruwelijke manier.' Aphrodite moest even slikken, alsof ze moeite moest doen om niet te gaan overgeven.

'Door Stevie Rae?' riep ik schril uit.

'Nee. Dat was een ander visioen.'

'Oké, nou wordt het verwarrend.'

'Ga die verrekte visioenen zelf maar eens hebben, tenminste die nieuwe visioenen die ik steeds krijg. Alles is één grote warboel. En pijn. En angst. Ze zijn zwaar kut.'

'Dus Stevie Rae kwam niet voor in het visioen waarin de vampiers werden vermoord?'

Ze schudde haar hoofd. 'Nee, maar voor mijn gevoel sloten die twee op elkaar aan.' Aphrodite slaakte een zucht. 'Ik zag Stevie Rae. Ze zag er afschuwelijk uit. Smerig en mager, en haar ogen gloeiden rood op. En je wilt niet geloven wat ze aanhad. Ik bedoel, niet dat ze ooit Miss Modebewust was, maar toch.'

'Ja, oké, ik snap wat je bedoelt. Je hebt haar dus ondood gezien.'

'Ja, dat is ze nu. Ze is veranderd in een soort van afschuwelijk vampiercliché, het monster waarvoor mensen ons al eeuwenlang uitmaken.'

'Niet iedereen. Weet je, je moet echt die klotehouding jegens mensen een keer laten varen. Je was er vroeger zelf een,' zei ik.

'Nou en? Ik was vroeger ook verliefd op Sean William Scott. Over oud nieuws gesproken.' Ze zwiepte haar haar naar achteren. 'Hoe dan ook, ik zag Stevie Rae doodgaan. Alweer. Deze keer echt. En ik wist dat als het visioen de kans kreeg om werkelijkheid te worden, dat op de een of andere manier zou betekenen dat al die moorden op vampiers ook echt zouden gebeuren. We moeten dus een manier bedenken om Stevie Rae te redden, want Nux wil echt niet dat een stel vampiers wordt vermoord.'

'Hoe is Stevie Rae gestorven?'

'Neferet heeft haar gedood. Ze heeft Stevie Rae het directe zonlicht in getrokken, en ze is in rook opgegaan.'

10

'Shit. Ze kan dus echt niet tegen zonlicht,' zei ik.

'Wist je dat nog niet?' vroeg Aphrodite.

'Het is niet bepaald makkelijk geweest om met Stevie Rae te praten sinds ze dood is.'

'Maar je hebt haar wel gezien en met haar gesproken?'

Ik ging voor Aphrodite staan zodat ze me moest aankijken. 'Hoor eens, je mag niemand iets vertellen over Stevie Rae.'

'Dat meen je niet! Ik was juist van plan om het in de schoolkrant te laten zetten.'

'Ik meen het, Aphrodite.'

'Behandel me alsjeblieft niet als een debiel. Als buiten ons iemand dit te weten komt, dan komt Neferet erachter dat wij het weten. Ze kan veel te goed gedachtelezen. Bij praktisch iedereen, nou ja, behalve bij ons dan.'

'Kan ze jouw gedachten ook niet lezen?'

Aphrodites glimlach was zelfvoldaan en behoorlijk boosaardig. 'Dat heeft ze nooit gekund. Hoe denk je dat ik zo lang de boel heb kunnen belazeren?'

'Geweldig.' Ik wist nog heel goed wat een afschuwelijk kreng Aphrodite was geweest als leider van de Duistere Dochters. Feitelijk was Aphrodite vanaf het eerste moment dat ik haar zag een egoïstisch, gemeen, boosaardig loeder geweest. Haar visioenen hadden me dan wel geholpen mijn oma en Heath te redden, maar ze had er geen twijfel over laten bestaan dat het haar eigenlijk geen móer kon schelen of ze wel of niet gered werden en dat ze me alleen maar had geholpen omdat ze er zelf beter van werd. Ik kneep mijn ogen tot spleetjes. 'Oké, je zult me moeten uitleggen waarom je me dit alles vertelt. Wat schiet jij daarmee op?'

Aphrodite zette grote ogen op en zei poeslief, de onschuld zelf: 'Wat bedoel je nou toch? Ik help je omdat jij en je vrienden altijd zo ontzettend aardig voor me zijn.'

'Geen gelul, Aphrodite.'

Haar gezichtsuitdrukking werd ernstig en ze zei op normale toon: 'Laat ik het erop houden dat ik veel heb goed te maken.'

'Tegenover Stevie Rae?'

'Tegenover Nux.' Ze wendde haar blik af. 'Je zult het waarschijnlijk niet begrijpen; je voelt je almachtig met je nieuwe gaven van Nux en je bent zo ongeveer Miss Perfect, maar als je je gaven eenmaal een poosje hebt zou je er wel eens achter kunnen komen dat het niet altijd makkelijk is om te doen wat juist is. Andere dingen – mensen – gaan je in de weg zitten. Je gaat fouten maken.' Aphrodite lachte spottend. 'Nou, jíj misschien niet. Maar zo ging het bij mij wel. Ik mag dan schijt hebben aan wat er met jou of Stevie Rae of wat dat aangaat iedereen hier op school gebeurt, maar ik geef wel om Nux.' Haar stem haperde. 'Ik weet hoe het is om het gevoel te hebben dat de godin je de rug heeft toegekeerd en dat wil ik nooit meer meemaken.'

Ik legde mijn hand op haar arm. 'Maar Nux heeft je niet de rug toegekeerd. Dat waren leugens die Neferet vertelde om ervoor te zorgen dat niemand je visioenen zou geloven. Je weet toch dat Neferet verantwoordelijk is voor wat Stevie Rae is geworden?'

'Dat weet ik al sinds het visioen waarin ik Heath zag sterven.' Ze lachte geforceerd. 'Het is maar goed dat ze onze gedachten niet kan lezen. Ik weet niet wat ze zou doen met een halfwas die weet wat ze in werkelijkheid is.'

'Ze weet dat ik het weet.'

'Dat meen je niet!'

'Ze weet dat ik haar doorheb.' Ik aarzelde even en dacht toen:

ach wat. Vreemd genoeg bleek Aphrodite (ook wel de helleveeg genoemd) de enige persoon op aarde te zijn met wie ik echt kon praten. 'Neferet heeft geprobeerd mijn herinneringen aan de nacht dat ik Heath van die ondode dode halfwassen heb gered te wissen. Dat heeft even gewerkt, maar ik wist meteen dat er iets niet klopte. Met behulp van de kracht van de elementen heb ik mijn geheugen hersteld, en, nou ja, ik heb Neferet min of meer laten weten dat ik me herinnerde wat er was gebeurd.'

'Min of meer?'

'Nou ja, ze uitte dreigementen. Ze zei dat niemand me zou geloven als ik iets over haar zou zeggen. En, eh, daar werd ik pissig om. Dus toen heb ik tegen haar gezegd dat het niets uitmaakte als geen vampier of halfwas me zou geloven, omdat Nux het weet.'

Aphrodite lachte. 'Dat zal haar behoorlijk op de kast hebben gejaagd.'

'Ja, vast wel.' Eerlijk gezegd werd ik behoorlijk misselijk als ik eraan dacht hoe nijdig Neferet waarschijnlijk was. 'Maar vlak daarna is ze vertrokken voor de wintervakantie. Ik heb haar sindsdien niet meer gezien.'

'Ze komt binnenkort terug.'

'Dat weet ik.'

'Ben je bang?' vroeg Aphrodite.

'Als de dood,' zei ik.

'Daar kan ik in komen. Oké, wat me uit mijn visioenen duidelijk is geworden is dat we Stevie Rae naar een veilige plek moeten zien te krijgen, uit de buurt van de rest van die wezens. En wel zo snel mogelijk. Voordat Neferet terug is. Die twee zijn op de een of andere manier met elkaar verbonden. Ik begrijp het niet, maar ik weet dat die verbinding er is, en ik weet dat het niet goed is.' Aphrodite trok een gezicht alsof ze zojuist iets smerigs had geproefd. 'Feitelijk is dat hele gedoe met ondode dode monsters niet goed. Over weerzinwekkende wezens gesproken.'

'Stevie Rae is anders dan de rest van dat zootje.'

Aphrodite keek me aan met een blik die zei dat ze me niet geloofde.

'Denk eens na. Waarom zou Nux een halfwas zo'n krachtige gave als een affiniteit voor aarde hebben gegeven om haar vervolgens te laten sterven? En dan ondood te laten worden?' Ik zweeg even en zocht naar de woorden waarmee ik kon uitleggen wat ik bedoelde. 'Volgens mij is Stevie Raes verbinding met aarde de reden dat ze een deel van haar menselijkheid heeft behouden, en ik geloof echt dat als ik... ik bedoel wíj... als wij haar kunnen helpen, ze de rest van haar menselijkheid zal terugvinden. Of misschien vinden we een manier om haar te genezen. Om haar terug te veranderen in een halfwas of misschien zelfs een volwassen vampier. En als we Stevie Rae kunnen terugveranderen betekent dat misschien dat er ook hoop is voor de anderen.'

'Heb je enig idee hoe we dat moeten aanpakken?'

'Nee. Geen flauw idee.' Toen lachte ik. 'Maar ik kan nu rekenen op de hulp van een krachtige halfwas met visioenen en een affiniteit voor aarde.'

'Geweldig. Ik voel me opeens een stuk beter.'

Ik wilde het tegenover Aphrodite niet toegeven, maar eerlijk gezegd, nu ik met haar over Stevie Rae had kunnen praten en we samen hadden kunnen uitdokteren wat we moesten doen, voelde ik me wel beter. Veel beter.

'Hoe dan ook,' zei Aphrodite, 'hoe moeten we Stevie Rae vinden?' Ze trok haar lip op. 'Je wilt toch niet zeggen dat je van me verwacht dat ik met jou door lugubere tunnels ga kruipen?'

'Wees maar niet bang. Ik heb met Stevie Rae afgesproken bij het prieel op het terrein van het Philbrook, vannacht om drie uur.'

'En denk je dat ze komt?'

Ik kauwde op mijn lip. 'Ik heb haar omgekocht met westernkleding, dus ik denk van wel.'

Aphrodite schudde haar hoofd. 'Ze gaat dus dood, wordt ondood en heeft nog steeds een belabberd modegevoel.'

'Kennelijk.'

'Dat is pas écht triest.'

'Ja.' Ik slaakte een zucht. Ik was dol op Stevie Rae, maar zelfs ik moest toegeven dat ze zich het liefst kleedde als een boerentrien.

'Waar breng je haar naartoe als je haar die kleren hebt gegeven?'

Het leek me beter om maar niet te zeggen dat ik haar het liefst linea recta naar een badkuip zou brengen. 'Dat weet ik niet. Ik heb eigenlijk nog niet verder gedacht dan die kleren voor haar regelen en, eh, bloed.'

'Bloed?'

'Dat heeft ze nodig. Menselijk bloed. Anders wordt ze gek.'

'Dat is ze eigenlijk toch al?'

'Nee! Ze heeft gewoon problemen.'

'Problemen?'

'Massa's problemen,' zei ik resoluut.

'Oké. Wat maakt het ook uit. Je moet bedenken waar je haar naartoe gaat brengen. Ze kan niet bij de rest van die wezens blijven. Daar helpen we haar niet mee,' zei Aphrodite.

'Ik wilde haar overhalen naar de school terug te komen. Ik ging ervan uit dat ik haar hier makkelijk kan verstoppen nu de meeste vampiers weg zijn.'

'Je kunt haar niet hiernaartoe brengen.' Aphrodite zag opeens lijkbleek. 'Hier heb ik haar zien sterven. Alweer.'

'Shit! Dan weet ik verdomme niet wat ik moet doen,' zei ik.

'Je zou haar naar mijn vroegere huis kunnen brengen,' zei Aphrodite.

'Ja hoor. Naar die fijne begripvolle ouders van je. Dat lijkt me een geweldig idee, Aphrodite.'

Ze rolde met haar ogen. 'Mijn ouders zijn er niet. Ze zijn vanochtend vroeg vertrokken voor een skivakantie van drie weken in Breckenridge. Bovendien hoeft ze niet in het huis te logeren. Mijn ouders wonen in een van die oude villa's in de buurt van het Philbrook. Ze hebben een garageappartement waarin vroeger de bedienden werden gehuisvest. Dat wordt niet meer gebruikt, behalve als mijn oma op bezoek komt, en mijn moeder heeft haar zojuist in een van die chique, dure, zwaarbeveiligde verzorgingstehuizen laten opbergen, dus daar hoef je je geen zorgen over te maken. Maar volgens mij moet alles in het appartement het nog doen, je weet wel, elektra en water en zo.'

'Denk je dat ze daar veilig is?'

Aphrodite haalde haar schouders op. 'In elk geval veiliger dan hier.'

'Goed. Dan gaat ze daarheen.'

'Zal ze dat zomaar goedvinden?'

'Ja,' loog ik. 'Ik zeg gewoon dat de koelkast gevuld is met bloed.' Ik slaakte een zucht. 'Al zou ik bij god niet weten waar ik een glas bloed voor haar vandaan moet halen, laat staan een koelkast vol.'

'In de keuken.'

'Van je huis?' Nu wist ik echt niet meer hoe ik het had.

'Nee, jezus, luister nou. Ze hebben hier bloed. In een grote roestvrijstalen koeler in de keuken. Voor de vampiers. Er komen om de haverklap verse zendingen binnen van menselijke donoren. Alle leerlingen in de hogere klassen weten ervan. We mogen het soms bij rituelen gebruiken.'

'Dat is te doen, vooral nu er bijna niemand is. Het lukt me vast wel om de keuken binnen te glippen en wat bloed te pakken zonder betrapt te worden.' Ik fronste mijn voorhoofd. 'Vertel me alsjeblieft dat het niet gewoon in een tupperware kan zit of iets even verontrustends.' Oké, al vind ik het echt verrukkelijk om bloed te drinken, ik vind het nog steeds een walgelijk idee. Ik weet het, ik moet nodig in therapie. Alweer.

'Het zit in zakken, zoals in het ziekenhuis. Daar hoef je je dus niet druk om te maken.'

We waren inmiddels automatisch rechts afgeslagen en liepen nu in de richting van het meisjesverblijf.

'Je moet meekomen,' zei ik opeens.

'Naar de keuken?'

'Nee, naar Stevie Rae. Je moet ons naar je huis brengen en laten zien waar het appartement is en zo.'

'Ze zal me niet willen zien,' zei Aphrodite.

'Dat weet ik, maar daar zal ze zich overheen moeten zetten. Ze weet dat jouw visioen mijn oma heeft gered. Als ik haar vertel dat je een visioen over haar hebt gehad, zal ze dat gewoon moeten geloven.' Ik was blij dat ik zo zeker klonk, want zo voelde ik me echt niet. 'Maar het zou misschien beter zijn als jij je verstopt en wacht tot ik met haar gesproken heb voor je je laat zien.'

'Hoor eens, ik probeer te doen wat juist is, maar ik ga me echt niet verstoppen voor een meid die ik vroeger als koelkast heb gebruikt.'

'Noem haar niet zo!' zei ik bits. 'Heb je er wel eens bij stilgestaan dat een groot deel van je probleem en de reden dat je zo veel nare dingen zijn overkomen niet Neferet is en alle rottigheid die ze uithaalt, maar jouw eigen krengerige gedrag?'

Aphrodites wenkbrauwen schoten omhoog en ze hield haar hoofd schuin, waardoor ze op een blonde vogel leek. 'Ja, daar heb ik wel eens bij stilgestaan, maar ik lijk niet op jou. Ik ben niet positief ingesteld en ik ben geen heilig boontje. Vertel eens. Jij gelooft vast dat mensen in wezen goed zijn, waar of niet?'

Haar vraag verbaasde me, maar ik haalde mijn schouders op en knikte. 'Ja, eigenlijk wel.'

'Ik niet. Ik geloof dat de meesten, zowel vampiers als mensen, niet deugen. Ze doen alsof. Ze doen zich overdreven aardig voor, maar zijn in werkelijkheid maar één stap verwijderd van het tonen van hun ware hufterigheid.'

'Dat is een deprimerende manier om door het leven te gaan,' zei ik.

'Jij noemt het deprimerend. Ik noem het realistisch.'

'Hoe kun je ooit iemand vertrouwen?'

Aphrodite wendde haar blik af. 'Dat doe ik nooit. Dat is wel zo makkelijk. Daar kom je nog wel achter.' Ze keek me weer aan, maar ik werd niet wijs uit de vreemde blik in haar ogen. 'Macht verandert mensen.'

'Ik zal echt niet veranderen.' Ik wilde nog iets zeggen, maar toen bedacht ik dat als iemand me luttele maanden geleden had verteld dat ik zou gaan flikflooien met een volwassen man terwijl ik niet één, maar twee vriendjes had, ik zou hebben gezegd dat dat bespottelijk was. Betekende dat niet dat ik al was veranderd?

Aphrodite glimlachte alsof ze mijn gedachten kon lezen. 'Ik had het niet over jou. Ik had het over de personen om je heen.'

'O,' zei ik. 'Aphrodite, ik wil niet lullig doen, maar ik geloof dat ik mijn vrienden beter uitzoek dan jij.'

'We zullen wel zien. Nu we het daar toch over hebben... Had je niet met je vrienden bij de bioscoop afgesproken?'

Ik slaakte een zucht. 'Ja, maar dat kan nu echt niet. Ik moet dat bloed voor Stevie Rae halen, haar kleren bij elkaar zoeken, en dan wil ik ook nog even naar de Wal-Mart om een prepaid mobieltje te halen. Het leek me wel een goed idee om Stevie Rae zo'n ding te geven zodat ze me kan bellen.'

'Best. Zullen we dan tegen half drie afspreken bij de geheime deur in de oostmuur? Dat geeft ons genoeg tijd om naar het Philbrook te gaan voordat Stevie Rae daar opduikt.'

'Klinkt goed. Ik moet alleen even naar mijn kamer om Stevie Raes kleren te pakken en mijn tas, en dan ben ik weer weg.'

'Goed, ik ga wel eerst naar binnen.'

'Hè?' zei ik.

Aphrodite keek me aan met een blik die zei dat ze dacht dat ik achterlijk was. 'Je wilt echt niet dat iemand ons samen ziet. Straks gaan ze nog denken dat we vriendinnen zijn of zoiets bespottelijks.'

'Aphrodite, het kan me niet schelen wat anderen denken.'

Ze rolde met haar ogen. 'Maar mij wel.' Toen rende ze voor me uit naar het meisjesverblijf.

'Hé!' riep ik. Ze keek over haar schouder. 'Bedankt voor je hulp.'

Aphrodite fronste haar voorhoofd. 'Laat maar zitten. En dat meen ik. Laat. Maar. Zitten. Jezus.' En hoofdschuddend haastte ze zich naar binnen.

11

Ik vond het medaillon in de vorm van een hartje toen ik in de la rommelde om Stevie Raes kleren te pakken. Ik was erbij geweest toen ze stierf en tegen de tijd dat ik in onze kamer terug was, had de vampierschoonmaakploeg (of hoe die ook wordt genoemd) al haar spullen al weggehaald. Ik was pisnijdig geworden. Echt pisnijdig. En ik had erop gestaan dat ze een deel van haar spullen terugbrachten, omdat ik dingen wilde bewaren als herinnering aan haar. Toen had Anastasia, de professor die bezweringen en ritualen doceert (ze is erg aardig en ze is getrouwd met Draak Lankford, de scherminstructeur), me meegenomen naar een lugubere opslagruimte, waar ik een deel van Stevie Raes spullen in een tas had gestouwd en weer had teruggestopt in wat vroeger haar ladekast was geweest. Anastasia was toen heel vriendelijk geweest, maar ze had me ook duidelijk haar afkeuring laten blijken over het feit dat ik aandenkens aan Stevie Rae wilde bewaren.

Wanneer een halfwas sterft verwachten de vampiers van ons dat we die vergeten en gewoon de draad van ons leven weer oppakken. Punt uit.

Nou, ik vind dat gewoon niet kunnen. Ik zou mijn beste vriendin echt niet vergeten, zelfs voor ik erachter kwam dat ze niet dood, maar ondood was.

Hoe dan ook, toen ik haar spijkerbroek uit de la pakte viel er iets uit de zak. Het was een verkreukelde envelop waarop Stevie Rae in haar slordige handschrift *Zoey* had geschreven. Mijn maag deed pijn toen ik de envelop openmaakte. Er zat een verjaarskaart in, zo'n malle kaart met een afbeelding van een fronsende kat (sprekend Nala, trouwens) met een puntige feestmuts op zijn kop. Binnenin stond VAN HARTE GEFELICITEERD OF WAT DAN OOK. ZAL MIJ WORST WEZEN. IK BEN EEN KAT. Stevie Rae had een groot hart getekend en daarin geschreven: *Veel liefs van Stevie Rae en die brompot van een Nala.* Onder in de envelop zat een zilveren ketting. Ik haalde de ketting eruit en zag dat er een fijn zilveren medaillon in de vorm van een hartje aan bungelde. Mijn vingers trilden toen ik het medaillon openmaakte. Er viel een foto uit, tig keer opgevouwen. Ik streek de foto voorzichtig glad en kreeg tranen in mijn ogen toen ik die herkende als eentje die ik van ons tweeën had genomen (door de camera voor ons uit te houden, onze gezichten tegen elkaar te persen en op de knop te drukken). Ik veegde mijn ogen droog, vouwde de foto weer op, stopte hem in het medaillon terug en hing de ketting om mijn hals. Het was een korte ketting en het hartje lag vlak onder het kuiltje van mijn keel.

Het vinden van de ketting leek me kracht te geven, en bloed uit de keuken pikken ging veel makkelijker dan ik had verwacht. In plaats van mijn gewone tas (het designertasje van roze nepbont, te gek cool, dat ik het jaar daarvoor in een boetiek aan Utica Square had gevonden) pakte ik mijn gigantische tas (die ik als boekentas had gebruikt toen ik nog op South Intermediate High School in Broken Arrow zat, voor ik werd gemerkt en mijn leven uiteenspatte). Hoe dan ook, de tas was groot genoeg om er een dik jochie in te stoppen (als die niet te lang was), dus Stevie Raes Roper-spijkerbroek, een T-shirt, haar zwarte cowboylaarzen (getver) en een setje ondergoed pasten er makkelijk in, met nog genoeg ruimte over voor vijf zakken bloed. Ja, die waren walgelijk. Ja, ik wilde een rietje in een van die zakken steken en hem als een pakje sap leegslobberen. Ja, ik ben weerzinwekkend.

De kantine was gesloten, net als de keuken, en totaal uitgestorven. Maar net als alles in de school, niet op slot. Ik kon makkelijk de keuken in en weer uit glippen met mijn tas vol bloed, terwijl ik mijn best deed om er onverschillig en onschuldig uit te zien. (Ik ben niet echt goed in stelen.)

Ik was bang dat ik Loren tegen het lijf zou lopen (ik deed echt vreselijk hard mijn best om hem uit mijn hoofd te zetten; niet zo hard mijn best dat ik zijn diamanten oorknopjes uitdeed, maar toch), maar de enige die ik zag was een derdeklasser die Ian Bowser heette. Hij is oenig en broodmager, maar soms best wel grappig. Ik zat bij hem in de klas bij drama en hij was stapelverliefd op onze dramadocent, professor Nolan. Hij was toevallig op zoek naar professor Nolan en liep letterlijk tegen me op toen ik de kantine uit kwam.

'O Zoey, sorry! Sorry!' Ian groette me zenuwachtig met de vampiergroet: gebalde vuist op zijn hart. 'Het was echt niet mijn bedoeling om je omver te lopen.'

'Natuurlijk niet,' zei ik. Ik haatte het als leerlingen zenuwachtig en bang van me worden alsof ze denken dat ik ze in iets akeligs zou kunnen veranderen. Kom op, zeg. Dit is het Huis van de Nacht, niet Zweinstein. (Ja, ik lees de Potter-boeken en ben dol op de films. Ja, het zoveelste bewijs dat ik een oen ben.)

'Heb je misschien toevallig professor Nolan gezien?'

'Nee. Ik wist niet eens dat ze al terug was van vakantie,' zei ik.

'Ja, ze is gisteren teruggekomen. Ik had een half uur geleden een afspraak met haar.' Hij glimlachte en zijn wangen werden felroze. 'Ik wil echt proberen om volgend jaar de finale te bereiken van de Shakespeare-monologenwedstrijd, dus heb ik haar gevraagd om me bijles te geven.'

'O, wat leuk.' Arme jongen. Hij zou nooit iets bereiken in de Shakespeare-wedstrijd als zijn stem zo bleef overslaan.

'Als je professor Nolan ziet, wil je dan zeggen dat ik haar zoek?'

'Doe ik,' zei ik. Ian ging er haastig vandoor. Ik klemde mijn tas stevig vast, liep linea recta naar het parkeerterrein en reed naar de Wal-Mart.

Het kopen van een mobieltje (plus zeep, een tandenborstel en een Kenny Chesney-cd) was een makkie. Wat minder makkelijk was, was het telefoontje van Erik.

'Zoey? Waar ben je?'

'Nog steeds op school,' zei ik. Wat letterlijk geen leugen was. Tegen die tijd reed ik juist naar de kant van de weg, ter hoogte van de plek in de oostmuur waar een geheime deur zat, zogezegd een achteruitgang van de school. Ik zeg wel 'geheim', maar massa's halfwassen en waarschijnlijk alle vampiers weten van het bestaan van die deur. Het was een stilzwijgende schooltraditie dat halfwassen zo nu en dan de school uit glipten voor een ritueel en twijfelachtig gedrag.

'Nog steeds op school?' Hij klonk geërgerd. 'Maar de film is al bijna afgelopen.'

'Ik weet het. Sorry.'

'Is alles wel goed met je? Je weet toch dat je je niks moet aantrekken van die onzin die Aphrodite altijd uitkraamt, hè?'

'Ja, dat weet ik. Maar ze heeft helemaal niets over jou gezegd.' Althans niet veel. 'Ik ben gewoon hartstikke stressig op het moment en moet een paar dingen goed overdenken.'

'Weer dingen.' Hij klonk niet blij.

'Het spijt me echt, Erik.'

'Oké, ja. Maakt niet uit. Ik zie je morgen wel of wanneer dan ook. Dag, Zoey.' En toen verbrak hij de verbinding.

'Shit,' zei ik in de dode telefoon.

Toen Aphrodite op het raampje aan de passagierskant tikte, slaakte ik een gilletje van schrik. Ik stopte mijn telefoon weg en boog me over de passagiersstoel om het portier voor haar open te maken.

'Hij is natuurlijk goed pissig,' zei ze.

'Heb jij soms een bizar goed gehoor?'

'Welnee, gewoon een bizar goed raadvermogen. Bovendien ken ik onze Erik. Je hebt hem vanavond laten zitten. Dan is hij pissig.'

'Oké, ten eerste: hij is niet onze Erik. Hij is míjn Erik. Ten tweede: ik heb hem niet laten zitten. Ten derde: ik ga echt niet met jou over Erik praten, Miss Pijpgraag.'

In plaats van me uit te maken voor alles wat mooi en lelijk was, wat ik eigenlijk had verwacht, lachte Aphrodite. 'Oké. Wat dan ook. Maar je moet nooit op iets afgeven voordat je het geprobeerd hebt, Miss Heilig Boontje.'

'Oké, die is raak,' zei ik. 'Even heel wat anders: ik heb een idee hoe we de kwestie Stevie Rae moeten aanpakken. Ik vind ook niet dat je je moet verstoppen. Dus wijs me maar de weg naar het huis van je ouders. Ik zet je daar af en ga dan Stevie Rae halen.'

'Wil je dat ik weer weg ben voor je met haar terugkomt?'

Daar had ik al over nagedacht. Het was verleidelijk, maar eerlijk gezegd ging het er steeds meer op lijken dat Aphrodite en ik zouden moeten samenwerken om Stevie Rae te redden. Mijn ondode beste vriendin zou er dus aan moeten wennen om Aphrodite in de buurt te hebben. Bovendien moest ik al veel te veel verborgen houden. Ik moest er gewoon niet aan denken dat ik dingen geheim moest houden voor het meisje dat ik voor iedereen geheim moest houden. Kun je me nog volgen?

'Nee. Stevie Rae zal moeten leren je op z'n minst te dulden.' Toen ik bij een stopbord kwam keek ik even naar Aphrodite en voegde er opgewekt aan toe. 'Maar misschien bewijst ze ons allemaal een dienst en vreet ze je op.'

'Wat fijn toch dat je altijd de positieve kant van dingen ziet,' zei Aphrodite sarcastisch. 'Oké, hier ga je rechtsaf. Bij Peoria ga je linksaf en dan rij je door tot je dat grote bord ziet dat wijst naar de afslag naar het Philbrook.'

Ik volgde haar aanwijzingen. We praatten niet, maar de stilte voelde niet ongemakkelijk aan. Heel raar eigenlijk, dat het zo makkelijk was om met Aphrodite om te gaan. Ik bedoel, niet dat ze geen bitch meer was, maar ik begon haar warempel aardig te vinden. Of misschien was dit het zoveelste teken dat ik toch echt moest overwegen om in therapie te gaan, en ik vroeg me onwille-keurig af of Prozac of Lexapro of een ander fijn antidepressivum bij halfwassen zou werken.

Bij het Philbrook-bord ging ik rechtsaf en Aphrodite zei: 'Oké, we zijn er bijna. Het is het vijfde huis aan de rechterkant. Je moet niet de eerste oprit nemen, maar de tweede. Die loopt om het huis heen naar het garageappartement.'

Toen we bij de tweede oprit kwamen kon ik alleen maar mijn hoofd schudden. 'Woon je híér?'

'Ik héb hier gewoond,' zei ze.

'Het is verdorie een villa!' Wat een gaaf huis! Het leek me echt zo'n huis waarin rijkelui in Italië zouden wonen.

'Het was een godvergeten gevangenis. Dat is het nog steeds.' Ik wilde iets semidiepzinnigs zeggen in de trant van dat ze nu vrij was doordat ze was gemerkt en nu een wettelijk mondig verklaar-de minderjarige was, en dat ze tegen haar ouders kon zeggen dat ze konden doodvallen (zoals ik min of meer had gedaan), maar haar volgende bijdehante opmerking deed me het aardige wat ik had willen zeggen vergeten. 'En het is echt ergerlijk dat je te ver-rekte netjes bent om te vloeken. Daar ga je echt niet dood van. Je zou er niet eens je maagdelijkheid door verliezen.'

'Ik vloek echt wel. Ik zeg hel en shit en zelfs verdomme. Best vaak.' En waarom voelde ik plotseling de behoefte om mijn voor-keur voor niet vloeken te verdedigen?

'Wat dan ook,' zei ze; ze lachte me gewoon uit.

'En er is niets mis met maagd zijn. Dat is beter dan een slet zijn.'

Aphrodite lachte nog steeds. 'Je hebt nog een hoop te leren, Z.' Ze wees naar een gebouw dat een miniatuurversie van de villa was. 'Rij daar maar omheen. Er is een achteringang naar het ap-partement en daar is je auto vanaf de straat niet te zien.'

Ik parkeerde achter de te gek coole garage en we stapten uit mijn kever. Aphrodite ontsloot de deur met haar sleutel en toen stonden we onder aan een trap. Ik liep achter haar aan naar het appartement.

'Jezus, bedienden hadden het behoorlijk goed in die tijd,' mompelde ik terwijl ik om me heen keek naar de glanzende vloeren van donker hout, de leren meubels en de blinkende keuken. De inrichting werd niet verpest door allerlei prullige snuisterijtjes, maar er stonden kaarsen en vazen die er behoorlijk duur uitzagen. Ik zag dat de slaapkamer en de badkamer aan het andere eind van het appartement lagen, en toen ik de slaapkamer in keek, zag ik een groot bed met dikke donzen kussens en een donzen dekbed. Ik vermoedde dat de badkamer mooier was dan die van mijn ouders.

'Denk je dat dit gaat werken?' vroeg Aphrodite.

Ik liep naar een van de ramen. 'Dikke gordijnen, dat is goed.'

'En luiken. Kijk, die kun je van binnenuit sluiten.' Aphrodite gaf een demonstratie.

Ik knikte naar de flatscreen-tv. 'Kabel?'

'Natuurlijk,' zei ze. 'Er moet hier ook nog ergens een stapel dvd's liggen.'

'Perfect,' zei ik terwijl ik naar de keuken liep. 'Ik leg alle zakken bloed op één na in de koelkast en dan ga ik Stevie Rae halen.'

'Best. Dan ga ik naar herhalingen van *Real World* kijken,' zei Aphrodite.

'Best,' zei ik. Maar in plaats van weg te gaan schraapte ik ongemakkelijk mijn keel. Aphrodite, die met de tv rommelde, keek op. 'Wat is er?'

'Stevie Rae lijkt niet meer op de Stevie Rae van vroeger en ze gedraagt zich ook anders.'

'Je meent het! Dat zou ik echt niet hebben geweten als jij me niet had gewaarschuwd. Ik bedoel, de meeste mensen die doodgaan en weer tot leven komen als bloedzuigende monsters zien er nog precies hetzelfde uit en gedragen zich ook hetzelfde als vroeger.'

'Ik meen het.'

'Zoey, ik heb Stevie Rae en een stel van die andere wezens in mijn visioenen gezien. Ze zijn weerzinwekkend. Punt uit.'

'In het echt zijn ze nog veel erger.'

'Dat verbaast me niets,' zei ze.

'Ik wil niet dat je iets tegen Stevie Rae zegt,' zei ik.

'Je bedoelt over dat ze dood is en zo? Of over het feit dat ze weerzinwekkend is?'

'Beide. Ik wil haar niet afschrikken. Wat ik ook niet wil, is dat ze je bespringt en je keel openscheurt. Ik bedoel, ik zou haar waarschijnlijk kunnen tegenhouden, maar helemaal zeker weet ik dat niet. En behalve dat het walgelijk zou zijn en moeilijk uit te leggen, moet ik er niet aan denken hoe dit coole appartement eruit zou zien met al dat bloed.'

'Wat lief van je.'

'Zeg, Aphrodite, waarom probeer je niet een keer iets nieuws? Probeer eens aardig te doen,' zei ik.

'Waarom zeg ik niet gewoon niks.'

'Dat kan ook.' Ik liep naar de deur. 'Ik kom zo snel mogelijk te-rug.'

'Hé,' riep Aphrodite me na. 'Zou ze echt mijn keel open kun-nen scheuren?'

'Zeker weten,' zei ik, en toen trok ik de deur achter me dicht.

12

Toen ik bij het prieel aankwam, wist ik dat Stevie Rae er al was. Ik zag haar niet, maar ik róók haar. Getver, wat smerig. Ik hoopte dat een bad en wat shampoo iets tegen die stank zouden doen, maar ik betwijfelde het. Ze was per slot van rekening, nou ja, dood.

'Stevie Rae, ik weet dat je er bent,' riep ik zo zacht mogelijk. Oké, vampiers hebben het vermogen zich geruisloos te verplaatsen en een soort bubbel van onzichtbaarheid om zich heen te creëren. Halfwassen hebben dat vermogen ook. Alleen minder afdoend. Aangezien ik een bizar begiftigde halfwas ben, kan ik me tamelijk geruisloos verplaatsen zonder te worden gezien door bijvoorbeeld iemand die om drie uur 's nachts uit het raam staat te turen, zoals een bewaker van het museum. Ik was dus redelijk zeker van mijn vermogen om ongezien rond te lopen op het halfduistere sprookjesachtige terrein van het museum, maar ik had geen idee of dat vermogen ook toereikend was om Stevie Rae verborgen te houden. Met andere woorden, ik moest haar zo snel mogelijk daar weghalen. 'Kom maar tevoorschijn. Ik heb je kleren en wat bloed en de nieuwste Kenny Chesney-cd.' Dat laatste voegde ik eraan toe als lokmiddel. Stevie Rae was helemaal kapot geweest van Kenny Chesney. Nee, dat snap ik ook niet.

'Bloed!' Een stem die mogelijk van Stevie Rae had kunnen zijn als ze snotverkouden was en haar verstand totaal verloren had, kwam vanuit de struiken achter het prieel.

Ik liep om het prieel heen en tuurde tussen het dichte (maar keurig gesnoeide) gebladerte door. 'Stevie Rae?'

Met ogen die afschuwelijk roestrood opgloeiden, strompelde ze tussen de struiken vandaan en sprong op me af. 'Geef me het bloed!'

O mijn god, ze leek echt volkomen krankzinnig. Ik stak haastig mijn hand in de tas, rukte de zak bloed tevoorschijn en reikte haar de zak aan. 'Wacht even. Ik heb hier ergens een schaar en...'

Met een weerzinwekkend grommend geluid scheurde Stevie Rae met haar tanden (eh, hoektanden, bedoel ik natuurlijk) de zak open, hield hem ondersteboven en slobberde het bloed op. Nadat ze de laatste druppel uit de zak had geknepen, liet ze hem op de grond vallen. Toen ze eindelijk naar me opkeek, hijgde ze alsof ze zojuist een marathon had gelopen.

'Niks geen mooi plaatje, hè?'

Ik glimlachte en deed mijn best om mijn afschuw te negeren. 'Nou, mijn oma zegt altijd dat correcte grammatica en goede manieren iemand aantrekkelijker maken, dus je zou misschien dat "niks geen" kunnen laten vallen en de volgende keer kunnen proberen om "alsjeblieft" te zeggen.'

'Ik heb meer bloed nodig.'

'Ik heb nog vier zakken voor je. Die liggen in de koelkast in het huis waar ik je ga onderbrengen. Wil je je hier omkleden of wachten tot we daar zijn en je eerst onder de douche kunt? Het is hier vlakbij.'

'Waar heb je het over? Geef me nou maar mijn kleren en het bloed.'

Haar ogen waren minder felrood, maar ze zag er nog steeds gemeen en krankzinnig uit. Ze was nog magerder en bleker dan de nacht daarvoor. Ik haalde een keer diep adem. 'Dit moet ophouden, Stevie Rae.'

'Dít is hoe ik nu ben. Dít gaat niet veranderen. Ík ga niet veranderen.' Ze wees naar de omtreklijn van de maansikkel op haar voorhoofd. 'Die zal nooit worden ingevuld en ik zal altijd dood blijven.'

Ik keek naar de omtreklijn van haar maansikkel. Was die aan het verbleken? Ik vond hem beslist lichter, minder duidelijk, wat nooit goed kon zijn. Daar schrok ik behoorlijk van. 'Je bent niet dood,' was het enige wat ik kon bedenken om te zeggen.

'Ik voel me dood.'

'Oké, nou, je ziet er best wel dood uit. Ik weet dat als ik er beroerd uitzie, ik me meestal ook beroerd voel. Misschien is dat een deel van de reden dat je je zo klote voelt.' Ik stak mijn hand in mijn tas en haalde een van haar cowboylaarzen tevoorschijn. 'Kijk wat ik heb meegebracht.'

'Schoenen kunnen de wereld niet beter maken.' Dit was een onderwerp waarover Stevie Rae en de tweeling een keer onenigheid hadden gehad, en in haar stem hoorde ik een zweem van de vroegere wrevel.

'Dat is niet wat de tweeling zou zeggen.'

De vertrouwde toon in haar stem werd uitdrukkingsloos en koud. 'Wat zou de tweeling zeggen als ze me nu zouden zien?'

Ik keek in Stevie Raes rode ogen. 'Ze zouden zeggen dat je schreeuwt om een bad en dat je nodig iets aan je instelling moet doen, maar ze zouden onvoorstelbaar blij zijn dat je leeft.'

'Ik leef niet meer. Dat probeer ik je de hele tijd aan je verstand te brengen.'

'Stevie Rae, dat zal ik nooit geloven, want je loopt en je praat. Volgens mij ben je allesbehalve dood; ik denk dat je bent veranderd. Niet zoals ik Verander in een volwassen vampier. Jij hebt een ander soort Verandering ondergaan, en volgens mij is die moeilijker dan wat er met mij gebeurt. Daarom maak je dit alles door. Wil je me alsjeblieft een kans geven om je te helpen? Wil je alsjeblieft proberen te geloven dat alles nog goed kan komen?'

'Ik snap niet hoe je daar zo zeker van kunt zijn,' zei ze.

Ik gaf haar het antwoord dat ik diep in mijn ziel voelde en toen ik het zei, wist ik dat dat precies was wat ik moest zeggen. 'Ik weet gewoon dat het wel goed komt omdat ik er zeker van ben dat Nux nog steeds van je houdt en dat ze dit met een reden laat gebeuren.'

De hoop die in Stevie Raes rode ogen opflitste was bijna te pijnlijk om te zien. 'Geloof je echt dat Nux me niet in de steek heeft gelaten?'

'Nux niet en ik niet.' Ik negeerde haar stank en omhelsde haar. Ze beantwoordde de omhelzing niet, maar trok zich ook niet los en zette haar tanden niet in mijn hals, dus ik vond dat we duidelijk vooruitgang boekten. 'Kom mee. De plek die ik voor je heb gevonden is iets verderop in de straat.'

Ik liep weg in de verwachting dat ze me achterna zou komen, wat ze na een korte aarzeling inderdaad deed. We staken het terrein van het museum over en kwamen uit op Rockford, de straat die voor het museum langs loopt. Twenty-seventh, de straat waaraan Aphrodites villa (nou, eigenlijk de villa van haar krankzinnige ouders) staat is het verlengde van Rockford. Als in een droom liep ik in de duisternis over het midden van de straat en concentreerde me op het creëren van een sluier van stilte en onzichtbaarheid om ons heen. Stevie Rae liep vlak achter me. Het was donker en onnatuurlijk stil. Ik keek omhoog door de winterse takken van de grote oude bomen die langs de straat stonden. Eigenlijk had ik een bijna volle maan moeten zien, maar er waren wolken verschenen die alles verduisterden en alleen een vage witte gloed doorlieten waar de maan zou moeten zijn. Het was koud geworden en ik was blij dat mijn veranderende stofwisseling me beschermde tegen de geselende wind. Ik vroeg me af of Stevie Rae last had van weersveranderingen en ik stond op het punt haar dat te vragen, toen ze plotseling begon te praten.

'Neferet zal er niet blij mee zijn.'

'Waarmee niet?'

'Dat ik bij jou ben in plaats van bij de anderen.' Stevie Rae leek behoorlijk verontrust en ze plukte zenuwachtig met haar ene hand aan de andere.

'Wees maar niet bang. Neferet zal niet weten dat je bij mij bent, tenminste niet voordat we klaar zijn om het haar te laten weten,' zei ik.

'Ze zal het weten zodra ze terugkomt en ziet dat ik niet bij de anderen ben.'

'Nee, het enige wat ze dan weet is dat je weg bent. Er zou van alles met je gebeurd kunnen zijn.' Toen bedacht ik iets wat zo ongelooflijk was dat ik bleef staan alsof ik tegen een boom was gelopen. 'Stevie Rae! Je hoeft niet meer in de buurt van volwassen vampiers te zijn om oké te zijn!'

'Hè?'

'Dat bewijst dat je Veranderd bent! Je hoest niet en je bent niet stervende!'

'Zoey, ik ben al gestorven.'

'Nee-nee-nee! Dat bedoel ik niet.' Ik pakte haar arm vast en negeerde het feit dat ze zich onmiddellijk losrukte en een stap bij me vandaan deed. 'Je kunt zonder de vampiers bestaan. De enige die dat kan is een andere volwassen vampier. Het is dus precies zoals ik zei: je bent Veranderd; het is alleen een ander soort Verandering!'

'En dat is een goed iets?'

'Ja!' Ik was minder zeker dan ik klonk, maar ik was vastbesloten om een positieve façade op te houden. Bovendien zag ze er beroerd uit. Ik bedoel nog beroerder dan haar gebruikelijke smerige voorkomen. 'Wat is er met je?'

'Ik heb bloed nodig!' Ze streek met een beverige hand over haar vieze gezicht. 'Dat kleine zakje was niet genoeg. Je hebt me gisteren van mijn maaltijd afgehouden en ik heb sinds eergisteren niets meer binnengekregen. Het is... het is heel erg als ik me niet voed.' Ze hield haar hoofd schuin, alsof ze luisterde naar een stem in de wind. 'Ik hoor het bloed fluisterend door hun aderen stromen.'

'Wiens aderen?' Mijn nieuwsgierigheid was net zo groot als mijn walging.

Ze maakte een weidse zwaai met haar arm, een gebaar dat tegelijkertijd dierlijk en sierlijk was. 'De mensen die overal om ons heen liggen te slapen.' Haar stem was gedempt tot een schor gelispel. Er lag iets in de toon wat me naar haar toe trok, hoewel haar ogen weer felrood opgloeiden en ze zo afschuwelijk stonk dat ik kokhalsneigingen kreeg. 'Een van hen is wakker.' Ze wees naar de grote villa rechts van waar we stonden. 'Het is een meisje... een tiener... ze zit in haar eentje in haar kamer...'

Stevie Raes stem was een betoverende monotone dreun. Mijn hart bonkte in mijn borst. 'Hoe weet je dat?' fluisterde ik.

Ze richtte haar gloeiende ogen op mij. 'Ik weet heel veel. Ik weet van je bloeddorst. Die kan ik ruiken. Waarom zou je daar niet aan toegeven? We kunnen het huis binnenglippen. Naar de kamer van het meisje gaan en haar samen grijpen. Ik wil haar best met je delen, Zoey.'

Heel even verzonk ik in de obsessie die Stevie Raes ogen deed branden, en in mijn eigen hunkering. Ik had geen menselijk bloed meer geproefd sinds die keer met Heath, meer dan een maand geleden. De herinnering aan die ene verrukkelijke teug was als een verlokkend geheim in mijn lichaam blijven hangen. Volledig gebiologeerd luisterde ik naar Stevie Rae terwijl ze een duister web spon dat me naar de heerlijke, kleverige diepte lokte.

'Ik kan je laten zien hoe je het huis binnen kunt gaan. Ik kan geheime ingangen bespeuren. Je zou het meisje ertoe moeten brengen om me binnen te vragen. Ik kan niet iemands huis binnengaan zonder uitnodiging. Maar eenmaal binnen...' Stevie Rae lachte.

Haar lach haalde me uit mijn trance. Stevie Rae had vroeger een heerlijke lach gehad. Vrolijk en jong en onschuldig; ze had van het leven gehouden. Wat nu uit haar mond kwam was een akelige verwrongen echo van die vroegere blijmoedigheid.

'Het appartement is twee huizen verderop. Er ligt bloed in de koelkast.' Ik draaide me om en liep snel door.

'Dat is niet warm en niet vers.' Ze klonk pissig, maar ze kwam weer achter me aan.

'Het is vers genoeg en er is een magnetron. Je kunt het opwarmen.'

Ze zei niets meer en een paar minuten later waren we bij de villa. Ik leidde haar om het huis heen naar het garageappartement, maakte de buitendeur open en liep naar binnen. Ik was halverwege de trap op toen het tot me doordrong dat Stevie niet achter me liep. Ik haastte me weer naar beneden en zag dat ze buiten in de duisternis stond. Het enige wat duidelijk te zien was, was het rood van haar ogen.

'Je moet me vragen om binnen te komen,' zei ze.

'O, sorry.' Wat ze eerder had gezegd was niet echt tot me doorgedrongen en ik schrok van alweer een bewijs van de enorme verandering die Stevie Rae had ondergaan. 'Eh, kom maar binnen,' zei ik vlug.

Stevie Rae deed een stap naar voren en knalde tegen een onzichtbare barrière op. Ze slaakte een kreet van pijn, die overging in gegrom. Haar gloeiende ogen keken naar me op. 'Zo te zien werkt je plannetje niet. Ik kan niet naar binnen.'

'Je zei toch dat je alleen maar gevraagd hoefde te worden om binnen te komen?'

'Door iemand die in het huis woont. Jij woont hier niet.'

Van boven kwam Aphrodites ijzig beleefde stem (waardoor ze akelig veel als haar moeder klonk), die zei: 'Ik woon hier. Kom maar binnen.' Stevie Rae stapte zonder problemen over de drempel. Ze liep de trap op en had me bijna bereikt, toen het plotseling tot haar doordrong dat het Aphrodites stem was geweest. Ik zag haar gezicht veranderen van uitdrukkingsloos tot gevaarlijk, met tot spleetjes geknepen ogen.

'Je hebt me naar háár huis gebracht!' Stevie Rae praatte tegen mij, maar staarde naar Aphrodite.

'Ja, en dat is makkelijk te verklaren.' Ik overwoog om haar vast te pakken voor het geval ze op de vlucht zou slaan, maar toen herinnerde ik me hoe sterk ze was geworden, dus in plaats daarvan concentreerde ik me, terwijl ik me afvroeg of ik mijn affiniteit voor lucht kon gebruiken om de deur door een windvlaag te laten dichtgooien voor ze kon ontsnappen.

'Hoe kun je dat verklaren? Je weet dat ik Aphrodite haat!' Toen keek ze mij wel aan. 'Ik ga dood en nu is zij je vriendin?'

Ik deed mijn mond open om Stevie Rae ervan te verzekeren dat Aphrodite en ik echt niet opeens goede maatjes waren geworden, toen Aphrodites hooghartige stem me in de rede viel.

'Waar zit je verstand? Zoey en ik zijn geen vriendinnen van elkaar. Je kudde oenen is nog steeds intact. De enige reden dat ik erbij betrokken ben is dat Nux een wel heel erg bizar gevoel voor humor heeft. Dus kom binnen of sodemieter op. Ik vind alles best...' Haar stem stierf weg toen ze stampvoetend het appartement in liep.

'Vertrouw je me?' vroeg ik Stevie Rae.

Ze keek me voor wat een eeuwigheid leek aan en zei toen: 'Ja.'

'Kom dan binnen.' Ik liep de trap verder op en Stevie Rae kwam schoorvoetend achter me aan.

Aphrodite hing lui op de bank en deed net of ze M T V zat te kijken. Toen we binnenkwamen trok ze haar neus op en zei: 'Wat is dat voor walgelijke stank? Het is net of er iets is doodgegaan en...' Ze keek op en zag Stevie Rae. Haar ogen werden groot. 'Laat maar.' Ze wees naar de achterkant van het appartement. 'Daar is de badkamer.'

Ik gaf Stevie Rae mijn tas. 'Alsjeblieft. We praten wel als je weer tevoorschijn komt.'

'Eerst bloed,' zei Stevie Rae.

'Ga maar vast, dan breng ik je een zak.'

Stevie Rae keek woedend naar Aphrodite, die naar de tv staarde. 'Breng me twee zakken,' zei ze tussen opeengeklemde tanden door.

'Ook goed. Je krijgt er twee.'

Zonder nog een woord te zeggen liep Stevie Rae de kamer uit.

Ik keek haar na terwijl ze met een eigenaardig dierlijke tred door de korte gang liep.

'Hallo! Walgelijk, weerzinwekkend en uiterst verontrustend,' fluisterde Aphrodite. 'Had je me niet kunnen waarschuwen?'

'Dat heb ik geprobeerd. Jij dacht dat je alles wist. Weet je nog?' fluisterde ik terug. Toen haastte ik me naar de kleine keuken en haalde de zakken bloed uit de koelkast. 'Je zei ook dat je aardig zou doen.'

Ik klopte op de dichte badkamerdeur. Stevie Rae zei niets, dus ik deed de deur langzaam open en tuurde naar binnen. Ze had haar spijkerbroek, T-shirt en laarzen uit de tas gehaald en stond midden in de mooie badkamer naar de kleren te staren. Ze stond half van me af gedraaid, waardoor ik het niet met zekerheid kon zeggen, maar volgens mij had ze gehuild.

'Hier is het bloed,' zei ik zacht.

Stevie Rae vermande zich, wreef met haar hand over haar gezicht en gooide de kleren en laarzen op het marmeren blad naast de wasbak. Ze stak haar hand uit en ik gaf haar de zakken bloed en de schaar die ik uit de keuken had meegenomen.

'Denk je dat je alles kunt vinden?' vroeg ik.

Stevie Rae knikte. Zonder me aan te kijken zei ze: 'Sta je nou te wachten omdat je nieuwsgierig bent naar hoe ik er naakt uitzie of omdat je een slokje bloed wilt?'

'Geen van beide,' zei ik op normale toon. Ik weigerde kwaad op haar te worden, terwijl ze me duidelijk op de kast probeerde te jagen. 'Ik ga terug naar de woonkamer. Je kunt je oude kleren in de gang dumpen, dan gooi ik ze voor je weg.' Ik trok de badkamerdeur stevig achter me dicht.

Aphrodite keek me hoofdschuddend aan toen ik terugkwam. 'Denk je echt dat je dát kunt redden?'

'Praat niet zo hard!' fluisterde ik. Ik plofte neer op het andere uiteinde van de bank. 'Nee, ik denk niet dat ík haar kan redden. Ik denk dat Nux, jij en ik haar samen kunnen redden.'

Aphrodite huiverde. 'Ze stinkt net zo afschuwelijk als dat ze eruitziet.'

'Daar ben ik me evenzeer van bewust als zij.'

'Ik wil alleen maar zeggen... getver.'

'Zeg wat je wilt, alleen niet tegen Stevie Rae.'

'Dan wil ik voor de goede orde graag officieel melden dat ik het gevoel heb dat die meid gevaarlijk is,' zei Aphrodite, terwijl ze haar hand opstak alsof ze een eed aflegde. 'Ik heb één woord voor haar: tijdbom. Volgens mij zou ze zelfs je kudde oenen de stuipen op het lijf jagen.'

'Ik zou graag willen dat je ze niet zo blijft noemen,' zei ik. God, wat was ik moe.

'Jullie organiseren freak-ends,' zei ze.

'Hè?' Ik had geen flauw idee wat ze bedoelde.

'Weekends waarin jullie bij elkaar komen om marathons van *Star Wars*- en *Lord of the Rings*-films te kijken.'

'Ja, nou en?'

Aphrodite rolde melodramatisch met haar ogen. 'Dat je niet begrijpt hoe oenig dat klinkt, bewijst mijn gelijk. Jullie zijn echt een kudde oenen.'

Ik hoorde de badkamerdeur open- en dichtgaan, dus nam ik niet de moeite om tegen Aphrodite te zeggen dat ik echt wel besefte hoe oenig die films waren, maar dat dat ook leuk kon zijn, vooral wanneer je samen met je even oenige vrienden bent en popcorn zit te eten en praat over wat een spetters Anakin en Aragorn zijn (eigenlijk vind ik Legolas ook wel leuk, maar volgens de tweeling is die veel te gay. Damien vindt hem natuurlijk het einde). Ik pakte een vuilniszak uit het aanrechtkastje in de keuken, stouwde Stevie Raes smerige kleren erin, bond de zak dicht, opende de deur van het appartement en gooide de zak de trap af.

'Walgelijk,' zei Aphrodite.

Ik liet me weer op de bank vallen, negeerde haar en keek zonder iets te zien naar het tv-scherm.

'Gaan we niet over dát praten?' Aphrodite wees met haar kin in de richting van de badkamer.

'Stevie Rae is een zij en geen dát.'

'Ze stinkt als een dát.'

'En nee. We gaan niet over háár praten tot zíj erbij komt zitten,' zei ik resoluut.

13

Ik weigerde om met Aphrodite over Stevie Rae te roddelen en ging dus naar de tv zitten staren, maar na een poosje kon ik niet meer stil blijven zitten, dus stond ik op en liep ik van raam naar raam om de luiken te sluiten en de dikke gordijnen dicht te trekken. Dat was zo gebeurd en dus ging ik naar de keuken om de inhoud van de kastjes te bekijken. Ik had al gezien dat de koelkast zes flessen Perrier, een paar flessen witte wijn en enkele stukken van die dure geïmporteerde kaas die naar voeten stinkt bevatte. In het vriesvak lagen een paar pakjes in slagerspapier gewikkeld vlees en vis en ijsklontjes, maar dat was het. In de kastjes stond van alles en nog wat, maar dat was allemaal rijkeluiseten. Je weet wel, geïmporteerde blikjes vis waar de kop nog aan zit, gerookte oesters (getver), andere vreemde vleessoorten en ingemaakte dingen en langwerpige doosjes met iets wat 'kaakjes' heette. Er was niet één blikje fatsoenlijke frisdrank te vinden.

'We moeten naar de supermarkt,' zei ik.

'Als je Stinkie in de slaapkamer opsluit kun je inloggen op de rekening van mijn ouders bij Petty's Foods. Je klikt aan wat je wilt hebben en dan wordt het bezorgd en op de rekening van mijn ouders gezet.'

'Raken ze niet in alle staten als ze de rekening zien?'

'Die zien ze niet eens,' zei ze. 'De bank betaalt rechtstreeks aan de winkel. Geen haan die ernaar kraait.'

'Echt waar?' Niet te geloven dat er mensen waren die echt zo leefden. 'Jullie zijn stinkend rijk.'

Aphrodite haalde haar schouders op. 'Ja. Lekker belangrijk.'

Stevie Rae schraapte haar keel en Aphrodite en ik schrokken ons een hoedje. Toen ik naar haar keek kneep mijn hart zich samen. Haar korte blonde haar was nat en omlijstte haar gezicht met vertrouwde krullen. Haar ogen waren nog steeds rood en haar gezicht was mager en bleek, maar schoon. Haar kleren slobberden om haar lichaam, maar ze leek weer op Stevie Rae.

'Hoi,' zei ik zacht. 'Voel je je wat beter?'

Ze leek zich niet op haar gemak te voelen, maar knikte wel.

'Je ruikt in elk geval wel een stuk beter,' zei Aphrodite.

Ik keek haar nijdig aan.

'Wat nou? Dat was aardig bedoeld.'

Ik slaakte een zucht en keek haar aan met een blik die zei: je helpt niet echt. 'Oké, zullen we ons dan nu maar buigen over het bedenken van een plan?' Hoewel het eigenlijk een retorische vraag was, reageerde Aphrodite meteen.

'Hoezo moeten we een plan bedenken? Ik bedoel, ik weet dat Stevie Rae, nou ja, unieke problemen heeft, maar ik weet eigenlijk niet wat we daar volgens jou aan kunnen doen. Ze is dood. Of ondood dood.' Ze wierp een snelle blik naar Stevie Rae. 'Hoor eens, ik doe echt mijn best om niet gemeen te zijn, maar...'

'Het is niet gemeen. Het is gewoon de waarheid,' zei Stevie Rae. 'Maar doe alsjeblieft niet alsof je opeens meer rekening houdt met mijn gevoelens dan voor ik dood was.'

'Ik probeerde aardig te doen,' snauwde Aphrodite, waarbij ze allesbehalve aardig klonk.

'Misschien moet je wat beter je best doen,' zei ik. 'Ga zitten, Stevie Rae.' Ze nam plaats op de gemakkelijke leren stoel naast de bank. Ik negeerde mijn hoofdpijn en ging op de bank zitten. 'Oké, wat ik weet is het volgende.' Ik telde de punten op mijn vingers af. 'Ten eerste: Stevie Rae hoeft niet meer in de buurt van volwassen vampiers te wonen, en dat betekent dat ze een Verandering heeft voltooid.' Aphrodite wilde iets zeggen, maar ik ging snel verder.

'Ten tweede: ze moet bloed drinken, vaker dan normale volwassen vampiers.' Ik keek van Stevie Rae naar Aphrodite. 'Weet een van jullie tweeën of volwassen vampiers gek worden als ze niet regelmatig bloed drinken?'

'Bij vampiersociologie voor gevorderden hebben we geleerd dat volwassenen regelmatig bloed moeten drinken om gezond te blijven. Zowel van geest als van lichaam.' Aphrodite haalde haar schouders op. 'Neferet doceert dat vak en ze heeft niets gezegd over dat vampiers gek worden als ze niet drinken. Maar dat is misschien een van de dingen die ze ons pas vertellen als we de Verandering hebben voltooid.'

'Ik wist er helemaal niets van tot ik doodging,' zei Stevie Rae.

'Kan het bloed van elk zoogdier zijn of moet het per se menselijk bloed zijn?'

'Menselijk.'

Ik had het aan Stevie Rae gevraagd, maar zij en Aphrodite gaven gelijktijdig antwoord.

'Oké, nou, behalve dat ze bloed moet drinken en niet in de nabijheid van volwassen vampiers hoeft te blijven, kan Stevie Rae alleen een huis binnengaan als ze daartoe wordt uitgenodigd.'

'Door iemand die in dat huis woont,' voegde Stevie Rae eraan toe. 'Maar dat is geen probleem.'

'Wat bedoel je?' vroeg ik.

Stevie Rae richtte haar roodgetinte blik op mij. 'Ik kan mensen dingen laten doen die ze eigenlijk niet wíllen doen.'

Het kostte me moeite om niet te huiveren.

'Zo schokkend is dat niet,' zei Aphrodite. 'Een heleboel volwassen vampiers hebben zo'n krachtige persoonlijkheid dat ze erg overtuigend zijn tegenover mensen. Dat is een van de redenen dat ze zo bang voor ons zijn. Dat zou jij toch moeten weten, Zoey.'

'Hè?'

Aphrodite trok een wenkbrauw op. 'Je hebt je stempel gezet op je menselijke vriendje. Hoe moeilijk was het om hem te overreden je even te laten zuigen?' Ze zweeg even en glimlachte boosaardig. 'Zijn bloed opzuigen, bedoel ik.'

Ik negeerde haar zogenaamde geestigheid. 'Oké, ook dat heeft Stevie Rae met Veranderde vampiers gemeen. Maar vampiers hoeven toch niet te worden uitgenodigd om iemands huis binnen te gaan?'

'Daar heb ik nog nooit van gehoord,' zei Aphrodite.

'Dat komt doordat ik zielloos ben,' zei Stevie Rae; haar stem was totaal gespeend van emotie.

'Je bent niet zielloos,' zei ik automatisch.

'Je vergist je. Ik ben gestorven en Neferet heeft een manier bedacht om mijn lichaam terug te brengen, maar ze heeft mijn menselijkheid niet teruggehaald. Mijn ziel is nog steeds dood.'

Ik wilde er niet eens aan denken dat wat ze zei mogelijk zou kunnen zijn, en ik opende mijn mond om haar tegen te spreken, maar Aphrodite was sneller.

'Dat zou best wel eens waar kunnen zijn. Dat is de reden dat je niet zonder uitnodiging het huis van een levend iemand binnen kunt gaan. Dat is waarschijnlijk ook de reden dat je zult verbranden als het zonlicht op je valt. Geen ziel, geen tolerantie voor licht.'

'Hoe weet jij dat allemaal?' vroeg Stevie Rae.

'Ik ben dat meisje met de visioenen, weet je nog?'

'Ik dacht dat Nux je had laten vallen en je ook je visioenen had afgepakt,' zei Stevie Rae hatelijk.

'Dat is wat Neferet iedereen wil laten geloven, omdat Aphrodite visioenen over haar heeft gehad... en over jou,' zei ik nadrukkelijk. 'Maar Nux heeft haar net zomin laten vallen als jou.'

'Waarom help je Zoey eigenlijk?' vroeg Stevie Rae aan Aphrodite. 'En kom niet aanzetten met dat gelul over Nux' gevoel voor humor. Wat is de echte reden?'

Aphrodite lachte spottend. 'Waarom ik help is mijn zaak.'

Stevie Rae sprong overeind en vloog zo snel de kamer door dat haar bewegingen één groot waas waren. Voor ik met mijn ogen kon knipperen lagen haar handen rond Aphrodites keel en bracht ze haar gezicht tot dicht voor dat van Aphrodite. 'Daar vergis je je in. Het is ook mijn zaak, aangezien ik hier ben. Je hebt me gevraagd om binnen te komen, weet je nog?'

'Stevie Rae, laat haar los.' Ik hield mijn stem kalm, maar mijn hart bonkte als een gek. Stevie Rae zag er gevaarlijk uit; ze klonk ook gevaarlijk, en krankzinnig, en niet zo'n beetje.

'Ik heb haar nooit gemogen, Zoey. Dat weet je. Ik heb je tig keer verteld dat ze niet deugt en je gewaarschuwd dat je maar beter bij haar uit de buurt kon blijven. Waarom zou ik eigenlijk niet gewoon haar nek breken?'

Ik begon me ongerust te maken toen ik zag dat Aphrodites ogen uitpuilden en dat haar gezicht vuurrood werd. Ze verzette zich heftig tegen Stevie Rae, maar dat had iets weg van een klein kind dat zich probeerde te bevrijden uit de greep van een grote, gemene volwassene. Ik zond een stille smeekbede naar de godin: *Help me om tot Stevie Rae door te dringen.* Daarna concentreerde ik me op het aanroepen van de kracht van de elementen. Maar toen hoorde ik gefluister in mijn geest en herhaalde ik haastig de woorden.

'Je gaat haar nek niet breken, omdat je geen monster bent.'

Stevie Rae liet Aphrodite niet los, maar ze draaide haar hoofd om zodat ze me aan kon kijken. 'Hoe weet je dat?'

Ik aarzelde niet en zei: 'Omdat ik in onze godin geloof en omdat ik geloof in het deel van je dat nog altijd mijn beste vriendin is.'

Stevie Rae liet Aphrodite los, en Aphrodite begon te hoesten en masseerde haar hals.

'Zeg dat het je spijt,' zei ik tegen Stevie Rae. Haar rode ogen doorboorden me, maar ik stak mijn kin vooruit en staarde haar strak aan. 'Zeg tegen Aphrodite dat het je spijt,' zei ik nog eens.

'Ik heb géén spijt,' zei Stevie Rae terwijl ze terugliep (in een normaal tempo) naar de stoel.

'Nux heeft Aphrodite een affiniteit voor aarde gegeven,' zei ik kortaf. Stevie Raes lichaam schokte alsof ik haar een klap had gegeven. 'Dus als je haar aanvalt, val je eigenlijk Nux aan.'

'Nux laat haar mijn plaats innemen!'

'Nee. Nux laat haar jou helpen. Ik red het niet in mijn eentje, Stevie Rae. Ik kan geen van onze vrienden over je vertellen, want als ik dat doe, dan is het slechts een kwestie van tijd voordat Neferet alles weet wat zij weten, en hoewel er niet veel is waarvan ik zeker ben, geloof ik oprecht dat Neferet door en door slecht is. En dat betekent dat wij het moeten opnemen tegen een machtige hogepriesteres. Aphrodite is op mij na de enige halfwas die Neferet niet kan lezen. We hebben haar hulp nodig.'

Stevie Rae keek met vernauwde ogen naar Aphrodite, die nog steeds over haar hals wreef en naar lucht hapte. 'Ik wil nog steeds weten waarom ze ons helpt. Ze heeft ons nooit gemogen. Ze is een leugenaar en een regelrecht kreng dat anderen gebruikt.'

'Penitentie,' wist Aphrodite hijgend uit te brengen.

'Wat zeg je?' vroeg Stevie Rae.

Aphrodite keek haar woedend aan. Haar stem was schor, maar ze kreeg duidelijk weer lucht en ze was niet meer bang maar pissig. 'Wat is er? Is dat woord te moeilijk voor je?' Ze spelde het uit. 'P-E-N-I-T-E-N-T-I-E. Dat betekent dat ik iets moet goedmaken wat ik verkeerd heb gedaan. Eerlijk gezegd een heleboel dingen. Dus moet ik doen wat ik eerder niet heb gedaan: me voegen naar de wil van Nux.' Ze zweeg even en schraapte haar keel, waarbij haar gezicht vertrok van de pijn. 'Geloof me, daar ben ik net zomin blij mee als jij. En nog iets: je stinkt nog steeds en die countrykleren zien er niet uit.'

'Aphrodite heeft je vraag beantwoord,' zei ik tegen Stevie Rae. 'Ze had het wel iets aardiger kunnen brengen, maar je hebt haar wel zojuist bijna gewurgd. Bied haar nu je excuses aan.' Ik bleef Stevie Rae strak aankijken terwijl ik zonder woorden de energie van geest tot me riep. Ik zag Stevie Rae in elkaar krimpen en toen wendde ze haar blik af.

'Sorry,' mompelde ze.

'Ik hoor niet wat ze zegt,' zei Aphrodite.

'En ik heb er genoeg van dat jullie je als kleine kinderen gedragen!' zei ik bits. 'Stevie Rae, bied je excuses aan als een normale persoon in plaats van een verwende snotaap.'

'Het spijt me,' zei Stevie Rae terwijl ze boos naar Aphrodite keek.

'Oké, en nu graag even luisteren,' zei ik. 'We moeten met z'n drieën een soort wapenstilstand sluiten. Ik wil niet bang zijn dat jullie zodra ik even de andere kant op kijk elkaar proberen af te maken.'

'Ze kan me helemaal niet afmaken,' zei Stevie Rae met een onaantrekkelijk opgetrokken lip.

'Omdat je al dood bent of omdat ik niet in de buurt van je stank wil komen om je een pak op je magere donder te geven?' vroeg Aphrodite op een misselijkmakend poeslief toontje.

'Dit is precies wat ik bedoel!' schreeuwde ik. 'Hou daarmee op! Als we niet met elkaar overweg kunnen, hoe kunnen we dan in jezusnaam een manier bedenken om Neferet het hoofd te bieden en wat Stevie Rae is overkomen ongedaan te maken?'

'Moeten we dan Neferet het hoofd bieden?' vroeg Aphrodite.

'Waarom moeten we haar het hoofd bieden?' vroeg Stevie Rae.

'Omdat ze godverdomme door en door slecht is!' schreeuwde ik.

'Je zei godverdomme,' zei Stevie Rae.

'Ja, en je werd niet door de bliksem getroffen en je bent niet gesmolten of wat dan ook,' zei Aphrodite vrolijk.

'Het was heel raar om dat uit jouw mond te horen komen, Z,' zei Stevie Rae.

Ik moest onwillekeurig lachen. Stevie Rae klonk opeens zo sterk als haar vroegere zelf dat er een gevoel van hoop in me oplaaide. Ze was er nog steeds. Ik moest gewoon een manier bedenken om haar weer in contact te brengen met...

'Dat is het!' Ik schoof opgewonden naar het puntje van de bank.

'Wat? Dat je vloekt? Dat geloof ik toch echt niet, Z. Dat is gewoon niks voor jou,' zei Stevie Rae.

'Ik denk dat je gelijk had toen je zei dat je ziel ontbrak, Stevie Rae. Of in elk geval een deel daarvan.'

'Dat zeg je alsof het iets goeds is, wat ik echt niet begrijp,' zei Aphrodite.

'Ik ben het niet graag met haar eens, maar ja, waarom is mijn ontbrekende ziel iets goeds?' vroeg Stevie Rae.

'Omdat dat is wat we terug gaan halen!' Ze keken me allebei wezenloos aan. Ik rolde met mijn ogen. 'Het enige wat we hoeven doen is uitvogelen hoe we je complete ziel weer in je terug kunnen stoppen, en dan ben je weer heel. Misschien niet helemaal hetzelfde als vroeger. Per slot van rekening heb je een Verandering ondergaan die niet helemaal normaal genoemd kan worden.'

'Dat is wel duidelijk,' mompelde Aphrodite.

'Maar met een herstelde ziel krijg je je menselijkheid terug, krijg je jezelf terug. En dat is het belangrijkst van alles. Al dat andere,' – ik maakte een vaag gebaar naar haar – 'je weet wel, je rare ogen en die kwestie van bloed-drinken-of-je-wordt-gek, al die dingen kunnen aangepakt worden als je weer echt jezelf bent.'

'Is dit meer van dat "je binnenkant is belangrijker dan je buitenkant"-gelul?' vroeg Aphrodite.

'Ja, en Aphrodite, je begint me knap op mijn zenuwen te werken met je negatieve instelling,' zei ik.

'Ik vind juist dat je groepje een pessimist nodig heeft,' zei ze een beetje mokkerig.

'Jij maakt geen deel uit van haar groepje,' zei Stevie Rae.

'Jij op het moment ook niet, Stinkie,' kaatste Aphrodite terug.

'Ellendige helleveeg! Waag het niet om...'

'Genoeg!' Ik wierp mijn handen naar hen uit terwijl ik me erop concentreerde dat ze allebei een pak voor de broek verdienden.

Wind gehoorzaamde me en ze werden op hun zitplaats naar achteren geworpen door een kleine, geconcentreerde windvlaag. 'Oké, stop maar,' zei ik vlug. De wind ging onmiddellijk liggen. 'Eh, sorry. Ik verloor mijn kalmte.'

Aphrodite haalde haar vingers door haar door de wind verwarde haar. 'Volgens mij ben je je verstand verloren,' mopperde Aphrodite.

Ik dacht eigenlijk dat ze misschien wel gelijk had, maar dat wilde ik niet toegeven. Ik wierp een blik op de klok en schrok toen ik zag dat het al zeven uur was. Geen wonder dat ik doodop was. 'Hoor eens, we zijn alle drie moe. Laten we maar gaan slapen en dan treffen we elkaar hier na het vollemaansritueel. Ik duik in de boeken om te zien of ik iets kan vinden over ontbrekende of gebroken zielen en hoe je die kunt herstellen.' Ik had nu tenminste iets concreets om me op te richten in plaats van doelloos in de bibliotheek rond te snuffelen. Dat wil zeggen, als ik niet met Loren stond te flikflooien. Shit, ik had geen moment meer aan hem gedacht.

'Lijkt me een goed plan. Ik ben al weg.' Aphrodite kwam overeind. 'Mijn ouders blijven drie weken weg, dus je hoeft niet bang te zijn dat die plotseling thuiskomen. Twee keer per week komen er tuinlieden, maar die komen overdag en, o ja, je vliegt in brand als je overdag naar buiten gaat, dus je hoeft ook niet bang te zijn dat die je zullen zien. De werksters komen doorgaans één keer per week als mijn ouders er niet zijn, om het huis piekfijn in orde te houden, maar ze komen alleen hier als mijn oma op bezoek is, dus dat zal ook geen problemen opleveren.'

'Wauw, ze is echt stinkend rijk,' zei Stevie Rae tegen mij.

'Kennelijk,' zei ik.

'Heb je kabel?' vroeg Stevie Rae aan Aphrodite.

'Uiteraard,' zei ze.

'Cool,' zei Stevie Rae, die voor het eerst sinds ze dood was weer wat vrolijker leek.

'Oké, dan gaan we maar,' zei ik terwijl ik naar Aphrodite liep, die al bij de deur stond. 'O ja, Stevie Rae, ik heb een prepaid mobieltje voor je gekocht. Het zit in de tas. Als je iets nodig hebt, kun je me op mijn mobiele nummer bellen. Ik zal eraan denken om mijn telefoon altijd bij me te hebben en aan te houden.' Ik aarzelde en voelde me erg onzeker over haar achterlaten.

'Ga nou maar. We zien elkaar later weer,' zei Stevie Rae. 'Je hoeft je over mij geen zorgen te maken. Ik ben al dood. Wat kan er nog meer fout gaan?'

'Daar heeft ze gelijk in,' zei Aphrodite.

'Oké, goed dan. Tot later,' zei ik. Ik wilde niet zeggen dat ik ook vond dat ze daar gelijk in had. Dat kwam me voor als vragen om moeilijkheden. Ik bedoel, ze was ondood, en dat was echt afschuwelijk. Maar er waren ook andere dingen die fout konden gaan. Die gedachte bezorgde me koude rillingen, wat ik helaas negeerde, en ik strompelde gewoon door mijn toekomst in. Het was ontzettend jammer dat ik geen idee had van de verschrikking waar ik blindelings op af strompelde.

14

'Zet me maar af bij de geheime deur in de muur. Het lijkt me nog steeds geen goed idee als anderen denken dat we met elkaar omgaan,' zei Aphrodite.

Ik ging rechtsaf op Peoria Street en sloeg de richting in van de school. 'Het verbaast me dat je je zo druk maakt over wat anderen denken.'

'Dat doe ik niet. Ik maak me druk over wat Neferet te weten komt. Als zij erachter komt dat wij tweeën vriendinnen zijn of zelfs alleen maar geen vijanden meer, dan zal ze daar de conclusie uit trekken dat we informatie over haar hebben uitgewisseld.'

'En dan zijn we de pineut,' zei ik.

'En hoe,' zei ze.

'Maar ze zal ons toch af en toe samen zien, aangezien jij in mijn cirkels aarde gaat oproepen.'

Aphrodite keek me verschrikt aan. 'Nee, dat doe ik niet.'

'Natuurlijk wel.'

'Nee, dat doe ik echt niet!'

'Aphrodite, Nux heeft je een affiniteit voor aarde gegeven. Je hoort in de cirkel. Tenzij je Nux' wil wilt negeren.' Ik voegde er niet 'alweer' aan toe, maar dat leek in de lucht tussen ons in te hangen.

'Ik heb al gezegd dat ik Nux' wil ga gehoorzamen,' zei ze tussen opeengeklemde tanden door.

'En dat betekent dat je vannacht deel gaat uitmaken van het vollemaansritueel.'

'Dat zal moeilijk gaan, aangezien ik geen lid meer ben van de Duistere Dochters.'

Shit, dat was ik helemaal vergeten.

'Nou, dan zul je weer gewoon lid moeten worden.' Ze deed haar mond open om iets te zeggen. Ik verhief mijn stem en snoerde haar de mond. 'En dat betekent dat je zult moeten zweren dat je de nieuwe regels aanvaardt.'

'Bespottelijk,' mompelde ze.

'Je doet weer krengerig,' zei ik. 'Dus, wil je dat zweren?'

Ik zag dat ze op haar lip zat te kauwen. Ik wachtte zonder nog iets te zeggen en reed gewoon door. Dit was iets wat Aphrodite voor zichzelf moest uitmaken. Ze had gezegd dat ze haar fouten wilde goedmaken en dat ze zich wilde richten naar de wil van de godin. Maar iets willen en dat daadwerkelijk doen waren twee totaal verschillende dingen. Aphrodite was lange tijd egoïstisch en gemeen geweest. Soms meende ik een vonk van verandering in haar te zien, maar meestal zag ik alleen maar het meisje dat de tweeling de helleveeg noemde.

'Ja, oké.'

'Wat zeg je?'

'Ik zei ja. Ik zal zweren dat ik je bespottelijke nieuwe regels aanvaard.'

'Aphrodite, het zweren houdt in dat je de regels niet bespottelijk vindt.'

'Nee, ik hoef niet te zweren dat ik ze niet bespottelijk vind. Ik hoef alleen maar te zeggen dat ik betrouwbaar zal zijn voor lucht, loyaal voor vuur, wijs voor water, invoelend voor aarde en oprecht voor geest. Dus zeg ik mezelf getrouw dat ik je nieuwe regels bespottelijk vind.'

'Als dat zo is, waarom heb je ze dan uit je hoofd geleerd?'

'Ken uw vijand,' citeerde ze.

'Wie zei dat eigenlijk?'

Ze haalde haar schouders op. 'Iemand in het verre verleden. Dat verraadt dat "uw".'

Ik vond het maar slap geklets, maar dat wilde ik niet zeggen (vooral omdat ze me zou uitlachen omdat ik 'geklets' zei in plaats van 'gelul').

'Oké, we zijn er.' Ik reed naar de kant van de weg. Godzijdank waren de wolken die tijdens de stille uurtjes waren komen aandrijven verdicht, en de ochtend was donker en somber. Het enige wat Aphrodite hoefde te doen was het grasveldje tussen de weg en de muur om de school oversteken, door de geheime deur naar binnen glippen en dan over het voetpad naar het meisjesverblijf lopen. Zoals de tweeling zou zeggen: een fluitje van een cent. Ik keek op naar de lucht en overwoog om de wind te vragen om nog meer wolken te doen voortdrijven om het nog donkerder te maken, maar na een vluchtige blik op Aphrodites sombere gezicht besloot ik dat ze het zonlicht heus wel aankon. 'Ik zie je dus vannacht bij het ritueel?' vroeg ik, terwijl ik me afvroeg waarom ze er zo lang over deed om uit te stappen.

'Ja, ik kom.'

Ze klonk afwezig. Nou ja, het zal wel. Die meid was af en toe gewoon vreemd.

'Oké, tot dan,' zei ik.

'Ja, tot dan,' mompelde ze terwijl ze het portier opendeed en (eindelijk) uitstapte. Maar voor ze het portier dichtsloeg, boog ze zich vooover en zei ze: 'Ik heb het gevoel dat er iets niet klopt. Voel jij het ook?'

Ik dacht even na. 'Weet ik veel. Ik voel me een beetje onrustig en gestrest, maar dat kan zijn omdat mijn beste vriendin dood is, ik bedoel ondood.' Toen keek ik wat aandachtiger naar haar. 'Sta je op het punt een visioen te krijgen?'

'Dat weet ik niet. Ik voel ze nooit aankomen. Ik krijg soms wel een gevoel over iets zonder dat er echt sprake is van een visioen.'

Ze was lijkbleek en zelfs een beetje bezweet (wat echt niet normaal was voor Aphrodite). 'Misschien kun je beter weer instappen. Er is waarschijnlijk toch niemand op; niemand zal ons dus samen zien binnenkomen.' Aphrodite was een ontzettende last-post, maar ik had gezien hoe hulpeloos en ellendig haar visioenen haar maakten en ik moest er niet aan denken dat ik alleen met haar zou zijn, buiten in het daglicht, als ze erdoor overvallen werd.

Ze schudde zichzelf, waardoor ze me deed denken aan een kat die uit de regen binnenkwam. 'Niks aan de hand. Het zal wel ver-beelding zijn. Tot vannacht.'

Ik keek haar na toen ze naar de dikke muur van steen en bak-steen rende die om het terrein van de school stond. Langs de muur stonden eeuwenoude eiken die hun schaduw erop wierpen, waardoor het geheel plotseling abnormaal sinister leek. Jezus, wie had nu last van waandenkbeelden? Mijn hand lag op de versnel-lingspook en ik wilde juist schakelen om weg te rijden, toen Aphrodite gilde.

Soms denk ik niet na. Dan neemt mijn lichaam het heft in handen en laat ik me daardoor leiden. Dit was een van die keren. Ik was mijn auto uit en rende naar Aphrodite nog voor ik had nagedacht. Toen ik haar bereikte, drongen twee dingen meteen tot me door. Het eerste was dat ik iets heerlijks rook, ergens ver-trouwd, maar toch ook weer niet. Wat het ook was, de geur hing als een verrukkelijke mist in de lucht en ik nam onwillekeurig een diepe teug. Het tweede was dat ik Aphrodite voorovergebo-gen zag staan; ze kotste huilend haar ingewanden eruit, wat niet prettig is om te doen of om naar te kijken. Ik had het te druk met naar haar kijken en proberen te begrijpen wat er aan de hand was, en werd te zeer afgeleid door de zalige geur om hét te zien. Aanvankelijk.

'Zoey!' snikte Aphrodite tussen haar gekokhals door. 'Ga met-een iemand halen! Vlug!'

'Wat is er... een visioen? Wat is er aan de hand?' Ik pakte haar bij de schouders en ondersteunde haar terwijl ze haar maagin-houd eruit gooide.

'Nee! Achter me! Tegen de muur...' Ze kokhalsde, maar haar maag was leeg. 'Het is afschuwelijk!'

Hoewel ik niet wilde kijken, gleed mijn blik werktuiglijk naar de beschaduwde muur van de school.

Het was het gruwelijkste wat ik ooit had gezien. Mijn geest wilde eerst niet eens registreren wat het was. Later bedacht ik dat dat waarschijnlijk een soort onmiddellijk in werking tredend afweermechanisme was. Jammer genoeg bleef het niet lang in werking. Knipperend met mijn ogen tuurde ik de duisternis in. Ik zag iets glimmends en nats en...

En toen herkende ik de heerlijke, verlokkende geur. Ik verzette me tegen de neiging om op mijn knieën te vallen en naast Aphrodite mijn ingewanden eruit te kotsen. Ik rook bloed. Niet gewoon menselijk bloed, wat op zich al verrukkelijk is. Wat ik rook was een fataal bloedvergieten van een volwassen vampier.

Haar lichaam was op een groteske manier aan een ruw houten kruis genageld dat tegen de muur stond. Ze hadden niet alleen haar polsen en enkels met spijkers doorboord, maar ook een dikke houten staak door haar hart gedreven. Op haar hart zat een stuk papier, dat op zijn plaats werd gehouden door de staak. Ik kon zien dat er iets op geschreven stond, maar ik kon mijn ogen niet scherp genoeg stellen om de woorden te lezen.

Ze hadden ook haar hoofd afgehakt. Het hoofd van professor Nolan. Ik wist dat zij het was omdat ze haar hoofd naast haar lichaam op een houten staak hadden gezet. Haar lange, donkere haar deinde zachtjes in de wind, een weerzinwekkend bevallige aanblik. Haar mond stond open in een afschuwelijke grimas, maar haar ogen waren dicht.

Ik pakte Aphrodite bij haar elleboog en trok haar overeind. 'Kom mee! We moeten hulp halen.'

Op elkaar leunend strompelden we naar mijn auto. Ik weet niet hoe ik erin slaagde om de kever te starten en weg te rijden.

'Ik... ik... ik geloof dat ik weer moet overgeven.' Aphrodites tanden klapperden zo heftig dat ze nauwelijks kon praten.

'Nee, niet waar.' Ik verbaasde me erover dat ik zo rustig klonk. 'Gewoon doorademen. Concentreer je. Put kracht uit aarde.' Het drong plotseling tot me door dat ik automatisch deed wat ik haar opdroeg, alleen putte ik kracht uit alle vijf de elementen. 'Je bent veilig,' zei ik tegen haar terwijl ik energie haalde uit wind, vuur, water, aarde en geest om de hysterische aanval die ik voelde opkomen tegen te houden. 'We zijn veilig.'

'We zijn veilig... we zijn veilig...' bleef Aphrodite maar zeggen.

Ze rilde zo heftig dat ik mijn arm naar achteren uitstrekte en de sweater met capuchon pakte die ik altijd op de achterbank had liggen. 'Wikkel dit om je heen. We zijn er bijna.'

'Maar iedereen is weg! Aan wie moeten we het vertellen?'

'Niet iedereen is weg.' Er vloog me van alles door het hoofd. 'Lenobia laat haar paarden nooit lang alleen. Ze is waarschijnlijk gewoon hier.' En toen klampte ik me aan een duistere, verlokkende strohalm vast. 'En gisteren heb ik Loren Blake gezien. Hij weet wel wat we moeten doen.'

'Goed... goed...' mompelde Aphrodite.

'Luister naar me, Aphrodite,' zei ik streng. Ze keek me met grote, geschokte ogen aan. 'Ze zullen willen weten waarom we samen waren en vooral waarom ik je bij de muur afzette zodat je stiekem naar binnen kon glippen.'

'Wat zullen we zeggen?'

'We waren niet samen en ik heb je niet afgezet. Ik ben bij mijn oma op bezoek geweest. Jij bent...' Ik zweeg even en probeerde mijn verdoofde geest tot denken te dwingen. 'Jij bent naar huis geweest. Ik zag je lopen toen je op de terugweg was naar school en heb je een lift gegeven. Toen we langs de muur reden voelde je dat er iets mis was en daarom zijn we gestopt om poolshoogte te nemen. Toen hebben we haar gevonden.'

'Oké. Goed. Dat kan ik zeggen.'

'Kun je het onthouden?'

Ze haalde een keer diep, bibberig adem. 'Dat onthou ik wel.'

Ik nam niet de tijd om de auto netjes in een parkeervak te zetten, met gierende remmen kwam ik zo dicht mogelijk bij het deel van het hoofdgebouw waar de kamers van de inwonende docenten lagen tot stilstand. Ik pakte Aphrodite weer vast en rende over het voetpad naar de oude kasteelachtige houten voordeur. Terwijl ik inwendig mijn godin bedankte voor het geen-slotenbeleid van de school, rukte ik de deur open en strompelde vlak voor Aphrodite naar binnen.

En liep letterlijk Neferet tegen het lijf.

'Neferet! U moet meekomen! Alstublieft! Het is afschuwelijk!' snikte ik terwijl ik me in haar armen wierp. Ik kon er niets aan doen. Mijn geest wist dat ze afgrijselijke dingen had gedaan, maar tot een maand geleden was Neferet als een moeder voor me geweest. Nee, eigenlijk was ze de moeder geworden die ik me had gewenst, en in mijn paniek werd ik overspoeld door een onvoorstelbaar gevoel van opluchting toen ik haar zag.

'Zoey? Aphrodite?'

Aphrodite was naast ons tegen de muur in elkaar gezakt en ik hoorde haar schokkend snikken. Ik besefte dat ik zo heftig beefde dat ik waarschijnlijk niet overeind was gebleven als Neferets krachtige armen me niet hadden vastgehouden. De hogepriesteres hield me vast, maar ver genoeg bij haar vandaan om me aan te kunnen kijken. 'Vertel het me, Zoey. Wat is er gebeurd?'

Het beven werd erger. Ik boog mijn hoofd, klemde mijn kiezen op elkaar en probeerde me te concentreren en genoeg kracht uit de elementen te putten om te kunnen praten.

'Ik hoorde iets en...' Ik herkende de heldere, krachtige stem van onze docent in de rijkunst, Lenobia, die doelbewust door de hal op ons af kwam lopen. 'Bij de godin!' Vanuit mijn ooghoek zag ik nog net dat ze zich over Aphrodite boog en probeerde haar huilende lichaam te ondersteunen.

'Neferet? Wat is er aan de hand?'

Mijn hoofd ging met een ruk omhoog bij het horen van de bekende stem, en ik zag Loren, met zijn haar in de war alsof hij had liggen slapen, het trappenhuis uit komen dat naar zijn verdieping voerde, terwijl hij een oude Huis van de Nacht-trui aantrok. Mijn blik ontmoette zijn blik en op de een of andere manier lukte het me de kracht te vinden om te praten.

'Het is professor Nolan,' zei ik, en ik verbaasde me erover dat mijn stem zo helder en krachtig klonk terwijl ik het gevoel had dat mijn lichaam in kleine stukjes uiteen werd gerukt. 'Ze is bij de geheime deur in de oostmuur. Iemand heeft haar vermoord.'

15

Daarna ging alles heel snel, maar ik had het gevoel dat het met iemand anders gebeurde die tijdelijk zijn intrek in mijn lichaam had genomen. Neferet nam onmiddellijk de touwtjes in handen. Ze beoordeelde Aphrodite en mij en besloot (ongelukkigerwijs) dat ik de enige was die nog genoeg kracht had om met hen terug te gaan naar het lichaam. Ze liet Draak Lankford halen, die gewapend verscheen. Ik hoorde Neferet aan Draak vragen welke krijgers al terug waren van hun vakantie. Het leek niet meer dan seconden later dat er twee lange, gespierde mannelijke vampiers verschenen. Ik herkende ze vaag. Het was op school altijd een druk komen en gaan van volwassen vampiers. Ik had al vroeg geleerd dat de vampiergemeenschap sterk matriarchaal was, wat slechts wil zeggen dat vrouwen de boel runnen. Het betekent niet dat mannelijke vampiers niet gerespecteerd worden. Dat worden ze wel. Maar hun gaven liggen doorgaans meer op het fysieke vlak en de gaven van vrouwen meer op het intellectuele en intuïtieve vlak. Kortom, mannelijke vampiers zijn verbazingwekkende krijgers en beschermers. Door de aanwezigheid van dit tweetal plus Draak en Loren voelde ik me honderd keer veiliger.

Dat betekent niet dat ik stond te springen om ze naar het lichaam van professor Nolan te leiden. We stapten in een van de suv's van de school en volgden de weg terug die ik naar de school had genomen. Mijn hand trilde toen ik naar de plek wees waar ik naar de kant van de weg was gereden. Draak parkeerde de suv.

'We reden hier toen Aphrodite zei dat ze het gevoel had dat er iets mis was,' zei ik, me in onze grote leugen stortend. 'Maar we konden hiervandaan niet veel zien.' Mijn blik vloog naar de donkere plek bij de geheime deur in de muur. 'Ik had ook een vreemd gevoel, dus toen besloten we om even te gaan kijken wat er aan de hand was.' Ik haalde bibberig adem. 'Ik verwachtte eigenlijk een leerling aan te treffen die naar binnen wilde glippen en de geheime deur niet kon vinden.' Ik probeerde het brok in mijn keel weg te slikken. 'Toen we dichter bij de muur kwamen wisten we dat daar iets was. Iets gruwelijks. En... en ik rook het bloed. Toen we zagen wat het was... dat het professor Nolan was... zijn we direct naar u toe gerend.'

'Kun je nog eens naar die plek toe of blijf je liever hier op ons wachten?' Neferets stem was vriendelijk en begripvol en ik wenste met heel mijn hart dat ze nog steeds bij de goeieriken zou horen.

'Ik wil niet alleen blijven,' zei ik.

'Dan ga je met mij mee,' zei ze. 'De krijgers zullen ons beschermen. Je hoeft nu niet bang te zijn, Zoey.'

Ik knikte en stapte uit. De twee krijgers, Draak en Loren, kwamen aan weerszijden naast Neferet en mij lopen. Binnen een paar seconden waren we het grasveldje overgestoken en bevonden we ons binnen reuk- (en zicht)afstand van het gekruisigde lichaam. Ik voelde mijn knieën knikken toen het gruwelijke van wat haar was aangedaan opnieuw doordrong tot mijn toch al geschokte geest.

'O, genadige godin!' zei Neferet met stokkende adem. Ze liep langzaam naar voren tot ze voor het op een staak geplaatste hoofd stond. Ik zag dat ze het haar van professor Nolan naar achteren streek en toen haar hand op het voorhoofd van de dode vrouw legde. 'Vind vrede, lieve vriendin. Vind een rustplaats in de groene weiden van onze godin. Op een dag zullen we elkaar daar terugzien.'

Op het moment dat mijn knieën het begaven voelde ik een

sterke, ondersteunende hand onder mijn elleboog.

'Rustig maar. Je slaat je hier wel doorheen.'

Ik keek op naar Loren en moest heftig met mijn ogen knipperen om hem scherp in beeld te krijgen. Zonder me los te laten haalde hij zo'n ouderwetse linnen zakdoek uit zijn zak. Toen pas besefte ik dat ik huilde.

'Loren, breng Zoey maar terug naar het meisjesverblijf. Hier kan ze niets meer doen. Zodra we de gepaste beschermende maatregelen hebben getroffen ga ik de menselijke politie bellen,' zei Neferet, en toen richtte ze haar scherpe blik op Draak. 'Zorg dat de andere krijgers onmiddellijk terugkomen.' Draak klapte zijn mobieltje open en begon druk te telefoneren. Daarna richtte Neferet haar aandacht op mij. 'Ik besef dat het afschuwelijk voor je is om dit te moeten zien, maar ik bewonder het feit dat je het zo goed hebt doorstaan.'

Mijn stem gehoorzaamde me niet, dus knikte ik maar.

'Ik breng je thuis, Zoey,' zei Loren zacht.

Terwijl Loren me terugbracht naar de suv begon het zachtjes te regenen. Ik keek over mijn schouder en zag dat de koude regendruppels het bloed van het lichaam van professor Nolan spoelden, alsof de godin zelf haar verlies beweende.

Loren bleef de hele weg terug naar de school tegen me praten. Ik kan me niet precies herinneren wat hij allemaal zei. Ik weet nog wel dat hij met die prachtige, diepe stem zei dat alles goed zou komen. Het geluid omhulde me en probeerde me te verwarmen. Hij parkeerde en leidde me door de school, met mijn arm stevig in zijn greep. Toen hij de richting van de eetzaal in plaats van het meisjesverblijf in sloeg, keek ik hem vragend aan.

'Je moet iets drinken en iets eten. En dan moet je slapen. Ik ga ervoor zorgen dat je eerst die eerste twee doet en dan pas het laatste.' Hij zweeg even en glimlachte triest. 'Al sta je zo te zien op het punt al lopend in slaap te vallen.'

'Ik heb niet echt honger,' zei ik.

'Dat weet ik, maar als je iets hebt gegeten, zul je je een stuk beter voelen.' Zijn hand gleed van mijn elleboog naar mijn hand. 'Laat me iets voor je klaarmaken, Zoey.'

Ik liet me door hem de keuken in trekken. Zijn hand was warm en sterk en ik voelde dat de ijskoude gevoelloosheid die zich in me had vastgezet begon te ontdooien.

'Kun je dat dan?' vroeg ik, grijpend naar om het even welk onderwerp dat niet dood en verschrikking was.

'Ja, maar niet erg goed,' zei hij met een grijns, waardoor hij net een knap klein jongetje leek.

'Dat klinkt niet bepaald veelbelovend,' zei ik. Ik voelde mijn gezicht glimlachen, maar het voelde stijf en stuntelig aan, alsof ik was vergeten hoe het moest.

'Wees maar niet bang; ik zal goed voor je zorgen.' Hij haalde een kruk uit de hoek van het vertrek en zette die naast het lange werkblad dat midden in de enorme keuken stond. 'Zit,' beval hij.

Ik gehoorzaamde, opgelucht dat ik niet meer hoefde te staan. Hij ging naar de kastjes en haalde van alles tevoorschijn, en ook iets uit de inloopkoelkast (niet die koelkast waarin ze de zakken bloed bewaarden).

'Hier, drink dit op. Langzaam.'

Ik knipperde verbaasd met mijn ogen naar het grote glas rode wijn. 'Ik hou eigenlijk niet zo van...'

'Deze wijn zul je lekker vinden.' Zijn donkere ogen hielden de mijne vast. 'Vertrouw me en neem een slok.'

Ik gehoorzaamde weer. De smaak explodeerde op mijn tong en joeg hete vonken door mijn lichaam. 'Er zit bloed in!' zei ik, happend naar lucht.

'Inderdaad.' Hij was druk bezig met het maken van een sandwich en keek niet eens naar me op. 'Zo drinken vampiers hun wijn, met een scheutje bloed erin.' Nu keek hij me wel aan. 'Als je het niet lekker vindt, dan pak ik wel iets anders voor je.'

'Nee, het is goed zo. Ik vind het wel lekker.' Ik nam nog een slokje en het kostte me moeite om niet het hele glas in één slok leeg te slobberen.

'Ik had al een vermoeden dat je er niet vies van zou zijn.'

Nu zocht ik zijn blik. 'Hoezo dat?' Ik voelde zowel mijn kracht als mijn verstand terugkomen toen het verrukkelijke bloed zich door mijn lichaam verspreidde.

Hij ging gewoon door met het maken van de sandwich en haalde zijn schouders op. 'Je hebt toch je stempel gedrukt op die menselijke jongen? Daardoor kon je hem vinden en van die seriemoordenaar redden.'

'Ja.'

Toen ik verder niets zei keek hij met een glimlach naar me op. 'Dat vermoedde ik al. Dat gebeurt wel meer. Soms drukken we per ongeluk een stempel op iemand.'

'Halfwassen niet. We mogen helemaal geen menselijk bloed drinken,' zei ik.

Lorens glimlach was warm en gevuld met waardering. 'Jij bent geen normale halfwas, dus de normale regels zijn op jou niet van toepassing.' Zijn blik hield de mijne vast en het kwam me voor dat hij het over iets veel groters had dan per ongeluk een beetje menselijk bloed drinken.

Ik kreeg het warm en toen weer koud; ik voelde me bang maar ook volwassen en sexy, alles tegelijk.

Ik zei niets en nam nog een slokje van de met bloed vermengde wijn. (Ik weet dat het walgelijk klinkt, maar het was zalig.)

'Hier, eet op.' Hij reikte me het bord aan met de ham-kaassandwich die hij zojuist had klaargemaakt. 'Wacht, daar moet nog iets bij.' Hij rommelde in een kastje, zei even later triomfantelijk 'aha', draaide zich om en stortte een grote berg Nacho Cheese Doritos uit een zak op mijn bord.

Ik glimlachte. Deze keer voelde dat weer natuurlijk aan. 'Doritos! Perfect.' Ik nam een grote hap en besefte toen dat ik razende honger had. 'Weet je, ze hebben liever niet dat halfwassen dit soort junkfood eten.'

'Zoals ik al zei,' – Loren lachte weer zijn lome, sexy glimlach naar me – 'jij bent anders dan de rest van die halfwassen. En ik vind nu eenmaal dat sommige regels bedoeld zijn om aan je laars te lappen.' Zijn blik ging van mijn ogen naar de diamanten oorknopjes in mijn oorlelletjes.

Ik voelde mijn gezicht warm worden, dus concentreerde ik me weer op eten terwijl ik af en toe vluchtig naar hem opkeek. Loren had voor zichzelf geen sandwich gemaakt, maar hij had wel een glas wijn ingeschonken, en nippend van de wijn sloeg hij me gade terwijl ik at.

Ik wilde net zeggen dat ik zenuwachtig van hem werd, toen hij eindelijk iets zei.

'Sinds wanneer ben je met Aphrodite bevriend?'

'We zijn niet bevriend,' zei ik, om een hap sandwich heen (die werkelijk heerlijk was – dus hij is bespottelijk knap, sexy en intelligent en kan ook nog lekker eten klaarmaken!). 'Ik was op de terugweg naar school en zag haar lopen.' Ik tilde een schouder op alsof ze me volslagen koud liet. 'Ik zie het als mijn plicht als leider van de Duistere Dochters om aardig te zijn, zelfs tegen haar. Dus heb ik haar een lift gegeven.'

'Het verbaast me eigenlijk dat ze een lift van je heeft aangenomen. Jullie zijn toch gezworen vijanden?'

'Gezworen vijanden? Dat is wel heel sterk uitgedrukt. Ze laat me eerder onverschillig.' Kon ik Loren maar de waarheid over Aphrodite vertellen. Ik haatte het echt om te moeten liegen (en ik ben er helemaal niet goed in, al lijkt het me met oefening steeds beter af te gaan). Maar zelfs het denken aan hoe graag ik Loren alles zou vertellen bezorgde me het gevoel van een stomp in mijn maag die duidelijk zei: geen sprake van dat je hem iets vertelt. Dus kauwde ik glimlachend op mijn sandwich en probeerde me erop te concentreren dat ik me minder *Night of the Living Dead* voelde.

Wat me aan professor Nolan deed denken. Ik legde de half opgegeten sandwich neer en nam een flinke slok wijn.

'Loren, wie kan professor Nolan zoiets gruwelijks hebben aangedaan?'

De uitdrukking op zijn knappe gezicht versomberde. 'Volgens mij maakte het citaat dat erg duidelijk.'

'Het citaat?'

'Heb je niet gezien wat er op dat papier stond dat ze op haar hadden vastgeprikt?'

Ik schudde mijn hoofd en voelde me weer een beetje misselijk. 'Ik weet dat er iets op stond, maar ik kon er niet lang genoeg naar kijken om te lezen wat precies.'

'Er stond: "Een tovenares zult gij niet in leven laten. Exodus 22:18." En: "Kom tot inkeer", een paar keer onderstreept.'

Dit deed me ergens aan denken en ik kreeg een branderig gevoel dat niets te maken had met het bloed in mijn wijn. 'De People of Faith.'

'Daar lijkt het wel op.' Loren schudde zijn hoofd. 'Ik vraag me af wat de priesteressen heeft bezield toen ze besloten om dit huis te kopen en er een Huis van de Nacht van te maken. Dat lijkt me vragen om moeilijkheden. Er zijn maar weinig delen van het land waar mensen kleingeestiger zijn en fanatieker over wat ze hun godsdienstige overtuiging noemen.' Hij schudde zijn hoofd en leek oprecht woedend. 'Ik begrijp echt niet hoe je een god kunt aanbidden die vrouwen kleineert en wiens "ware gelovigen" het als hun recht zien om neer te kijken op iedereen die niet precies zo denkt als zij.'

'Niet iedereen in Oklahoma is zo,' zei ik overtuigd. 'Er is ook een sterke indiaanse geloofsovertuiging, en er zijn een heleboel gewone mensen die niet meegaan in die idiote vooroordelen van de People of Faith.'

'Hoe dan ook, de People of Faith timmeren het hardst aan de weg.'

'Dat ze de grootste mond hebben, wil nog niet zeggen dat ze gelijk hebben.'

Hij lachte en zijn gezicht ontspande. 'Je voelt je een stuk beter.'

'Ja, eigenlijk wel.' Ik geeuwde.

'Beter, maar doodop, wil ik wedden,' zei hij. 'Hoog tijd om naar het meisjesverblijf te gaan en je bed in te duiken. Je moet uitrusten en op krachten komen voor wat er staat te gebeuren.'

Ik voelde een ijzige steek van angst in mijn maag en wenste dat ik niet zo veel chips had gegeten. 'Wat staat er dan te gebeuren?'

'Het is tientallen jaren geleden dat mensen openlijk een vampier hebben aangevallen. Er zal het een en ander veranderen.'

Een koude angst verspreidde zich door mijn buik. 'Veranderen? In welk opzicht?'

Loren keek me aan. 'We kunnen geen belediging over onze kant laten gaan zonder ons daarvoor te wreken.' Zijn gezichtsuitdrukking verhardde en opeens leek hij meer krijger dan dichter, meer vampier dan mens. Hij zag er krachtig uit, gevaarlijk en exotisch, en schrikaanjagend. Oké, hij was werkelijk de grootste spetter die ik ooit had gezien.

Toen, alsof hij besefte dat hij te veel had gezegd, glimlachte hij, liep om het werkblad heen en kwam vlak naast me staan. 'Maar daar hoef jij je het hoofd niet over te breken. Binnen vierentwintig uur wemelt de school van onze beste vampierkrijgers, de zonen van Erebus. Geen enkele menselijke fanaticus zal dan zelfs maar bij ons in de buurt kunnen komen.'

Ik fronste mijn voorhoofd, verontrust door het vooruitzicht dat de beveiliging zo werd opgevoerd. Hoe moest ik in jezusnaam zompige zakken bloed voor Stevie Rae de school uit smokkelen terwijl een horde superwaakzame krijgers met een hoog testosterongehalte door de school zwierf?

'Wees maar niet bang, je zult veilig zijn. Dat beloof ik.' Loren nam mijn kin in zijn handen en tilde mijn gezicht op.

Zenuwachtig van verwachting voelde ik mijn ademhaling versnellen en vlinders in mijn buik. Ik had geprobeerd om hem uit mijn hoofd te zetten, om niet aan zijn kussen te denken en aan hoe mijn hartslag versnelde als hij naar me keek, maar ondanks het besef dat ik met mijn samenzijn met Loren Erik pijn deed en ondanks de stress van Stevie Rae en Aphrodite en het gruwelijke dat professor Nolan was overkomen, voelde ik nog steeds de druk van zijn lippen op de mijne. Ik wilde dat hij me weer kuste en dan nog eens en nog eens.

'Ik geloof je,' fluisterde ik. Op dat moment zou ik alles hebben geloofd wat hij tegen me zei.

'Het doet me plezier dat je mijn oorbellen draagt.'

Voor ik iets kon zeggen boog hij zich voorover en kuste hij me, lang en diep. Zijn tong ontmoette mijn tong en ik proefde wijn en een verlokkend vleugje bloed in zijn mond. Na wat een eeuwigheid leek trok hij zijn lippen van mijn mond. Zijn ogen waren donker en hij ademde zwaar.

'Ik moet je naar het meisjesverblijf brengen voor ik in de verleiding kom om je voor altijd bij me te houden,' zei hij.

Met inzet van al mijn briljante gevatheid wist ik ademloos 'Oké' uit te brengen.

Hij pakte me weer bij mijn elleboog, zoals hij me had ondersteund toen we naar binnen gingen, maar nu voelde de aanraking opwindend en intiem aan. Onze lichamen streken langs elkaar toen we door de sombere ochtend naar het meisjesverblijf liepen. Hij leidde me de buitentrap op en maakte de deur open. De grote gemeenschappelijke ruimte was uitgestorven. Ik wierp een blik op de klok en kon bijna niet geloven dat het al na negenen was.

Loren bracht mijn hand snel naar zijn mond, drukte er een kus op en liet hem toen vallen. 'Goed'nacht, wel duizend keer! Neen, duizend keer stikdonk're nacht, nu ik uw licht ontbeer! Liefde ijlt tot liefde als knapen van het leeren, maar draait bij 't gaan, zooals zij schoolwaarts keeren.'

Ik herkende vaag de regels uit *Romeo en Julia*. Vertelde hij me daarmee dat hij van me hield? Mijn gezicht werd rood van de zenuwen en opwinding.

'Dag,' zei ik zacht. 'En bedankt dat je zo goed voor me zorgt.'

'Het was me een waar genoegen, milady,' zei hij. 'Adieu.' Hij maakte een buiging, legde zijn gebalde vuist op zijn hart in de eerbiedige vampiergroet van een krijger aan zijn hogepriesteres en toen was hij weg.

Nog in een roes van de schrik en het lichte gevoel in mijn hoofd dat Lorens kussen me hadden bezorgd, strompelde ik de trap op naar mijn kamer. Ik overwoog om even bij Aphrodite langs te gaan, maar ik balanceerde op het randje van totale uitputting en had nog net genoeg energie om één ding te doen voor ik van mijn stokje ging. Ik zocht in mijn prullenbak de twee helften van de afschuwelijke verjaarskaart die mijn moeder en de stief-loser me hadden gestuurd.

Ik kreeg een misselijkmakende steek in mijn maag toen ik de twee stukken tegen elkaar hield en zag dat ik het me goed had herinnerd. Er stond een afbeelding op van een kruis waarop een briefje was genageld. Ja, het deed me inderdaad griezelig veel denken aan wat professor Nolan was aangedaan.

Voor ik van gedachten kon veranderen pakte ik mijn mobieltje, ademde een keer diep in en uit en toetste het nummer in. Na drie keer overgaan nam mijn moeder op.

'Hallo! Het is een gezegende ochtend!' zei ze opgewekt. Ze had duidelijk niet naar de nummerweergave gekeken.

'Mam, met mij.'

Zoals ik had verwacht veranderde haar toon onmiddellijk. 'Zoey? Wat is er nu weer gebeurd?'

Ik was veel te moe om ons gebruikelijke moeder-dochterspelletje te spelen. 'Waar was John gisteravond laat?'

'Hoezo, Zoey?'

'Mam, ik heb geen tijd voor die onzin. Vertel het me gewoon. Wat hebben jullie gedaan na jullie vertrek van Utica Square?'

'Je toon staat me niet aan, jongedame.'

Ik onderdrukte de neiging om te gaan gillen van frustratie.

'Mam, het is belangrijk. Heel erg belangrijk. Een kwestie van leven en dood.'

'Wat doe je toch weer dramatisch,' zei ze. Toen lachte ze een zenuwachtig neplachje. 'Je vader is natuurlijk samen met mij naar huis gegaan. We hebben naar een footballwedstrijd op de tv gekeken en toen zijn we naar bed gegaan.'

'Hoe laat is hij vanochtend naar zijn werk vertrokken?'

'Wat een idiote vraag! Ongeveer anderhalf uur geleden, zoals gewoonlijk. Zoey, waar gaat het in vredesnaam over?'

Ik aarzelde. Kon ik het haar vertellen? Wat had Neferet precies gezegd over de politie bellen? Wat professor Nolan was overkomen zou ongetwijfeld later vandaag breed uitgemeten worden op het nieuws. Maar nu nog niet. En ik wist verdomd goed dat ik er niet op kon vertrouwen dat mijn moeder haar mond zou houden.

'Zoey? Krijg ik nog een antwoord of hoe zit dat?'

'Hou het nieuws maar in de gaten. Dan zie je vanzelf waarover het gaat,' zei ik.

'Wat heb je gedaan?' Het viel me op dat ze niet bezorgd of van streek klonk, alleen maar gelaten.

'Niets, ík heb niets gedaan. Je moet het dichter bij huis zoeken. En vergeet niet dat ik niet meer thuis woon.'

Haar stem werd afstandelijk. 'Inderdaad. Je woont hier beslist niet meer. Ik begrijp eigenlijk niet waarom je nog belt. Zeiden jij en je verachtelijke grootmoeder niet dat jullie nooit meer met me wilden praten?'

'Jouw moeder is niet verachtelijk,' zei ik automatisch.

'Voor mij wel!' snauwde mijn moeder.

'Laat maar. Je hebt gelijk. Ik had niet moeten bellen. Prettig leven verder, mam,' zei ik, en toen verbrak ik de verbinding.

Mijn moeder had wat één ding betreft gelijk gehad. Ik had haar niet moeten bellen. Die kaart was waarschijnlijk gewoon toeval. Ik bedoel, er zijn in Tulsa en Broken Arrow massa's van die winkels die gespecialiseerd zijn in godsdienstige rommel. Die verkopen allemaal die stomme kaarten. En ze komen allemaal op hetzelfde neer: duiven en golven die over voetstappen in het zand spoelen of kruisen, bloed en spijkers. Het hoefde niet per se iets te betekenen. Toch?

Het wazige gevoel in mijn hoofd was even sterk als het misselijke gevoel in mijn maag. Ik moest nadenken en ik kon niet denken terwijl ik zo moe was. Ik zou gaan slapen en daarna proberen uit te dokteren wat ik moest doen. In plaats van de kaart weg te gooien legde ik de twee helften in de bovenste la van mijn bureau. Toen kleedde ik me uit en trok mijn gemakkelijkst zittende pyjama aan. Nala lag al te snurken op mijn kussen. Ik kroop dicht tegen haar aan, deed mijn ogen dicht, zette alle gruwelijke beelden en onuitsprekelijke vragen uit mijn hoofd en concentreerde me op het gespin van mijn kat tot ik eindelijk volledig uitgeput wegdreef in een diepe slaap.

16

Ik wist onmiddellijk dat Heath weer in de stad was doordat hij mijn droom onderbrak. Ik had in de zon gelegen (duidelijk een droom, dus) op een groot hartvormig drijfkussen in het midden van een meer van Sprite (hoe verzin je zoiets?) toen alles plotseling verdween en Heath' stem mijn schedel binnendrong.

'Zo!'

Mijn ogen gingen knipperend open. Nala staarde naar me met gemelijke groene kattenogen.

'Nala? Heb jij ook iets gehoord?'

De kat mi-uf-auwde, niesde, kwam overeind, trippelde een paar keer in een kringetje rond, plofte neer en viel onmiddellijk weer in slaap.

'Aan jou heb ik echt niets,' zei ik.

Ze negeerde me.

Ik wierp een blik op de klok en kreunde. Het was zeven uur. 's Avonds. Ik had acht uur geslapen, maar mijn oogleden voelden aan als schuurpapier. Getver. Wat moest ik vandaag ook alweer doen?

Toen herinnerde ik me professor Nolan en het telefoongesprek met mijn moeder, en mijn maag verkrampte.

Moest ik iemand vertellen over mijn vermoedens? Zoals Loren had gezegd: de People of Faith waren er al bij betrokken door dat afschuwelijke briefje dat was achtergelaten. Was het dus echt nodig om te zeggen dat het me niet zou verbazen als de stief-loser erbij betrokken was? Mijn moeder had me duidelijk gemaakt dat hij de hele nacht en vanochtend thuis was geweest. Dat beweerde ze althans.

Was het mogelijk dat ze loog?

Een huivering trok door mijn lichaam. Natuurlijk kon ze gelogen hebben. Voor die weerzinwekkende man zou ze werkelijk alles doen. Dat had ze al bewezen door mij de rug toe te keren. Maar als ze had gelogen en ik dat zou verraden, dan zou ik verantwoordelijk zijn voor wat er met haar gebeurde. Ik haatte John Heffer, maar haatte ik hem genoeg om mijn moeder samen met hem onderuit te halen?

Ik kon wel kotsen.

'Als de stief-loser iets met de moord te maken heeft, zal de politie daar vast wel achter komen. En als dat gebeurt, zijn de gevolgen niet mijn schuld.' Ik zei de woorden hardop en liet mijn stem me geruststellen. 'Ik wacht gewoon af wat er gebeurt.' Ik kon het niet. Ik kon het gewoon niet. Hoe afschuwelijk ze ook was, ze was nog altijd mijn moeder en ik kon me heel goed de tijd herinneren dat ze nog van me hield.

Ik zou dus niets doen behalve proberen mijn moeder en de stief-loser uit mijn hoofd te zetten. Punt uit. Dat meende ik.

Tijdens de poging om mezelf ervan te overtuigen dat ik de juiste beslissing had genomen, herinnerde ik me opeens wat er verder die dag op het programma stond. Het vollemaansritueel van de Duistere Dochters. Mijn hart zakte in mijn verkrampte maag. Normaal zou ik opgewonden en een tikje zenuwachtig zijn. Vandaag was ik alleen maar gestrest. Daar kwam nog bij dat Aphrodite zich bij de cirkel zou aansluiten, wat echt niet bij iedereen in goede aarde zou vallen. Het zou wat. Mijn vrienden zouden zich er gewoon bij neer moeten leggen. Ik slaakte een zucht. Mijn leven was op het moment zwaar kut. Plus dat ik waarschijnlijk depressief was. Was het niet zo dat depressieve mensen eeuwig konden slapen? Me neerleggend bij mijn zelfdiagnose deed ik mijn rasperige ogen dicht en was bijna in slaap toen 'Zoey baby!' door mijn hoofd gierde terwijl tegelijkertijd mijn wekker begon te blèren. Mijn wekker? Het was weekend. Ik had geen wekker gezet.

Mijn mobieltje klingelde, het geluidje dat me zei dat ik een sms'je had. Versuft klapte ik de telefoon open. Ik vond niet één sms'je, maar vier.

Zo! Ik ben er weer!

Zoey ik moet je zien

Ik hou nog steeds van je Zo

Zo? Bel me

'Heath.' Ik slaakte een zucht en leunde achterover op mijn bed. 'Shit. Het wordt steeds erger.' Wat moest ik in jezusnaam met hem aan?

Ik had ruim een maand geleden mijn stempel op hem gezet. En toen was hij door Stevie Raes weerzinwekkende bende ondode doden ontvoerd en bijna vermoord. Ik had de rol van de cavalerie op me genomen (of minstens die van Storm van *X-Men*) en hem gered, maar voor we hadden kunnen wegkomen was Neferet verschenen en had ze ons geheugen gewist. Dankzij mijn gaven van Nux had ik mijn geheugen terug weten te krijgen. Ik had geen flauw idee of Heath zich er ook maar iets van herinnerde.

Oké, hij wist duidelijk dat we door een stempel met elkaar verbonden waren. En hij geloofde dat we nog steeds met elkaar gingen. Hoewel dat niet echt meer het geval was. Ik slaakte weer een zucht. Wat voelde ik voor Heath? Vanaf dat ik in groep vijf van de basisschool zat en hij in groep zes was hij dan weer wel, dan weer niet mijn vriendje geweest. Eerlijk gezegd was hij meestal wel mijn vriendje geweest, tot hij besloot een diepe, innige relatie met

Budweiser aan te gaan. Aangezien ik echt geen dronkenlap als vriendje wilde, heb ik hem gedumpt, al leek het nooit echt tot hem door te dringen dat hij gedumpt was. Zelfs toen ik gemerkt was en mijn intrek moest nemen in het Huis van de Nacht, had hij nog niet begrepen dat het uit was tussen ons.

Dat ik zijn bloed heb gedronken en met hem heb zitten flikflooien heeft waarschijnlijk ook niet geholpen om hem te doen beseffen dat we niet meer met elkaar gingen.

Jezus, ik ben echt een slet aan het worden.

Voor de tigste keer wenste ik dat er iemand was met wie ik kon praten over mijn jongensprobleem. In wezen, als ik Loren meetelde, moest ik zeggen jongens-manprobleem. Ik wreef over mijn voorhoofd en probeerde mijn haar glad te strijken.

Oké, ik moest hoognodig een beslissing nemen en orde op zaken stellen.

1. Ik was dol op Heath. Misschien hield ik zelfs van hem. En dat bloeddorstgedoe met hem was te gek opwindend, al zou ik eigenlijk zijn bloed niet mogen drinken. Wilde ik met hem breken? Nee. Moest ik met hem breken? Absoluut.

2. Ik was dol op Erik. Stapeldol. Hij is slim en grappig en een verschrikkelijk aardige jongen. Dat hij de leukste, populairste halfwas van de school was werkte ook niet bepaald in zijn nadeel. En, zoals hij me meermalen in herinnering heeft gebracht: hij en ik hadden een heleboel gemeen. Wilde ik met hem breken? Nee. Moest ik met hem breken? Nou, alleen als ik hem bleef bedriegen met jongen nummer één en man nummer drie.

3. Ik was dol op Loren. Hij leefde in een totaal ander universum dan Erik en Heath. Hij. Was. Een. Man. Een volwassen vampier, met de macht, rijkdom en status die daarmee gepaard gingen. Hij wist dingen waarnaar ik nog maar net begon te raden. Hij wekte gevoelens bij me op die niemand ooit bij me had opgewekt; hij gaf me het gevoel een echte vrouw te zijn. Wilde ik met hem bre-

ken? Nee. Moest ik met hem breken? Niet gewoon ja, maar JA! met hoofdletters en een uitroepteken!

Het was dus wel duidelijk wat ik moest doen: ik moest breken met Heath (maar nu echt), blijven omgaan met Erik en (waar zat mijn verstand?) ervoor zorgen dat ik nooit meer met Loren Blake alleen was.

Bovendien, met al die andere rottigheid in mijn leven – mijn ondode beste vriendin, Aphrodite, aan wie al mijn vrienden een hekel hebben, en het gruwelijke wat professor Nolan is overkomen – had ik de tijd noch de energie die in relatietoestanden ging zitten.

Om er nog maar van te zwijgen dat ik echt niet gewend ben aan het gevoel een slet te zijn. Dat was allesbehalve een prettig gevoel. (Al leek die levensstijl een meisje wel mooie sieraden op te leveren.)

Ik nam dus een besluit en dat vereiste actie. Onmiddellijke actie. Ik klapte mijn telefoon open en stuurde Heath een sms'je.

We moeten praten

Zijn antwoord kwam vrijwel meteen. Ik kon bijna zijn jongensachtige grijns zien.

Ja! Vandaag?

Ik kauwde op mijn lip en dacht na. Voor ik een besluit nam trok ik het zware gordijn opzij en tuurde naar buiten. Het was nog steeds bewolkt en koud. Heel goed. Dat betekende dat er minder kans zou zijn dat er buiten mensen rondhingen, vooral nu het al donker was. Ik probeerde juist te bedenken waar we moesten afspreken, toen mijn telefoon weer klingelde.

Ik kan naar jou toe komen

Ik sms'te onmiddellijk terug.

NEE

Het laatste wat ik kon gebruiken was dat die lieve, domme, mijn stempel dragende Heath plotseling bij het Huis van de Nacht op de stoep zou staan. Maar waar kon ik met hem afspreken? Wegglippen zou vast niet makkelijk zijn nu een van onze docenten was vermoord. Mijn telefoon klingelde. Ik slaakte een zucht.

Waar?

Shit. Waar? Maar opeens wist ik de perfecte plek. Ik glimlachte en sms'te Heath terug.

Starbucks over 1 uur

Oké!

Nu moest ik alleen nog bedenken hoe ik definitief met Heath moest breken. Of minstens een manier bedenken om hem op een afstand te houden tot het stempel dat ons verbond vervaagde. Als het zou vervagen. Natuurlijk zou het vervagen.

Met een duf hoofd ging ik naar de badkamer. Ik waste mijn gezicht met koud water in een poging een beetje wakkerder te worden. Aangezien ik totaal geen zin had om een spervuur van vragen te moeten beantwoorden over waar ik naartoe ging, stopte ik de pot camouflagecrème in mijn tas die halfwassen moesten opsmeren als ze de campus van het Huis van de Nacht verlieten om zich onder de plaatselijke bevolking te begeven (net of we wetenschappers waren die veldonderzoek deden en niet wilden opvallen). Ik had in wezen niet eens uit het raam hoeven kijken om te zien wat voor weer het was. Mijn lange donkere haar was extra springerig vandaag, wat alleen maar kon duiden op regen en vochtigheid. Ik koos doelbewust allesbehalve sexy kleren: een zwart topje, mijn oude Borg Invasion 4D-sweatshirt met capuchon en mijn gemakkelijkst zittende spijkerbroek. Terwijl ik bedacht dat ik een omweg via de keuken moest maken om een blikje bruine frisdrank te pakken – met een hoog gehalte aan suiker en cafeïne – deed ik mijn deur open en zag ik Aphrodite staan, met haar hand geheven om aan te kloppen.

'Hoi,' zei ik.

'Hoi.' Ze keek schichtig naar links en naar rechts in de lege gang.

'Kom binnen.' Ik deed een stap opzij en deed de deur achter ons dicht. 'Maar ik heb niet veel tijd. Ik heb met iemand afgesproken buiten de campus.'

'Dat is een deel van de reden dat ik hier ben. Ze laten niemand van de campus af.'

'Ze?'

'De vampiers en hun krijgers.'

'Zijn de krijgers er dan al?'

Aphrodite knikte. 'Een massa zonen van Erebus. Ze zien er echt lekker uit, ik bedoel, het zijn regelrechte spetters, maar ze vormen een enorme belemmering in ons doen en laten.'

En toen besefte ik wat ze bedoelde. 'Ah, shit. Stevie Rae.'

'Ze is morgen door het bloed heen. Misschien nu al. Ze slorpte die zakken bloed leeg alsof het niks was,' zei Aphrodite met een licht opgetrokken lip.

'Ik kan haar bellen om te zeggen dat ze er zuinig mee moet doen, maar we moeten haar meer brengen. Zo snel mogelijk. Shit!' zei ik nog eens. 'Ik kan mijn, eh, afspraak echt niet verzetten.'

'Heath is dus weer terug?'

Ik fronste naar haar. 'Misschien.'

'O, alsjeblieft. Je bent een open boek.' Toen trok ze een van haar perfect geëpileerde blonde wenkbrauwen op. 'Ik durf te wedden dat Erik niets weet van je "afspraak".'

Aphrodite was natuurlijk Eriks ex, en hoe goed zij en ik nu met elkaar leken om te gaan, ik wist dat ze elke kans om Erik terug te krijgen met beide handen zou aangrijpen, dus haalde ik nonchalant mijn schouders op. 'Erik zal het te weten komen zodra ik terug ben. Ik ga namelijk met Heath breken. Al gaat dat jou natuurlijk geen snars aan.'

'Ik heb gehoord dat het vrijwel onmogelijk is om een stempelband te verbreken,' zei ze.

'Dat slaat op een stempelband met een volwassen vampier. Voor halfwassen ligt het anders.' Dat hoopte ik tenminste. 'Plus, het gaat je nog steeds geen snars aan.'

'Oké. Het zal mij verder een worst wezen. Als het mij geen snars aangaat dat je van de campus af moet zien te komen, dan hoef ik je ook niet te vertellen hoe je naar buiten kunt glippen.'

'Aphrodite. Ik heb echt geen tijd voor spelletjes.'

'Goed hoor,' zei ze. Ze draaide zich om om te vertrekken, maar ik versperde haar de weg.

'Je doet krengerig. Alweer,' zei ik.

'En jij gaat bijna vloeken. Alweer,' zei ze.

Ik sloeg mijn armen over elkaar en tikte met mijn voet op de vloer.

Aphrodite rolde met haar ogen. 'Oké. Jezus! Je kunt van het terrein af bij de muur het dichtst bij de stallen, het deel vlak bij de rand van dat weilandje. Aan het eind daarvan staat een groepje bomen en een van die bomen is een paar jaar geleden door de bliksem getroffen en gedeeltelijk doorgekliefd. De boom leunt tegen de muur. Hij is makkelijk te beklimmen, en van de bovenkant van de muur springen is ook niet moeilijk.'

'Hoe kom je weer terug op de campus? Staat er aan de andere kant ook een boom?'

Ze zei met een duivels lachje: 'Nee, maar iemand heeft toevallig gemakshalve een touw aan de tak gebonden. Terugklimmen over de muur is niet moeilijk, maar de pest voor je nagels.'

'Oké, ik begrijp het. Nu hoef ik alleen maar uit te puzzelen hoe ik bloed uit de keuken moet halen.' Ik sprak meer tegen mezelf dan tegen Aphrodite. 'Ik heb precies genoeg tijd om Heath te ontmoeten, bij Stevie Rae langs te gaan en terug te komen voor het ritueel.'

'Je hebt minder tijd dan je denkt. Neferet houdt ook een vollemaansritueel en ze wil dat iedereen komt,' zei Aphrodite.

'Verdikkie! Ik dacht dat Neferet vanwege de wintervakantie deze maand geen groot ritueel zou houden.'

'De wintervakantie is officieel beëindigd. Alle vampiers en halfwassen zijn met onmiddellijke ingang naar de campus teruggeroepen. En wat is "verdikkie" nou weer voor een woord?'

Ik negeerde haar commentaar op mijn nepvloekwoorden. 'Is de vakantie beëindigd vanwege wat professor Nolan is overkomen?'

Aphrodite knikte. 'Dat was echt gruwelijk, hè?'

'Ja.'

'Waarom heb jij niet gekotst?'

Ik haalde ongemakkelijk mijn schouders op. 'Ik denk dat ik te geschokt was om te kotsen.'

'Was ik dat ook maar geweest,' zei Aphrodite.

Ik keek op mijn horloge. Het was bijna acht uur. Ik moest opschieten als ik op tijd terug wilde zijn. 'Ik moet er nu echt vandoor.' Ik werd al misselijk bij het idee dat ik een manier moest bedenken om bloed uit een waarschijnlijk drukke keuken te smokkelen.

'Hier.' Aphrodite gaf me de linnen tas die de hele tijd over haar schouder had gehangen. 'Voor Stevie Rae.'

De tas zat vol zakken bloed. Ik knipperde verrast met mijn ogen. 'Hoe heb je dat voor elkaar gekregen?'

'Ik kon niet slapen en ik verwachtte dat de vampiers al hun reservetroepen zouden mobiliseren na wat er met professor Nolan is gebeurd, wat wilde zeggen dat het in de keuken weer behoorlijk druk zou worden. Dus leek het me een goed idee om een snel uitstapje naar de keuken te maken en de voorraad bloed te confisqueren voor we er niet meer bij in de buurt konden komen. Ik heb het bewaard in de minikoelkast op mijn kamer.'

'Je hebt een minikoelkast.' Verdikkie. Ik wou dat ik een minikoelkast had.

Met een typisch Aphrodite-spotlachje keek ze me neerbuigend aan. 'Dat is een van de voorrechten van hogerejaars zijn.'

'Nou, hartelijk dank. Het was reuze aardig van je om dit voor Stevie Rae te doen.'

Haar spotlachje werd zo mogelijk nog spottender. 'Hoor eens, het was echt geen kwestie van aardig zijn. Ik wilde gewoon niet dat Stevie Rae zich schuimbekkend te goed zou doen aan de huishoudelijke hulp van mijn ouders. Zoals mijn moeder altijd zegt: betrouwbare illegalen zijn echt moeilijk te vinden.'

'Je bent de goedheid zelf, Aphrodite.'

'Laat maar zitten.' Ze liep om me heen, deed de deur op een kier open en tuurde de gang in om zich ervan te vergewissen dat die leeg was. Toen keek ze achterom naar mij. 'En dat meen ik: laat maar zitten.'

'Tot straks bij het ritueel van de Duistere Dochters. Niet vergeten, hoor.'

'Treurig genoeg ben ik dat niet vergeten. Nog treuriger, ik zal er zijn.' Toen haastte ze zich mijn kamer uit en verdween ze in de gang.

'Wat een probleemgeval,' mompelde ik toen ik mijn kamer uit ging en in tegenovergestelde richting de gang in liep. 'Die meid zit zichzelf enorm in de weg.'

17

Erik zou verdomde nijdig op me zijn. De tweeling zat op hun fa-voriete stoelen een *Spider-Man 3*-dvd te kijken toen ik de keuken uit kwam met mijn blikje bruine frisdrank en de linnen tas vol zakken bloed.

'Godallemachtig, Z, gaat het een beetje met je?' vroeg Shaunee terwijl ze me met grote geschokte ogen aankeek.

'We hoorden dat jij en de helleveeg...' Erin stopte en corrigeer-de zichzelf onwillig: 'Ik bedoel jij en Aphrodite professor Nolan hebben gevonden. Dat moet echt afschuwelijk zijn geweest.'

'Ja, leuk is anders.' Ik dwong mezelf geruststellend naar hen te lachen en niet te laten merken dat ik stond te popelen om weg te stormen.

'Ik kan gewoon niet geloven dat het echt is gebeurd,' zei Erin.

'Wat je zegt. Het lijkt gewoon niet echt,' zei Shaunee.

'Het is echt gebeurd. Ze is dood,' zei ik ernstig.

'Weet je zeker dat je oké bent?' vroeg Shaunee.

'We maken ons erg ongerust over je,' voegde Erin eraan toe.

'Ik maak het prima. Echt waar.' Mijn maag verkrampte. Shau-nee, Erin, Damien en Erik waren mijn beste vrienden en ik haatte het om tegen hen te liegen, zelfs als het overwegend een kwestie was van dingen weglaten. Ik woonde nu twee maanden in het Huis van de Nacht en in die tijd waren we een soort familie ge-worden, dus ze deden niet alsof. Ze waren echt bezorgd. En ter-wijl ik stond na te denken over wat ik wel of niet tegen hen kon zeggen, trok een afschuwelijk voorgevoel huiverend over mijn huid. Stel dat ze erachter kwamen dat ik al die dingen voor hen verborgen had gehouden en ze zich van me afkeerden? Stel dat ze mijn familie niet meer wilden zijn, wat dan? Alleen al denken aan die afschuwelijke mogelijkheid bezorgde me een bibberig paniekgevoel. Voordat ik de moed zou verliezen, hun alles zou opbiechten en me aan hun voeten zou werpen, smekend dat ze het zouden begrijpen en niet kwaad op me zouden zijn, flapte ik er uit: 'Ik moet even naar Heath.'

'Heath?' Shaunee keek me verbijsterd aan.

'Haar menselijke ex-vriendje, tweelingzus. Weet je nog?' zei Erin.

'O ja, die blonde spetter die twee maanden geleden bijna door die vampiergeesten werd opgegeten en vorige maand bijna door die akelige zwerver die in een seriemoordenaar was veranderd werd vermoord,' zei Shaunee.

'Weet je, Z, je maakt het je ex-vriendjes niet echt makkelijk,' zei Erin.

'Ja, zwaar klote voor hem,' zei ik terwijl ik langzaam in de richting van de deur liep. 'Ik moet ervandoor, jongens.'

'Ze laten niemand van de campus af,' zei Erin.

'Dat weet ik, maar ik, eh, nou...' Ik aarzelde en voelde me toen idioot omdat ik aarzelde. Ik kon de tweeling niets over Stevie Rae of Loren vertellen, maar natuurlijk wel iets typisch tienerachtigs als uit de school wegglippen. 'Ik weet een sluipweg om de campus af te komen.'

'Top, Z!' zei Shaunee vrolijk. 'We zullen dankbaar gebruikmaken van je voortreffelijke sluipvaardigheid tijdens de voorjaarsexamens als we geacht worden te studeren.'

'Alsjeblieft, zeg.' Erin rolde met haar ogen. 'Alsof wíj zouden studeren. Terwijl we onze slag kunnen slaan tijdens de grote schoenenuitverkoop.' Toen trok ze haar blonde wenkbrauwen op en voegde eraan toe: 'Eh, Z. Wat vertellen we het vriendje?'

'Het vriendje?'

'Jóúw vriendje, Erik Wat-ben-ik-toch-gewéldig Night.' Erin keek me aan alsof ze dacht dat ik mijn verstand had verloren.

'Hallo, aarde voor Zoey. Weet je zeker dat alles goed met je gaat?' zei Shaunee.

'Ja. Niks aan de hand. Sorry. Waarom zou je Erik iets moeten vertellen?'

'Omdat hij ons vroeg om hem onmiddellijk te waarschuwen als je eindelijk wakker werd. Hij is doodongerust over je,' zei Shaunee.

'En als hij niet snel iets van je hoort, kun je erop wachten dat hij hier zijn tenten opslaat,' zei Erin. 'Ooo, tweelingzus!' Haar ogen werden groot en haar lippen vertrokken in een sexy lachje. 'Denk je dat het vriendje de twee spetters zal meebrengen?'

Shaunee zwiepte haar dikke donkere haar naar achteren. 'Dat is niet ondenkbaar, tweelingzus. T.J. en Cole zijn per slot van rekening zijn vrienden en het is natuurlijk een behoorlijk stressy tijd.'

'Wat je gelijk hebt, tweelingzus. En iedereen weet dat vrienden geacht worden elkaar in stressy tijden te steunen.'

De tweeling was het natuurlijk weer volkomen met elkaar eens. 'Ga jij nou maar naar je ex-vriendje, om welke reden dan ook,' zei Erin tegen mij.

'Ja, wij dekken je. We wachten tot Erik komt opdagen en zeggen dan dat we het heel erg eng vinden om hier zo helemaal zielig en alleen te zitten,' zei Shaunee.

'We hebben absoluut bescherming nodig,' zei Erin. 'En dan zal hij zijn vrienden moeten gaan halen en kunnen we gezellig met z'n allen wachten tot jij van je afspraak terugkomt.'

'Klinkt goed. O, maar zeg alsjeblieft niet dat ik van de campus af ben. Dan raakt hij misschien in alle staten. Blijf maar een beetje op de vlakte, alsof ik bij Neferet ben of zo.'

'Of zo. We dekken je wel. Maar over dat van de campus af gaan, weet je wel zeker dat dat veilig is?' vroeg Shaunee. 'Het is niet helemaal verzonnen dat we het hier op het moment een beetje eng vinden.'

'Ja, kun je niet later met je menselijke vriendje breken, bijvoorbeeld nadat ze de psychopaat hebben opgepakt die professor Nolan heeft onthoofd en gekruisigd?' vroeg Erin.

'Nee, dit is iets wat ik nu moet doen. Door dat stempel is het niet bepaald een normale breuk tussen twee individuen.'

'Drama,' zei Erin.

'Zwaar drama.' Shaunee knikte ernstig.

'Ja, en hoe langer ik het uitstel, hoe erger het zal zijn. Ik bedoel, Heath is nog maar net terug in de stad en hij bedelft me nu al onder de sms'jes.' De tweeling keek me meelevend aan. 'Tot straks, dus. Ik ben op tijd terug om me voor Neferets ritueel om te kleden.' Ik ging er haastig vandoor terwijl de tweeling me achternariep: 'Doei.'

Ik was de deur uit gestormd en rende in volle vaart op tegen wat aanvoelde als een enorme mannelijke berg. Onvoorstelbaar sterke handen grepen me vast voor ik van de trap af kon vallen. Ik keek op (en op en op) in een als uit steen gehouwen verbijsterend knap gezicht. En toen knipperde ik verbaasd met mijn ogen. Hij was absoluut een volwassen vampier (compleet met coole tatoeages), al leek hij niet veel ouder dan ik. Maar, verdikkie, wat was hij groot!

'Voorzichtig, halfwas,' zei de volledig in het zwart geklede berg. Toen kreeg zijn uitdrukkingsloze gezicht uitdrukking. 'Jij bent Zoey Redbird.'

'Ja, ik ben Zoey.'

Hij liet me los, deed een stap achteruit en legde zijn vuist op zijn hart in een snelle groet. 'Aangenaam. Het is een genoegen om de halfwas te ontmoeten die Nux zo bijzonder heeft begenadigd.'

Ik voelde me onbeholpen en dwaas toen ik zijn groet beantwoordde. 'Het is mij ook aangenaam om kennis met jou te maken. En jij bent?'

'Darius, van de zonen van Erebus,' zei hij met een vormelijke buiging, waardoor het een titel werd en niet louter een beschrijving.

'Jij bent dus een van de krijgers die te hulp zijn geroepen vanwege wat professor Nolan is overkomen?' Mijn stem sloeg over, wat hem duidelijk opviel.

'Hoor eens,' zei hij, waarbij hij er nog jonger uitzag, maar tegelijkertijd onvoorstelbaar krachtig. 'Je hoeft je niet ongerust te maken, Zoey. Wij, de zonen van Erebus, zullen Nux' school tot onze laatste ademtocht verdedigen.'

De manier waarop hij dit zei bezorgde me kippenvel. Hij was een gespierde reus en heel erg ernstig. Ik kon me niet voorstellen dat ook maar iets of iemand langs hem heen zou kunnen glippen, laat staan hem zijn laatste ademteug kon laten nemen. 'Dank je wel,' stamelde ik.

'Mijn broederkrijgers zijn over het hele schoolterrein verspreid geposteerd. Je kunt gerust zijn, priesteresje,' zei hij met een glimlach. Priesteresje? Kom op, zeg. Die knaap moest nog maar pas zijn Veranderd.

'O, goed. Eh, fijn.' Ik liep de trap af. 'Ik wilde alleen even naar de, eh, stallen om mijn merrie, Persephone, te bezoeken. Het was leuk om kennis met je te maken. Ik ben blij dat je er bent,' voegde ik eraan toe, en met een idioot wuifgebaar haastte ik me over het voetpad naar de stallen. Ik kon voelen dat hij me nakeek.

Shit. Dat was niet best. Ik vroeg me af wat ik in jezusnaam moest doen. Hoe moest ik van de campus af komen terwijl het terrein krioelde van de krijgerbergen (hoe jong en leuk ook)? Niet dat het er iets toe deed dat hij jong en leuk was. Alsof ik tijd had voor nog een mogelijk vriendje! Geen denken aan. Bovendien maakte het feit dat hij zo'n spetter was hem niet minder bergachtig. Jezus, ik wist niet wat ik moest doen en ik had een verdikkemse koppijn.

En toen zei de zachte stem in mijn hoofd: denk na... rustig blijven...

De woorden wervelden kalmerend door mijn paniekerige geest. Ik ging onwillekeurig langzamer lopen. Ik ademde diep in en uit en dwong mezelf rustig te worden en na te denken. Ik moest rustig zijn... stil zijn... nadenken en...

En toen viel het me in. Opeens wist ik wat ik moest doen. In de schaduwen tussen de volgende twee gaslantaarns stapte ik rustig van het voetpad alsof ik had besloten een wandeling tussen de reusachtige oude eiken te gaan maken, maar toen ik bij de eerste boom kwam, bleef ik in de schaduw staan, deed mijn ogen dicht en concentreerde me. Vervolgens riep ik, zoals ik eerder had gedaan, stilte en onzichtbaarheid tot me en hulde ik me in de stilte als van het graf (ik hoopte vluchtig dat die metafoor voortkwam uit mijn wat al te levendige fantasie en geen huiveringwekkend kwaad omen was).

Ik ben geruisloos... niemand kan me zien... niemand kan me horen... ik ben als mist... dromen... geest...

Ik voelde de aanwezigheid van de zonen van Erebus, maar ik keek niet om me heen. Ik mocht mijn concentratie niet verliezen. In plaats daarvan richtte ik me op mijn inwendige gebed, dat tot een bezwering was geworden, tot magie. Ik verplaatste me als de zweem van een gedachte of een geheim, onbespeurbaar en verborgen onder lagen van stilte en mist, nevel en magie. Mijn lichaam huiverde. Ik had het gevoel dat ik zweefde, en toen ik op mezelf neerkeek, zag ik alleen een schaduw binnen mist binnen schaduw. Dit moest zijn wat Bram Stoker in *Dracula* had beschreven. In plaats van me schrik aan te jagen, versterkte de gedachte mijn concentratie, en ik voelde mezelf nog minder substantieel worden. Bewegend als in een droom vond ik de door de bliksem beschadigde boom. Ik klom erin en klom op de dikke tak die tegen de muur rustte alsof ik gewichtloos was.

Precies zoals Aphrodite had gezegd vond ik een als een slang opgerold touw dat stevig aan de tak was vastgebonden. Met geruisloze, droomachtige bewegingen gooide ik het uiteinde over de muur. Toen, een instinct volgend dat vanuit de kern van mijn ziel door mijn lichaam golfde, hief ik mijn armen en fluisterde: 'Kom tot mij, lucht en geest. Draag me als middernachtelijke mist naar de aarde.'

Ik hoefde niet van de muur te springen. De wind wervelde als een luchtige streling om me heen, tilde mijn lichaam op, dat even ijl als geest was geworden, en toen zweefde ik naar het gras aan de andere kant van de muur. Vervuld van ontzag voor het wonder dat ik mocht ervaren vergat ik heel even alles over vermoorde docenten, vriendjeskwesties en de stress van mijn leven in het algemeen. Met mijn armen in de lucht draaide ik in het rond, genietend van het gevoel van wind en kracht tegen mijn dauwachtige, transparante huid. Het was net of ik deel uitmaakte van de nacht. Terwijl ik nauwelijks de grond aanraakte volgde ik het graspad tot aan het trottoir dat door Utica Street naar Utica Square voerde. Ik voelde me zo wonderlijk dat ik bijna vergat om te stoppen en de camouflagecrème op mijn gezichtstatoeages te smeren. Met tegenzin bleef ik staan om de crème en een spiegel uit de linnen tas op te diepen. Mijn spiegelbeeld deed mijn adem stokken. Ik was iriserend. Mijn huid, waarover een paarlemoerglans lag, zinderde als een luchtspiegeling. Mijn donkere haar zweefde zachtjes om mijn hoofd in een bries die alleen voor mij blies. Ik zag er niet menselijk uit en ook niet als een vampier. Ik zag eruit als een nieuw soort wezen, geboren uit de nacht en gezegend door de elementen.

Wat had Loren in de bibliotheek ook alweer over me gezegd? Iets in de trant van dat ik een godin was onder halfgoden. Mijn huidige uiterlijk gaf me het idee dat daar misschien wel iets in zat. Kracht trok huiverend door me heen, en mijn haar kwam omhoog van mijn schouder. Ik zweer dat ik de tatoeages in mijn hals en rug voelde prikkelen. Een heerlijk gevoel. Misschien had Loren wel over meer gelijk gehad, zoals dat wij tweeën geliefden waren die het lot niet gunstig gezind is. Nadat ik tegen Heath had gezegd dat we elkaar niet meer konden zien, moest ik me misschien ook van Erik losmaken. Bij het idee dat ik Erik kwijt zou raken kreeg ik het benauwd, maar dat was te verwachten. Ik was niet harteloos; ik was echt dol op hem. Maar was de dood van professor Nolan niet het bewijs dat je nooit wist wat er kon gebeuren? Dat het leven, zelfs voor vampiers, veel te kort kon zijn? Misschien hoorde ik bij Loren; misschien was dat de juiste weg. Ik staarde nog steeds naar mijn magische spiegelbeeld.

Per slot van rekening was ik anders dan andere halfwassen.

Dat was iets wat ik moest accepteren. Ik moest me er niet meer tegen verzetten en moest me geen freak voelen.

En als ik anders was dan andere halfwassen, was het dan niet logisch dat ik bij een bijzonder iemand hoorde, iemand die voor andere halfwassen onbereikbaar was?

Maar Erik geeft om me en ik geef om hem. Ik ben niet eerlijk tegenover Erik... of tegenover Heath... Loren is een volwassen man... hij is een van de docenten... en het zou misschien veel beter zijn als we niet stiekem met elkaar omgingen...

Ik negeerde de schuldbewuste gedachten die mijn geweten me influisterde. Zonder woorden beval ik wind en mist en verhullende duisternis om te verdwijnen zodat ik mijn stoffelijke gedaante weer kon aannemen en mijn ingewikkelde tatoeages behoorlijk kon camoufleren. Toen stak ik mijn kin vooruit, rechtte mijn rug en volgde ik het trottoir naar Utica Square, Starbucks en Heath, nog steeds niet honderd procent zeker van waar ik in jezusnaam mee bezig was.

Ik bleef aan de donkere kant van de straat, waar erg weinig straatlantaarns stonden, en liep langzaam verder, terwijl ik probeerde te bedenken wat ik tegen Heath moest zeggen om hem aan zijn verstand te brengen dat we elkaar niet meer konden ontmoeten. Ik had nog niet de helft van de afstand naar het plein afgelegd toen ik hem aan zag komen lopen. In feite voelde ik hem voor ik hem zag. Als een kriebel onder mijn huid waar ik niet bij kon om te krabben. Of een abstracte dwangimpuls om door te lopen, op zoek naar iets waarvan ik wist dat ik ernaar verlangde, maar waarvan ik niet wist waar ik het moest zoeken. En daarna ging de dwangimpuls van abstract over in gedefinieerd, van onderbewust vasthoudend in eisend. Toen zag ik hem. Heath. Hij kwam me tegemoet. We zagen elkaar op hetzelfde moment. Hij liep aan de overkant van de straat en stond pal onder een straatlantaarn. Ik zag zijn ogen schitteren en zijn glimlach stralen. Hij rende de straat over (zonder naar links of rechts te kijken, maar godzijdank was er door het slechte weer maar weinig verkeer; voor hetzelfde geld was hij door een auto te pletter gereden).

Hij sloeg zijn armen om me heen en zijn adem kietelde mijn oor toen hij me tegen zich aan drukte. 'Zoey! O, schatje, wat heb ik jou gemist!'

Ik haatte het dat mijn lichaam onmiddellijk op hem reageerde. Hij rook naar thuis, een sexy, verrukkelijke versie van thuis, maar niettemin thuis. Voor ik volslagen machteloos in zijn armen zou liggen, maakte ik me van hem los; ik was me er opeens sterk van bewust dat het op dit beschaduwde trottoir wel erg donker en stil was, intiem zelfs.

'Heath, je zou bij Starbucks op me wachten.' Ja, op hun terras, waar het druk zou zijn met cafeïneverslaafden en beslist níét intiem.

Hij haalde grijnzend zijn schouders op. 'Daar zat ik ook, maar toen ik voelde dat je eraan kwam, kon ik niet meer blijven zitten.' Zijn bruine ogen schitterden aanbiddelijk en hij streelde me over mijn wang toen hij eraan toevoegde: 'We hebben een stempelband, weet je nog? Jij en ik, schatje.'

Ik dwong mezelf een halve stap naar achteren te doen, waardoor hij niet meer in mijn persoonlijke ruimte stond. 'Daar moet ik het met je over hebben. Laten we dus maar teruggaan naar

Starbucks, wat drinken en praten.' In het openbaar. Waar ik niet aan de verleiding zou blootstaan om hem een steeg in te trekken, mijn tanden in zijn heerlijke hals te zetten en...

'Kan niet,' zei hij grijnzend.

'Kan niet?' Ik schudde mijn hoofd en probeerde het bijna schunnige (oké, laat dat 'bijna' maar weg) tafereel te verdrijven dat in mijn (hoerige) verbeelding werd afgespeeld.

'Kan niet, omdat Kayla en de bitchbrigade hebben besloten om uitgerekend vanavond naar Starbucks te gaan.'

'De bitchbrigade?'

'Ja, zo noemen Josh, Travis en ik Kayla, Whitney, Lindsey, Chelsea en Paige.'

'O, getver. Sinds wanneer gaat Kayla met die krengerige sletten om?'

'Sinds jij gemerkt werd.'

Toen keek ik hem met samengeknepen ogen aan. 'En waarom zouden Kayla en haar nieuwe vriendinnen uitgerekend vanavond hebben besloten om naar Starbucks te gaan? En waarom naar deze Starbucks en niet naar de Starbucks in Broken Arrow, die veel dichter bij huis is?'

Heath stak zijn handen omhoog alsof hij zich overgaf. 'Ik heb het niet met opzet gedaan!'

'Wát niet, Heath?' Jezus, wat was die jongen soms toch een debiel.

'Ik wist niet dat ze de Gap uit zouden komen op het moment dat ik voor Starbucks parkeerde. Ze zagen mij voordat ik hen in de gaten had. Toen was het al te laat.'

'Nou, dat verklaart hun plotselinge behoefte aan cafeïne. Het verbaast me eigenlijk dat ze je niet zijn gevolgd.' Oké, ja. Ik wist ook nog wel dat ik van plan was om met hem te breken, maar het idee dat Kayla haar zinnen op hem had gezet, irriteerde me nog steeds mateloos.

'Je wilt die meiden toch niet zien, of wel soms?'

'Nee, écht niet,' zei ik.

'Dat dacht ik al. We kunnen natuurlijk samen teruglopen naar je school.' Hij kwam een stap dichterbij. 'Ik herinner me die keer een paar maanden geleden dat we op de muur hebben "gepraat". Dat was fijn.'

Ik herinnerde me dat ook. Ik herinnerde me vooral dat dat de eerste keer was dat ik zijn bloed had geproefd. Ik huiverde. En toen vermande ik me. Ik moest echt greep zien te krijgen op dat bloeddorstgedoe. 'Heath,' zei ik resoluut. 'Je kunt niet meegaan naar mijn school. Heb je het nieuws nog niet gezien? Een of andere idioot van een mens heeft een vampier vermoord. De school is net een legerbasis. Ik moest stiekem wegglippen om naar je toe te komen en ik kan niet te lang wegblijven.'

'O ja, dat heb ik inderdaad gehoord.' Hij pakte mijn hand vast. 'Gaat alles wel goed met jou? Kende je de vampier die is vermoord?'

'Ja, ik kende haar. Ze was mijn dramadocent. En nee, het gaat niet goed met me. Dat is een van de redenen dat ik met je moet praten.' Ik nam een besluit. 'Kom mee. Laten we hier doorsteken en naar Woodward Park gaan. Daar kunnen we praten.' Dat was een openbaar park in het centrum van Tulsa en het zou daar vast niet al te rustig zijn. Dat hoopte ik tenminste.

'Mij best,' zei Heath vrolijk.

Hij weigerde mijn hand los te laten en dus liepen we hand in hand de zijstraat in, zoals we sinds de basisschool al hadden gelopen. We hadden nog maar een paar stappen gezet toen zijn stem me stoorde in mijn poging er niet aan te denken dat zijn pols tegen mijn pols drukte en dat ik voelde dat onze hartslag gelijkliep.

'Zo, wat is er in de tunnels gebeurd?'

Ik wierp een scherpe zijdelingse blik op hem. 'Wat kun je je herinneren?'

'Voornamelijk duisternis en jou.'

'Wat bedoel je?'

'Ik kan me niet herinneren hoe ik daar ben beland, maar ik herinner me wel tanden en gloeiende rode ogen.' Hij gaf me een kneepje in mijn hand. 'En ik bedoel niet jouw tanden, Zo. En bovendien, jouw ogen gloeien niet. Die stralen.'

'O ja?'

'Als een gek. Vooral als je mijn bloed drinkt.' Hij was langzamer gaan lopen zodat we bijna stilstonden toen hij mijn hand naar zijn lippen bracht en er een kus op drukte. 'Je weet toch wat een heerlijk gevoel het is als je mijn bloed drinkt?'

Heath' stem was diep en schor en zijn lippen brandden als vuur op mijn huid. Ik wilde me tegen hem aan drukken, me in hem verliezen, mijn tanden in hem zetten en...

18

'Heath, concentreer je.' Ik dwong de opwinding die zinderend door mijn lichaam trok in de richting van ergernis. 'De tunnels. Je was bezig om me te vertellen wat je je herinnert.'

'O ja.' Hij lachte zijn schattige ondeugendejongetjeslachje. 'Ik kan me echt niet veel herinneren; daarom vroeg ik jou ernaar. Alleen tanden, klauwen en ogen en zo, en jou. Het is net een akelige droom. Nou ja, behalve dat stuk over jou. Dat is cool. Zeg, Z, heb jij me gered?'

Ik rolde met mijn ogen naar hem en liep door, en sleurde hem mee. 'Ja, ik heb je inderdaad gered, malloot.'

'Waarvan?'

'Jezus, lees jij geen kranten? Het verhaal stond op pagina twee.' Het was een prachtig gedramatiseerd artikel geweest waarin ze rechercheur Marx aanhaalden, dat wil zeggen, zijn korte en voor het grootste deel onware verklaring.

'Jawel, maar daar stond niet veel in. Wat is er in werkelijkheid gebeurd?'

Ik kauwde op mijn lip terwijl mijn geest op hol sloeg. Hij herinnerde zich nauwelijks iets van Stevie Rae en haar bende ondode dode gevallen. Neferets geheugenblokkade was bij hem klaarblijkelijk nog helemaal intact. En ik besefte opeens dat dat zo moest blijven. Hoe minder Heath wist over wat er was gebeurd, hoe kleiner de kans dat Neferet hem als een bedreiging zou zien, wat zou uitdraaien op een derde knoeibeurt met zijn hersenen, wat echt niet goed voor hem kon zijn. Daar kwam nog bij dat de jon-

gen zijn leven weer moest oppakken. Zijn ménsenleven. En ophouden met zijn obsessie met mij en vampiergedoe.

'Er is niet veel meer te vertellen dan wat er in de krant stond. Ik
weet niet wie die vent was, gewoon een gestoorde zwerver. Dezelfde die Chris en Brad heeft vermoord. Ik heb je gevonden en
mijn macht over de elementen aangewend om je bij hem weg te
halen, maar je was behoorlijk toegetakeld. Hij had je, eh, ernstig
verwond en zo. Dat is waarschijnlijk de reden dat je zulke vreemde herinneringen hebt, als je je al iets herinnert.' Nu was het mijn
beurt om mijn schouders op te halen. 'Ik zou er maar niet over
piekeren of er zelfs aan denken, als ik jou was. Daar word je echt
niet wijzer van.' Hij wilde nog iets zeggen, maar we waren bij de
achteringang van het park aangekomen en ik wees naar een bank
onder de eerste grote boom. 'Zullen we daar even gaan zitten?'

'Wat je wilt, Zo.' Hij sloeg zijn arm om me heen en we liepen
naar de bank.

Toen we gingen zitten lukte het me om onder zijn arm uit te
glijden en mijn lichaam half naar hem toe te draaien, zodat mijn
knieën een soort barrière vormden en hij niet te dichtbij kon komen. Ik ademde een keer diep in en uit en dwong mezelf om
Heath in de ogen te kijken. *Ik kan dit. Ik kan dit.*

'Heath, we kunnen elkaar niet meer ontmoeten.'

Hij fronste zijn voorhoofd. Hij zag eruit alsof hij zich het hoofd
brak over een ingewikkeld rekenraadsel. 'Waarom zeg je dat nou,
Zo? Natuurlijk kunnen we elkaar blijven ontmoeten.'

'Nee. Dat is niet goed voor je. We moeten er een eind aan maken.' Ik ging snel verder toen hij zijn mond opendeed om te protesteren. 'Ik weet dat het moeilijk lijkt, maar dat komt door het
stempel, Heath. Echt waar. Ik heb het opgezocht. Als we elkaar
niet meer zien, zal het stempel langzaam verdwijnen.' Dat was
niet helemaal waar. Ik had gelezen dat een stempel in zo'n geval
sóms vervaagt. Nou ja, ik rekende erop dat 'soms' nu was. 'Het
komt vanzelf goed. Je zult me vergeten en weer normaal worden.'

Terwijl ik sprak was Heath' gezichtsuitdrukking steeds ernstiger geworden en zijn lichaam roerloos. Ik kon zijn hartslag voelen en zelfs die was vertraagd. Toen hij sprak, klonk hij oud. Stokoud. Alsof hij duizend jaar had geleefd en dingen wist waarnaar ik alleen maar kon raden.

'Ik zal jou nooit vergeten. Zelfs niet als ik dood ben. En dit ís normaal voor mij. Van jou houden is voor mij normaal.'

'Je houdt niet van me. Je bent alleen door een stempel met me verbonden,' zei ik.

'Gelul!' schreeuwde hij. 'Zeg niet dat ik niet van je hou. Ik hou al van je sinds mijn negende. Dit stempelgedoe maakt gewoon deel uit van wat er al tussen ons speelt sinds we kinderen waren.'

'Aan dit stempelgedoe moet een eind komen,' zei ik rustig terwijl ik hem in de ogen keek.

'Maar waarom dan? Ik heb je al verteld dat ik me er goed bij voel. En je weet dat we bij elkaar horen, Zo. Je moet in ons geloven.'

Hij keek me smekend aan en ik voelde mijn maag verkrampen. Hij had op zo veel punten gelijk. We waren al heel lang samen, en als ik niet was gemerkt, zouden we waarschijnlijk samen naar de universiteit zijn gegaan en na ons afstuderen met elkaar zijn getrouwd. We zouden kinderen hebben gekregen en in een van de voorsteden hebben gewoond en een hond hebben genomen. We zouden af en toe ruzie hebben gemaakt, meestal over zijn obsessie met sport, en dan zouden we het hebben goedgemaakt als hij met bloemen en knuffelberen kwam aanzetten, zoals hij altijd had gedaan sinds we tieners waren.

Maar ik was gemerkt en mijn vroegere leven was gestorven op de dag dat de nieuwe Zoey was geboren. Hoe meer ik erover nadacht, hoe zekerder ik wist dat breken met Heath het enige juiste was. Hij zou nooit meer dan mijn Renfield kunnen zijn, en die lieve Heath, de liefde van mijn jeugd, verdiende beter. Ik besefte wat ik moest doen en hoe ik dat moest doen.

'Heath, eerlijk gezegd is het voor mij minder goed dan voor jou.' Mijn stem was koud en gespeend van emotie. 'Het is niet meer jij en ik. Ik heb een vriend. Een echte vriend. Hij is net als ik. Hij is geen mens. Hij is degene die ik nu wil.' Ik wist niet zeker of ik het over Erik of over Loren had, maar ik was wel zeker van de pijn die Heath' ogen versomberde.

'Als ik je moet delen, dan doe ik dat,' fluisterde hij, en hij wendde zijn blik af alsof hij te verlegen was om me aan te kijken. 'Ik ben bereid om alles te doen wat nodig is om je niet kwijt te raken.'

Iets in mijn binnenste brak, maar ik lachte Heath uit. 'Moet je jezelf nou toch horen! Wat een meelijwekkende vertoning! Weet je hoe vampiermannen zijn?'

'Nee.' Zijn stem klonk weer krachtiger en hij keek me weer aan. 'Nee, dat weet ik niet. Ik ben ervan overtuigd dat ze allerlei coole dingen kunnen. Ze zijn waarschijnlijk groot en vervaarlijk en zo. Maar ik weet één ding wat zij niet kunnen en ik wel. Dit.'

Zo snel dat ik niet besefte wat hij deed tot het te laat was, haalde Heath een scheermesje uit de zak van zijn spijkerbroek en maakte een lange, diepe snee in de zijkant van zijn hals. Ik wist meteen dat hij geen slagader had geraakt of zo. De snee zou hem niet doden, maar het bloed stroomde eruit. Heet, zoet, vers bloed stroomde over zijn hals en schouder. En het was Heath' bloed! Een geur die voor mij door het stempel heerlijker was dan alle andere. De zoetheid overspoelde me als een dwingende streling.

Ik kon er niets aan doen. Ik boog me voorover. Heath hield zijn hoofd schuin en strekte zijn hals, zodat de prachtige, glinsterende snee helemaal te zien was.

'Laat de pijn weggaan, Zoey, voor ons allebei. Drink van mij en laat het brandende gevoel ophouden voor ik het niet meer kan verdragen.'

Zijn pijn. Ik bezorgde hem pijn. Daar had ik iets over gelezen in het vampiersociologieboek voor gevorderden. Daarin werd gewaarschuwd voor het gevaar van stempels zetten; dat de bloedband zo hecht kan worden dat niet drinken van de mens hem pijn kan bezorgen.

Ik zou dus van hem drinken... nog één keer... om zijn pijn te doen verdwijnen...

Ik boog me dieper voorover en legde mijn hand op zijn schouder. Tegen de tijd dat mijn tong naar buiten kwam en de rode streep in zijn hals oplikte, beefde ik over mijn hele lichaam.

'O, Zoey, ja!' kreunde Heath. 'Dat verkoelt. Ja, kom dichterbij, schatje. Neem meer.'

Hij greep met zijn hand in mijn haar en drukte mijn mond tegen zijn hals, en ik dronk van hem. Zijn bloed was een explosie. Niet alleen in mijn mond, maar in mijn hele lichaam. Ik had alles gelezen over de fysiologische reactie die plaatsvindt tussen een mens en een vampier als ze door bloeddorst worden verteerd. Het was simpel. Iets waarmee Nux ons had gezegend opdat beiden konden genieten van een handeling die anders wreed en dodelijk kon zijn. Maar woorden op de bladzijde van een emotieloos studieboek konden onmogelijk beschrijven wat er in onze lichamen gebeurde terwijl ik van Heath' bloedende hals dronk. Ik ging met gespreide benen op hem zitten en drukte mijn intiemste deel tegen zijn erectie. Zijn handen lieten mijn haar los en gleden naar mijn heupen, en hij bewoog me kreunend en hijgend ritmisch op en neer en fluisterde dat ik niet mocht stoppen. En dat wilde ik ook niet. Ik wilde er nooit meer mee stoppen. Mijn lichaam stond in vuur en vlam, zoals dat van hem even daarvoor. Maar mijn pijn was zoet, heet, verrukkelijk. Ik wist dat Heath gelijk had. Erik was hetzelfde als ik en ik was dol op hem. Loren was een echte man, krachtig en onvoorstelbaar mysterieus. Maar geen van beiden konden ze dit voor me doen. Geen van beiden konden ze me dit gevoel geven... zo'n intens verlangen bij me opwekken...

'Ja, snol! Ga door! Neuk 'm tot-ie erbij neervalt!'

'Dat kleine witte jochie heb niks voor je. Ik kan je wat geven wat je echt voelt!'

Heath' greep op mijn heupen veranderde en hij probeerde mijn lichaam weg te draaien van de joelende stemmen zodat hij me kon beschermen, maar de woede die in me oplaaide was verblindend. Mijn razernij was onmogelijk te negeren en mijn reactie kwam onmiddellijk. Ik trok mijn gezicht van zijn hals en keek om. Op nog geen meter afstand zag ik twee zwarte kerels, en ze kwamen dichterbij. Ze droegen de geijkte bespottelijk afzakkende broek en een idioot, veel te groot donsjack, en toen ik mijn lip optrok en naar hen siste, veranderde hun gezichtsuitdrukking van grijnzend in geschokt ongelovig.

'Laat ons met rust of ik maak jullie dood,' snauwde ik, met een stem die zo krachtig klonk dat ik hem niet als de mijne herkende.

'Ze is verdomme zo'n bloedzuigend kreng!' zei de kleinste van de twee.

De andere vent snoof. 'Welnee, dat kreng heb geen tattoo. Maar als ze ergens op wil zuigen, dan kan ze dat van mij krijgen.'

'Ja, jij eerst en dan ik. Haar kleine prutser van een vriendje kan toekijken en zien hoe het moet.' Met een gemeen lachje kwamen ze weer op ons af.

Terwijl ik nog steeds wijdbeens op Heath zat, hief ik mijn arm boven mijn hoofd. Ik streek met de rug van mijn andere hand over mijn voorhoofd en naar beneden over mijn gezicht om de camouflagecrème weg te vegen die mijn identiteit verhulde. Dat zorgde ervoor dat ze als aan de grond genageld bleven staan. Toen hief ik beide armen boven mijn hoofd. Het was makkelijk om me te concentreren. Gevuld met Heath' verse bloed voelde ik me krachtig en sterk en heel erg pissig.

'Wind kom tot mij,' beval ik. Mijn haar ging omhoog in de bries die onrustig om mijn lichaam wervelde. 'Blaas ze als de donder bij ons vandaan!' Ik wierp mijn handen in de richting van de twee mannen en liet mijn woede met mijn woorden ontploffen.

De wind gehoorzaamde onmiddellijk en sloeg zo hard tegen hen aan dat ze gillend en vloekend werden opgetild en weggeslingerd. Ik keek met afstandelijke fascinatie toe terwijl de wind de twee mannen midden op Twenty-first Street liet vallen.

Ik kromp niet eens ineen toen de pick-up hen raakte.

'Zoey, wat heb je gedaan?'

Ik keek op Heath neer. Zijn hals bloedde nog steeds en zijn gezicht was bleek, zijn ogen groot en geschokt.

'Ze wilden je pijn doen.' Nu ik de woede uit mijn lichaam had geslingerd voelde ik me vreemd, een beetje verdoofd en verbijsterd.

'Heb je ze gedood?' Zijn stem klonk helemaal verkeerd: bang en beschuldigend.

Ik keek hem fronsend aan. 'Nee. Het enige wat ik heb gedaan is ervoor zorgen dat ze weggingen. De pick-up deed de rest. En ze zijn trouwens misschien helemaal niet dood.' Ik keek achterom naar de straat. De pick-up was slippend en met gierende remmen tot stilstand gekomen. Ook andere auto's waren gestopt, en ik hoorde mensen schreeuwen. 'En Saint John's Hospital is nog geen anderhalve kilometer verderop.' Vlakbij begonnen sirenes te loeien. 'Hoor je wel? De ambulance is al onderweg. Ze redden het vast wel.'

Heath duwde me van zijn schoot en schoof bij me vandaan, met de mouw van zijn trui tegen de snee in zijn hals gedrukt. 'Je moet hier weg. Zo meteen wemelt het hier van de politie. Die kunnen jou beter niet zien.'

'Heath?' Ik bracht mijn hand omhoog en wilde hem aanraken, maar liet hem weer vallen toen hij terugdeinsde. De verdoving begon weg te trekken en ik rilde over mijn hele lichaam. Mijn god, wat had ik zojuist gedaan? 'Ben je bang voor me?'

Hij stak langzaam zijn hand uit, pakte mijn hand vast en trok me naar zich toe zodat hij zijn arm om me heen kon slaan. 'Ik ben niet bang voor je. Ik maak me zorgen om je. Als mensen erachter komen wat je allemaal kunt, dan weet ik niet wat er zou gebeuren.' Zonder zijn arm weg te halen boog hij zich een stukje achterover zodat hij me in de ogen kon kijken. 'Je verandert, Zoey. En ik weet eigenlijk niet waarin.'

Mijn ogen vulden zich met tranen. 'Ik word een vampier, Heath. Daar Verander ik in.'

Hij raakte mijn wang aan en veegde met zijn duim het laatste restje camouflagecrème weg zodat mijn merkteken helemaal te zien was. Heath boog zich voorover om de maansikkel midden op mijn voorhoofd te kussen. 'Ik kan ermee leven dat je een vampier bent, Zo. Maar ik wil dat je niet vergeet dat je ook nog steeds Zoey bent. Mijn Zoey. En mijn Zoey is niet gemeen.'

'Ik kon het gewoon niet hebben dat ze je pijn zouden doen,' fluisterde ik. Ik begon nog heftiger te beven nu ik besefte hoe kil en afschuwelijk ik zojuist was geweest. *Ik ben misschien verantwoordelijk voor de dood van twee mannen.*

'Hé, kijk me aan, Zo.' Heath nam mijn kin in zijn hand en dwong me om hem aan te kijken. 'Ik ben een meter vijfentachtig. Ik ben een geduchte startende quarterback voor een 6A-school. De universiteit van Oklahoma heeft me een volledige footballbeurs aangeboden. Wil je alsjeblieft niet vergeten dat ik heel goed voor mezelf kan opkomen?' Hij liet mijn kin los en raakte mijn wang weer aan. Zijn stem was zo ernstig en volwassen dat hij me vreemd genoeg plotseling sterk aan zijn vader deed denken. 'Toen ik weg was met mijn ouders heb ik het een en ander gelezen over je vampiergodin, Nux. Zo, er is een heleboel over vampiers geschreven, maar ik heb niets gevonden waaruit bleek dat je godin gemeen is. Ik bedoel, dat moet je in gedachten houden. Nux heeft je een massa gaven gegeven en ik denk niet dat ze het leuk zal vinden als je die op de verkeerde manier gebruikt.' Hij keek over mijn schouder naar de straat en het afschuwelijke tafereel dat zich daar afspeelde. 'Je moet niet zo gemeen doen, Zo. Wat er ook gebeurt.'

'Wanneer ben jij zo volwassen geworden?'

Hij glimlachte. 'Twee maanden geleden.' Heath kuste me zacht op mijn mond, stond op en trok me overeind. 'Je moet hier weg. Ik ga gewoon terug zoals we zijn gekomen. Jij kunt beter via de rozentuin naar school teruggaan. Als die kerels niet dood zijn, gaan ze praten, en dat zal niet goed zijn voor het Huis van de Nacht.'

Ik knikte. 'Oké, goed. Ik ga zo snel mogelijk naar de school terug.' Toen slaakte ik een zucht. 'Ik was van plan geweest om met je te breken.'

Zijn glimlach ging over in een brede grijns. 'Daar komt niks van in, Zo. Het is jij en ik, schatje!' Hij kuste me heftig en gaf me toen een duwtje in de richting van de Tulsa Rose Garden, die aan Woodward Park grensde. 'Bel me en dan zien we elkaar volgende week weer. Oké?'

'Oké,' mompelde ik.

Hij liep achteruit weg zodat hij me na kon kijken. Ik draaide me om en liep in de richting van de rozentuin. Automatisch, alsof ik het al tientallen jaren deed, riep ik mist en nacht, magie en duisternis tot me om me te verhullen.

'Wauw! Cool, Zo!' hoorde ik hem roepen. 'Ik hou van je, schatje!'

'Ik hou ook van jou, Heath.' Ik draaide me niet om, maar fluisterde in de wind en liet die mijn stem naar hem meevoeren.

19

Ja, ik had er een grote puinhoop van gemaakt. Niet alleen had ik verzuimd met Heath te breken, waarschijnlijk had ik onze stempelband zelfs hechter gemaakt. En dan had ik misschien ook nog de dood van twee mannen op mijn geweten. Ik huiverde en voelde me hondsberoerd. Wat was er in jezusnaam met me gebeurd? Ik had Heath' bloed zitten drinken, in een totale roes van geilheid (jezus, ik begon écht een slet te worden!), en toen begonnen die mannen ons lastig te vallen en was het net alsof er iets in mijn binnenste doordraaide en ik van Gewone Zoey veranderde in Psychokillervampier Zoey. Was dat wat er was gebeurd? Draaiden vampiers door als de mens op wie ze een stempel hadden gezet werd bedreigd?

Ik herinnerde me hoe pissig ik was geweest toen Stevie Raes 'vrienden' (niet dat ze echt goede maatjes was met die weerzinwekkende ondode dode gasten) Heath hadden aangevallen. Oké, ik was zelfs gewelddadig geworden, maar ik had niet zo'n krachtige drang ervaren om ze van de aardbodem te vegen! Terugdenken aan de woede die in me was opgelaaid toen die twee mannen op ons (Heath) afkwamen om ons (Heath) lastig te vallen was genoeg om mijn handen weer aan het trillen te brengen.

Er was duidelijk nog veel te veel wat ik niet wist over vampierzijn. Jezus, ik had zelfs aantekeningen gemaakt en een deel van het hoofdstuk over stempels zetten en bloeddorst uit mijn hoofd geleerd, maar ik begon in te zien dat het o zo leerzame studieboek een heleboel had weggelaten. Wat ik nodig had was een volwassen vampier. Ik had het geluk er een te kennen die zich vast en zeker maar al te graag zou aanbieden om me het een en ander te leren.

Ik was ervan overtuigd dat er een heleboel dingen waren die hij me maar al te graag wilde leren.

Ik dacht aan die 'dingen', wat heel makkelijk was nu ik gevuld was met Heath' verrukkelijke, sexy bloed. Mijn lichaam tintelde nog steeds van de opwinding en kracht en gevoelens waarvan ik geen snars begreep, maar die me deden hunkeren naar meer. Veel meer.

Het viel niet te ontkennen dat Loren en ik iets hadden. Het was anders dan wat Heath en ik hadden en zelfs anders dan wat Erik en ik hadden. Shit. Wat was mijn leven toch een puinhoop.

Het kwam erop neer dat ik in een soort geile, met kracht opgeladen maar toch warrige roes naar het garageappartement van Aphrodites ouders zweefde, en ik was dermate afgeleid door de gedachte aan... nou ja, seks, dat ik er geen moment bij stilstond dat ik gehuld was in mist en duisternis, tot ik in de woonkamer stond van het appartement en naar Stevie Rae keek, die met natte, roodgetinte ogen snotterend naar het tv-scherm staarde. Ik keek naar de tv en zag dat ze op Lifetime naar de film van de week zat te kijken. Volgens mij was het die film over een moeder die wist dat ze stervende was aan een afschuwelijke ziekte en in een race tegen de klok (en reclamespotjes) een nieuwe familie moest zoeken voor haar grote schare overdreven levendige kinderen.

'Over deprimerend gesproken,' zei ik.

Stevie Raes hoofd draaide vliegensvlug om en ze sprong achter de bank, dook als een in het nauw gedreven dier in elkaar en keek me sissend en grommend aan.

'Ah, shit!' Ik verdreef onmiddellijk de duisternis en wat al niet zodat ik weer vaste vorm aannam en zichtbaar werd. 'Sorry, Stevie Rae, ik was helemaal vergeten dat ik Bram Stoker-trucs had toegepast.'

Ze gluurde over de bank heen met gloeiende ogen en ontblote hoektanden, maar ze siste niet meer.

'Eh, niks aan de hand. Ik ben het maar.' Ik tilde de linnen tas op en schudde ermee zodat het bloed akelig klotste. 'Maaltijdservice.'

Ze kwam overeind en kneep haar ogen tot spleetjes. 'Dat moet je niet meer doen.'

Ik trok mijn wenkbrauwen op. 'Wat niet? Je bloed brengen of veranderen in mist en duisternis?'

Stevie Rae griste de tas die ik haar verlokkend aanreikte uit mijn hand. 'Me stilletjes besluipen. Dat kan gevaarlijk zijn.'

Ik slaakte een zucht en ging op de bank zitten, en probeerde het feit dat ze de eerste zak bloed al leegslobberde te negeren. 'Mijn leven is op het moment zo'n puinhoop dat je me een dienst zou bewijzen als je me opvrat.'

'Ja, dat zal wel. Ik weet nog hoe moeilijk het leven was. Een en al vriendjesdrama's en o lieve hemel, wat moet ik vandaag toch weer aantrekken? Echt verschrikkelijk, in tegenstelling tot de stress van dood zijn en dan ondood, maar je toch voornamelijk dood voelen.' Stevie Rae sprak op die koude, sarcastische toon die totaal anders was dan haar toon toen ze nog leefde, en dat irriteerde me opeens mateloos. Alsof ik geen stress in mijn leven kon hebben omdat ik niet dood was! Of ondood! Of wat dan ook.

'Professor Nolan is vannacht vermoord. Het lijkt erop dat leden van de People of Faith haar hebben gekruisigd en onthoofd en haar bij de geheime deur in de oostmuur hebben achtergelaten met een boodschap in de trant van dat een tovenares niet in leven mocht blijven. Ik heb het idee dat mijn stief-loser er misschien bij betrokken is, maar ik kan niets zeggen omdat mijn moeder hem dekt, en als ik hem verlink dan gaat zij waarschijnlijk voor jaren de gevangenis in. Ik heb zojuist Heath' bloed gedronken en we werden gestoord door een paar ongure bendetypes die ik mogelijk min of meer per ongeluk heb gedood, en Loren

Blake en ik hebben staan zoenen. En hoe was jouw dag?'

De oude Stevie Rae kwam tevoorschijn achter de rode ogen van dit exemplaar. 'Dat méén je niet!' riep ze uit.

'Jawel.'

'Heb je staan zoenen met Loren Blake?' Zoals gewoonlijk pikte Stevie Rae het sappigste roddeltje eruit. 'Hoe was dat?'

Ik slaakte een zucht en keek toe terwijl ze aan haar tweede zak bloed begon. 'Het was niet te geloven. Ik weet dat het idioot klinkt, maar ik geloof dat er tussen ons echt iets is.'

'Net als Romeo en Julia,' zei ze tussen slokken door.

'Eh, Stevie Rae, kunnen we misschien een andere analogie gebruiken? Met Romeo en Julia liep het niet echt goed af.'

'Ik wil wedden dat hij heerlijk smaakt,' zei ze.

'Hè?'

'Zijn bloed, bedoel ik.'

'Dat zou ik niet weten.'

'Maar toch,' zei ze, en ze stak haar hand uit naar de derde zak bloed.

'Over bloed gesproken. Je kunt het maar beter rustig aan doen met je voorraad. Neferet heeft de vampierzonen van Erebus opgetrommeld en het is op dit moment nogal moeilijk om bloed de school uit te smokkelen. Ik weet eigenlijk niet wanneer ik je de volgende partij smakelijk bloedig lekkers kan brengen.'

Er trok een huivering door Stevie Raes lichaam. Ze had er bijna normaal uitgezien, maar na mijn woorden verdween de expressie uit haar gezicht en werden haar ogen roder.

'Ik hou het niet veel langer vol.'

Haar stem was zo zacht en gespannen dat ik haar bijna niet kon verstaan.

'Is dat dan zo moeilijk, Stevie Rae? Ik bedoel, kun je je niet gewoon op rantsoen stellen of zo?'

'Dat is het niet! Ik voel dat het me ontglipt... elke dag... elk uur meer.'

'Wat, Stevie Rae?'

'Mijn menselijkheid!' zei ze, bijna snikkend.

'Ach, lieve schat.' Ik schoof dichter naar haar toe en sloeg mijn arm om haar schouders. Ik probeerde geen acht te slaan op de vreemde geur die ze uitwasemde en het feit dat haar lichaam zo stijf was. 'Het komt wel goed met je. Ik ben er nu toch? We verzinnen er wel iets op.'

Stevie Rae keek me in de ogen. 'Ik voel je polsslag. Je hartslag. Er zit iets in mijn binnenste wat tegen me schreeuwt dat ik je keel open moet rijten en je bloed moet drinken. En dat iets wordt steeds sterker.' Ze maakte zich uit mijn arm los en schoof naar het uiteinde van de bank. 'Ik kan het gezicht van de oude Stevie Rae opzetten, maar dat komt door het monster in me. Dat doe ik alleen om op je te kunnen jagen.'

Ik haalde een keer diep adem en bleef haar recht in de ogen kijken. 'Oké, ik weet dat dat voor een deel waar is. Maar ik geloof niet alles en ik wil ook niet dat jij alles gelooft. Je menselijkheid is er nog, diep vanbinnen. Ja, misschien heel diep, maar hij is er nog steeds. En dat betekent dat we nog steeds elkaars beste vriendin zijn. Bovendien, denk eens na. Je hoeft geen jacht op me te maken. Hallo, ik zit vlak naast je. Open en bloot.'

'Ik ben bang dat ik een gevaar voor je ben,' fluisterde ze.

Ik glimlachte. 'Ik ben taaier dan je denkt, Stevie Rae.' Langzaam, om haar niet te laten schrikken, legde ik mijn hand op de hare. 'Doe een beroep op de kracht van aarde. Ik geloof dat je anders bent dan de rest van die, eh...' Ik aarzelde en probeerde te bedenken hoe ik ze moest noemen.

'Weerzinwekkende ondode dode gasten?' zei Stevie Rae.

'Ja. Jij bent anders dan de rest van die weerzinwekkende ondode dode gasten door je affiniteit voor aarde. Put daar kracht uit en dan zal die je helpen je te verzetten tegen wat er binnen in je gebeurt.'

'Duisternis... in mijn binnenste is alleen maar duisternis,' zei ze.

'Niet alleen maar duisternis. Aarde zit er ook.'

'Oké... oké...' zei ze hijgend. 'Aarde. Ik zal eraan denken. Ik zal echt mijn best doen.'

'Je kunt het de baas worden, Stevie Rae. Wíj kunnen het de baas worden.'

'Help me,' zei ze, en ze kneep zo hard in mijn hand dat ik bijna een kreet slaakte. 'Alsjeblieft, Zoey, help me.'

'Dat doe ik. Dat beloof ik.'

'Binnenkort. Dat moet.'

'Ja. Dat beloof ik,' zei ik nog eens, al had ik geen flauw idee hoe ik die belofte moest waarmaken.

'Wat ga je doen?' vroeg Stevie Rae met een vertwijfelde blik in haar ogen.

Ik zei het enige wat bij me opkwam. 'Ik ga een cirkel werpen en Nux om hulp vragen.'

Stevie Rae knipperde met haar ogen. 'Meer niet?'

'Nou, onze cirkel is krachtig en Nux is een godin. Meer hebben we toch niet nodig?' Ik klonk veel zekerder dan ik me voelde.

'Wil je dat ik weer aarde vertegenwoordig?' Haar stem beefde.

'Nee. Ja.' Ik zweeg met een schuldig gevoel en vroeg me af wat ik met Aphrodite aan moest. Toen ze aarde manifesteerde was het me duidelijk geworden dat het de bedoeling was dat ze in onze cirkel werd opgenomen. Maar zou Stevie Rae niet hysterisch worden als ze zag dat haar plek was ingenomen door iemand die ze als een vijand beschouwde? Daar kwam nog bij dat op Aphrodite na niemand iets wist over Stevie Rae, en dat wilde ik het liefst zo houden tot ik zover was om Neferet te laten weten dat ik het wist. Problemen. Problemen in overvloed. 'Eh, dat weet ik niet precies. Daar moet ik even over nadenken, oké?'

Stevie Raes gezichtsuitdrukking veranderde weer. Ze zag er nu ontmoedigd uit, volkomen verslagen. 'Je wilt niet dat ik nog deel uitmaak van je cirkel.'

'Dat is het niet! Maar aangezien jij degene bent die beter gemaakt moet worden, is het misschien beter als jij bij mij midden in de cirkel staat in plaats van op je normale plek.' Ik slaakte hoofdschuddend een zucht. 'Ik moet er onderzoek naar doen.'

'Doe dat zo snel mogelijk, oké?'

'Ja. En jij moet me beloven dat je een beetje zuinig omgaat met het bloed en dat je hier blijft en je concentreert op je verbinding met aarde,' zei ik.

'Oké. Dat zal ik proberen.'

Ik gaf een kneepje in haar hand en wrikte mijn hand los uit haar greep. 'Het spijt me, maar ik moet ervandoor. Neferet houdt een speciaal ritueel voor professor Nolan en dan moet ik het vollemaansritueel houden.' En dan moest ik ook nog naar de bibliotheek om een ritueel te zoeken waarmee ik Stevie Rae zou kunnen helpen. En ik had geen flauw idee wat ik met Loren aan moest. En Erik was waarschijnlijk pissig omdat ik ervandoor was gegaan. Én ik had niet gebroken met Heath. Jezus, ik had hoofdpijn. Alweer.

'Het is al een maand.'

'Hè?' Ik was al opgestaan en werd volkomen in beslag genomen door het denken aan alles wat ik moest doen.

'Ik ben tijdens de laatste vollemaan gestorven en dat was een maand geleden.'

Ze had mijn aandacht. 'Inderdaad. Dat was een maand geleden. Ik vraag me af...'

'Of dat iets zou kunnen betekenen? Of vannacht misschien het juiste moment is om te herstellen wat me is overkomen?'

Ik kromp bijna in elkaar bij het geluid van haar hoopvolle stem. 'Dat weet ik niet. Misschien.'

'Moet ik proberen om vannacht de campus op te komen?'

'Nee! De campus krioelt van de krijgers. Die pakken je geheid.'

'Misschien zou dat een goed iets zijn,' zei ze langzaam. 'Misschien zou het beter zijn als iedereen het wist.'

Ik wreef over mijn voorhoofd en probeerde te begrijpen wat

mijn gevoel me influisterde. Het had zo lang geschreeuwd dat ik Stevie Rae geheim moest houden dat ik niet kon uitmaken of dat nog steeds zo was of dat wat ik nu voelde louter echo's en verwardheid waren (waarschijnlijk vermengd met vertwijfeling en moedeloosheid).

'Dat weet ik niet. Ik... ik heb tijd nodig om alles goed te overdenken, oké?'

Stevie Rae liet haar schouders hangen. 'Oké. Maar ik geloof niet dat er genoeg van me over is om het nog een maand vol te houden.'

'Dat weet ik. Ik zal opschieten,' zei ik onnozel. Ik boog me voorover en omhelsde haar snel. 'Dag. Maak je niet ongerust. Ik kom snel weer terug. Dat beloof ik.'

'Als je het hebt uitgedokterd, stuur me dan een sms'je of zo en dan kom ik. Oké?'

'Oké.' Bij de deur draaide ik me om. 'Ik hou van je, Stevie Rae. Vergeet dat niet. We zijn nog steeds beste vriendinnen.'

Ze zei niets, maar knikte somber. Ik riep nacht en mist en magie tot me en haastte me de duisternis in.

20

Natuurlijk werd ik gesnapt tijdens mijn poging om ongezien de campus op te komen. Ik was al over de muur heen gezweefd (ja, letterlijk gezweefd, te cool voor woorden gewoon) en was onderweg naar het meisjesverblijf, naar ik dacht snel en ongezien, toen ik ze zo ongeveer tegen het lijf liep: een groep vampiers en hogerejaars omringd door minstens een stuk of tien krijgerreuzen (ik zag ook de tweeling en Damien in de groep, dus Aphrodite had gelijk gehad: Neferet had mijn prefectenraad erbij gehaald). Ik bleef abrupt staan, deed een stap achteruit, de schaduw van een grote eik in, en hield mijn adem in, in de hoop dat mijn pas ontdekte coole onzichtbaarheidsvermogen (of misschien was mistvermogen een betere beschrijving) me niet in de steek zou laten. Maar helaas zag ik dat Neferet bleef staan, waardoor de hele verdikkemse groep bleef staan. Ze hield haar hoofd schuin en ik zweer dat ze als een bloedhond de wind besnuffelde. Toen gingen haar ogen naar mijn boom, mijn schuilplaats, en leken ze me te doorboren. En *pats-boem*, weg concentratie. Mijn huid huiverde en ik wist dat ik weer zichtbaar was.

'O, Zoey! Daar ben je dus. Ik vroeg juist aan je vrienden' – ze zweeg lang genoeg om de tweeling, Damien en (help!) Erik te begunstigen met een van haar verbazingwekkende honderdvijfentwintig-wattlachjes – 'waar je in vredesnaam uithing.' Ze dimde de glimlach en verving die door een perfecte uitdrukking van moederlijke bezorgdheid. 'Dit is geen goed tijdstip om in je eentje rond te dwalen.'

'Sorry, ik, eh, ik moest...' hakkelde ik, me er sterk van bewust dat alle blikken op mij waren gericht.

'Ze moest even alleen zijn om zich op de rituelen voor te bereiden,' zei Shaunee, terwijl ze naar me toe kwam en me een arm gaf.

'Ja, ze moet vóór een ritueel altijd even alleen zijn. Dat is een Zoey-gewoonte,' zei Erin, die aan de andere kant naast me kwam staan en me ook een arm gaf.

'Ja, dat noemen we ZAT: Zoeys Alleen Tijd,' zei Damien, terwijl hij bij ons kwam staan.

'Het is best vervelend, maar het is niet anders,' zei Erik, terwijl hij achter me kwam staan en zijn warme handen op mijn schouders legde. 'Zo is onze Z nou eenmaal.'

Ik moest echt vechten tegen de tranen. Mijn vrienden waren kanjers. Neferet wist waarschijnlijk dat ze logen, maar door de manier waarop ze dat hadden gedaan leek het net alsof ik waarschijnlijk alleen maar een beetje tienerkattenkwaad had uitgehaald (dat wil zeggen van de campus af glippen om met een vriendje te breken) en geen ernstig, schrikaanjagend kattenkwaad (dat wil zeggen mijn ondode dode beste vriendin verbergen).

'Nou, het lijkt me beter dat je je alleen-tijd in de nabije toekomst een beetje inperkt,' zei Neferet op licht bestraffende toon.

'Dat zal ik doen. Sorry,' mompelde ik.

'En nu op naar het ritueel.' Neferet liep met grote passen bij de groep vandaan en de krijgers moesten zich haasten om haar bij te houden.

We liepen natuurlijk achter haar aan. Wat konden we anders doen?

'En, heb je hét gedaan?' vroeg Shaunee op fluistertoon.

'Hè?' Ik knipperde met mijn ogen en keek haar geschokt aan. Hoe wist ze dat ik als een slet tegen Heath aan had zitten schuren? Was dat aan me te zien? God, ik zou het besterven als het aan me te zien was!

Erin rolde met haar ogen. 'Heath. Breken. Jij met hem,' fluisterde ze.

'O, dat. Nou, ik, eh...'

'Ik heb me vandaag ongerust over je gemaakt.' Erik was naar
voren gekomen en had Shaunee handig van haar plek naast mij
verdreven. Ik verwachtte dat de tweeling pissig zou worden, maar
ze trokken hun wenkbrauwen naar ons op, lieten zich terugvallen
en liepen verder met Damien op. Ik hoorde Shaunee mompelen:
'Hij is zo verdomd gevéldig.' Jezus, ze konden Neferet moedig tegemoet treden, maar Erik was zo'n spetter dat ze gingen zwijme-
len.

'Sorry,' zei ik snel, met een schuldig gevoel over hoe fijn het was
als hij mijn hand vastpakte. 'Het was niet mijn bedoeling om je
ongerust te maken. Ik had gewoon, nou, dingen te doen.'

Erik grijnsde en verstrengelde zijn vingers met de mijne. 'Ik
hoop dat je korte metten met hem hebt gemaakt, met dat speci-
fieke ding, bedoel ik.'

Ik wierp dodelijke blikken over mijn schouder naar de tweeling, die onschuldig terugkeek. 'Verraders!' mompelde ik.

'Je hoeft niet pissig op hen te zijn. Ik heb mijn voordeelpositie
uitgebuit en ze omgekocht met hun zwakte.'

'Met schoenen?'

'Met iets wat momenteel een veel grotere aantrekkingskracht
voor hen heeft: T.J. en Cole.'

'Dat was bijzonder sluw van je,' zei ik.

'En niet bepaald moeilijk te regelen. T.J. en Cole vinden de
tweeling namelijk zo sexy als de hel,' zei Erik met een voortreffe-
lijk Schots accent, het zoveelste bewijs van zijn zwak voor oenige
films (hallo... *Austin Powers*).

'Noemden T.J. en Cole de tweeling zo sexy als de hel met dat
verschrikkelijke accent?'

Hij kneep speels in mijn hand. 'Mijn accent is niet verschrikkelijk.'

'Je hebt gelijk.' Ik keek lachend op in zijn helderblauwe ogen en vroeg me af hoe ik mezelf in godsnaam in een positie had kunnen manoeuvreren waarin ik hem met twee mannen bedroog.

'Hoe maak je het vandaag, Zoey?'

Ik wist dat Erik de schok die door mijn lichaam trok bij het geluid van Lorens stem kon voelen, omdat we hand in hand liepen.

'Prima. Dank u,' zei ik.

'Heb je goed geslapen? Ik maakte me een beetje ongerust of je het wel zou redden nadat ik je bij het meisjesverblijf had achtergelaten.' Loren lachte naar Erik met een bevoogdend ik-ben-veel-ouder-dan-jijlachje en legde uit: 'Zoey heeft gisteren een grote schok moeten verwerken.'

'Ja, dat weet ik,' zei Erik kortaf. Ik voelde de spanning tussen hen en vroeg me een beetje paniekerig af of die ook anderen was opgevallen. Toen ik Shaunee 'Verdomme, meisje!' hoorde fluisteren en Erin 'Hm-hm', kostte het me moeite om niet te gaan kreunen. Het was duidelijk dat het iedereen (lees: de tweeling) was opgevallen.

We hadden inmiddels de groep volwassenen ingehaald, die nu bij de geheime deur in de oostmuur stond. Ik vergat even de potentieel explosieve vriendjessituatie waarin ik mezelf had gemanoeuvreerd en zei: 'Hé! Waarom stoppen we hier?'

'Neferet wil een gebed uitspreken voor de geest van professor Nolan en met een bezweringsformule een beschermend gordijn rondom het schoolterrein optrekken,' zei Loren. Zijn stem klonk veel te vriendelijk en zijn blik voelde veel te warm aan toen onze ogen elkaar ontmoetten en vasthielden. God, wat een droom van een man. Ik dacht aan het gevoel van zijn lippen op de mijne en...

En toen drong het tot me door wat hij zojuist had gezegd.

'Maar haar bloed en alles...' Mijn stem stierf weg en ik maakte een vaag gebaar naar het grasveldje aan de andere kant van de muur, dat gruwelijke grasveldje dat gisteren nog doordrenkt was met het bloed van professor Nolan.

'Nee, je hoeft niet bang te zijn. Neferet heeft het schoon laten maken,' zei Loren zacht.

Ik dacht heel even dat hij me zou aanraken, waar iedereen bij was. Ik voelde zelfs Erik verstrakken, alsof hij dat ook verwachtte, maar toen doorbrak Neferets plechtige, krachtige stem ons dramaatje, en iedereen richtte zijn aandacht op haar.

'We gaan door de geheime deur naar het toneel van de grueldaad. Vorm een halvemaanvormige kring rondom het standbeeld van onze geliefde godin, dat ik op de plek heb laten zetten waar het geschonden lichaam van professor Nolan is gevonden. Ik vraag dat ieder van jullie je hart en geest concentreert op het sturen van positieve energie naar onze gevallen zuster, terwijl haar geest opstijgt naar het wonderbaarlijke rijk van Nux. Halfwassen,' haar blik gleed over ons heen, 'ik wil dat ieder van jullie gaat staan bij de kaars die je element vertegenwoordigt.' Neferets ogen waren vriendelijk, haar stem zacht. 'Ik weet dat het ongebruikelijk is om halfwassen in te zetten bij een ritueel van volwassenen, maar het Huis van de Nacht heeft nooit eerder zo veel uitzonderlijke jonge mensen tegelijkertijd gehuisvest, en ik vind het niet meer dan juist om vandaag gebruik te maken van jullie affiniteiten om wat wij van Nux vragen kracht bij te zetten.' Ik voelde Damien en de tweeling bijna beven van opwinding. 'Willen jullie dit voor mij, voor ons doen, halfwassen?'

Damien en de tweeling knikten als van die wiebelhoofdpoppetjes. Neferets groene ogen gleden naar mij. Ik knikte een keer. De hogepriesteres glimlachte en ik vroeg me af of ik de enige was die verder kon kijken dan haar beeldschone uiterlijk en de kille, berekenende persoon daarachter kon zien.

Neferet leek zeer met zichzelf ingenomen te zijn toen ze zich omdraaide en door de openstaande deur naar buiten dook, met de rest van de groep vlak achter zich. Ik had mezelf voorbereid op iets gruwelijks, op z'n minst iets bloederigs, maar Loren had gelijk gehad. De plek die gisteren nog zo afschuwelijk was geweest, was gezuiverd van alle huiveringwekkende aspecten, en ik vroeg me onwillekeurig af hoe de politie van Tulsa het bewijsmateriaal had verzameld, en toen schudde ik mezelf door elkaar. Neferet zou beslist hebben gewacht tot ze klaar waren voor ze alles had laten schoonmaken. Toch?

Op de plek waar het lichaam van professor Nolan was geweest stond nu een prachtig standbeeld van Nux, dat uit één blok onyx gehouwen leek. Haar handen waren geheven en daarop stond een dikke groene kaars die aarde symboliseerde. Zonder iets te zeggen vormden de vampiers een halve cirkel rondom het standbeeld. Damien en de tweeling namen plaats achter de enorme kaarsen die hun respectieve elementen vertegenwoordigden. Een beetje onwillig nam ik plaats achter de paarse kaars die geest vertegenwoordigde. Ik zag dat de krijgers waren uitgewaaierd en om ons heen waren gaan staan. Met hun rug naar onze groep tuurden ze de nacht in, een en al waakzaamheid.

Zonder haar gebruikelijke theatrale gedoe (wat altijd cool was om te zien) liep Neferet naar Damien, die met trillende handen de gele windkaars vasthield, en bracht ze de ceremoniële aansteker omhoog.

'Wind vult ons en blaast ons leven in. Ik roep wind naar onze cirkel.' Neferets stem was krachtig en helder, duidelijk versterkt door de kracht van een hogepriesteres. Ze hield de aansteker bij de kaarsenpit en onmiddellijk wervelde wind rondom Damien en haar. Neferet stond met haar rug naar me toe, dus ik kon haar gezicht niet zien, maar Damiens glimlach was breed en vreugdevol. Ik probeerde om niet te fronsen. De heilige cirkel was geen plek om pissig te worden, maar ik kon er niets aan doen, ik ergerde me groen en geel. Waarom was ik de enige die zich niet door haar façade liet bedotten?

Ze liep verder naar Shaunee. 'Vuur verwarmt en beschermt ons. Ik roep vuur naar onze cirkel.' Zoals ik al enkele keren eerder had meegemaakt ontvlamde Shaunees rode kaars voordat de aansteker de pit raakte. Shaunees glimlach was bijna even helder als haar element.

Neferet volgde de cirkel naar Erin. 'Water sust en wast ons. Ik roep water naar onze cirkel.' Toen de kaars ontvlamde, hoorde ik golven breken op een ver strand en rook ik zout en zee in de nachtbries.

Ik keek gespannen toe terwijl Neferet voor het standbeeld van Nux en de groene kaars ging staan. De hogepriesteres boog haar hoofd. 'De halfwas die dit element vertegenwoordigde is gestorven en het is gepast dat de positie van aarde vanavond leeg blijft en dat die rust op de plek waar het lichaam van onze dierbare Patricia Nolan zo kort geleden heeft gerust. Aarde houdt ons staande. Uit aarde worden we geboren en naar aarde zullen we terugkeren. Ik roep aarde naar onze cirkel.' Neferet stak de groene kaars aan, maar hoewel hij fel brandde, rook ik zelfs geen vleugje groene weiden of wilde bloemen.

Daarna kwam Neferet voor mij staan. Ik weet niet hoe haar gezichtsuitdrukking was geweest toen ze voor Damien en de tweeling stond, maar nu was haar gezicht krachtig en streng, en verbluffend mooi. Ze deed me denken aan een van de eeuwenoude vampierkrijgers, de Amazonen, en ik vergat bijna hoe gevaarlijk ze was.

'Geest is onze kern. Ik roep geest naar onze cirkel.' Neferet stak mijn paarse kaars aan en ik voelde mijn ziel zich verheffen met het fladderige gevoel in mijn buik dat ik ook altijd tijdens een ritje in een achtbaan krijg. De hogepriesteres bleef niet staan om een speciale blik met me te wisselen, maar liep binnen in de cirkel rond langs de omstanders, maakte oogcontact met de vampiers die om ons heen stonden en kwam meteen ter zake. 'Het is al meer dan honderd jaar niet gebeurd, niet zo openlijk, niet zo wreed. Mensen hebben een van de onzen vermoord. In dit geval hebben ze niet een slapende reus gewekt, maar een luipaard getergd dat naar ze geloofden getemd was.' Neferets stem verhief zich met de kracht van woede. 'Ze is niet getemd!' De haartjes op mijn armen kwamen overeind. Neferet was sensationeel. Hoe kon iemand die dermate door Nux was gezegend zo door en door slecht zijn geworden? 'Ze geloven dat onze hoektanden zijn afgevijld en onze klauwen uitgetrokken, als bij een dikke huiskat. Ook hierin vergissen ze zich.' Ze hief haar armen boven haar hoofd. 'Vanuit deze heilige cirkel, geworpen op de plek van een moord, wenden we ons tot onze godin, Nux, de prachtige personificatie van de nacht. We vragen haar om Patricia Nolan met open armen te verwelkomen, al is ze tientallen jaren te vroeg van ons heengegaan. Ook vragen we Nux om haar gerechtvaardigde woede op te roepen en met de heerlijkheid van haar goddelijke toorn ons verzoek tot bescherming in te willigen opdat we niet gevangen zullen worden in het moordzuchtige web van de mensen.' Terwijl ze de bezwering uitsprak liep ze naar het standbeeld van Nux.

'Bescherm ons met de nacht;
duisternis is wat ons bovenal toelacht.'

Toen ze zich weer met haar gezicht naar de menigte omdraaide zag ik dat ze een klein mes met een ivoren greep en een akelig scherp ogend, gebogen lemmet in haar hand had.

'Rondom deze coven en dit terrein
vragen wij Nux om een dicht gordijn.'

Met haar ene hand bracht ze het mes omhoog. Met de andere tekende ze ingewikkelde patronen in de lucht, die rondom haar begon te glinsteren en substantie kreeg terwijl ze voortging met het uitspreken van de bezwering.

'Ik zal eenieder bespeuren die binnenkomt of vertrekt,
vampier, halfwas, mens, eenieder wordt ontdekt.
Niemand met kwaad in de zin,
komt eruit of komt erin.'

Toen haalde Neferet met een snel, woest gebaar het mes over haar pols. De snee was zo diep dat haar bloed eruit gutste, rood en rijk, heet en verrukkelijk. De geur overspoelde me en het water liep me in de mond. Met onwrikbare vastberadenheid liep de hogepriesteres om de omtrek van de cirkel zodat haar bloed in een scharlakenrode boog overal om ons heen viel en het gras besprenkelde dat zo kort geleden nog met het bloed van professor Nolan was doordrenkt. Toen ze weer voor Nux' standbeeld stond hief Neferet haar gezicht naar de avondhemel en voltooide de bezwering.

'Mijn bloed gebiedt,
dat mijn wil geschiedt.'

Ik zweer dat de lucht rondom ons golfde en heel even zag ik dat zich iets op de muren van de school vastzette, een soort zwart, gaasachtig gordijn. *Ze heeft een bezwering uitgesproken die haar niet alleen waarschuwt wanneer gevaar de school binnenkomt, maar ook wanneer iemand binnenkomt of vertrekt.* Ik moest op de binnenkant van mijn wang bijten om te voorkomen dat ik ging kreunen. Het gordijn van een godin zou zich echt niet laten bedotten door mijn Bram Stoker-trucjes. Hoe moest ik in jezusnaam Stevie Rae van bloed voorzien?

Volledig in beslag genomen door mijn eigen drama merkte ik nauwelijks dat Neferet de cirkel sloot. Ik liet me wezenloos door de stroom meevoeren door de geheime deur en kwam pas weer bij mijn positieven door Lorens stem, die verrassend dicht bij mijn oor klonk.

'Tot straks in de recreatiezaal.' Ik keek naar hem op. Mijn gezicht moet één groot vraagteken zijn geweest, want hij voegde eraan toe: 'Je vollemaansritueel. Ik ben vannacht je dichter om de cirkel te openen, weet je nog?'

Voor ik iets kon zeggen zei Shaunee poeslief: 'We verheugen ons elke keer weer bij het vooruitzicht u poëzie te horen reciteren, professor Blake.'

'Ja, dat zou ik niet graag missen. Nog niet voor een schoenenuitverkoop bij Saks,' voegde Erin er met een schittering in haar ogen aan toe.

'Tot straks dus,' zei Loren, zonder zijn blik van mijn gezicht los te maken. Hij glimlachte, maakte een kleine buiging en haastte zich weg.

'Verrukkelijk!' zei Erin.

'Wat je zegt, tweelingzus,' zei Shaunee.

'Ik vind hem een slijmbal.'

We keken allemaal op en zagen Erik woedend naar Lorens rug staren.

'Nee hoor, écht niet!' zei Shaunee.

'Goddelijke Loren Blake is gewoon reuze aardig,' zei Erin, en ze rolde met haar ogen naar Erik alsof hij niet goed bij zijn hoofd was.

'Hallo! Ga nou niet het krankzinnige jaloerse vriendje spelen tegenover Z,' zei Shaunee.

'Eh, ik moet me omkleden,' zei ik; ik wilde niet reageren op Eriks wat al te duidelijke jaloezie. 'Kunnen jullie vast naar de recreatiezaal gaan om alles klaar te zetten? Dan ga ik even snel naar mijn kamer en ben zo terug.'

'Geen probleem,' zei de tweeling in koor.

'Wij zullen de laatste voorbereidingen treffen,' zei Damien.

Erik zei niets. Ik lachte vluchtig en, dat hoopte ik tenminste, onschuldig naar hem en rende weg over het voetpad naar het meisjesverblijf. Ik voelde brandende ogen in mijn rug en wist met een akelig benauwd gevoel dat ik iets zou moeten doen aan de kwestie van Erik en Loren (en Heath). Maar wat moest ik dan in jezusnaam doen?

Ik was stapelgek op Heath. En zijn bloed.

Erik was een fantastische vent en ik was dol op hem.

Loren was gewoonweg het einde.

Jezus, wat was ik toch een rotwijf.

21

Ik probeerde mezelf ervan te overtuigen dat dit ritueel een makkie zou zijn. Ik zou gewoon snel een cirkel werpen, een gebed uitspreken voor professor Nolan, bekendmaken dat Aphrodite weer lid was geworden van de Duistere Dochters (wat duidelijk zou zijn nadat ze haar affiniteit voor aarde had gemanifesteerd) en dan zeggen dat ik vanwege de stress waarmee de school te kampen had gehad het aanwijzen van nieuwe leden voor de prefectenraad had uitgesteld tot het eind van het schooljaar. Een fluitje van een cent, zei ik keer op keer tegen mijn verkrampte maag. Geen toestanden zoals vorige maand, toen Stevie Rae doodging. Vannacht kon nooit zo erg worden. Omgekleed en zo klaar als ik maar kon zijn deed ik de deur open, en liep tegen Aphrodite op.

'Rustig aan, zeg,' zei ze terwijl ze een stap opzij ging. 'Hallo! Ze kunnen echt niet zonder jou beginnen, hoor.'

'Aphrodite, heeft nooit iemand tegen je gezegd dat het onbeleefd is om mensen te laten wachten?' zei ik terwijl ik door de gang rende, met twee treden tegelijk de trap af vloog en het meisjesverblijf uit stormde, met Aphrodite op mijn hielen. Ik knikte naar Darius, die voor de buitendeur had postgevat, en hij groette me.

'Weet je, die krijgers zijn echt wat je noemt spetters van vampiers,' zei Aphrodite, en ze verrekte bijna haar nek om nog een laatste blik op Darius te werpen. Toen keek ze me met opgetrokken lip aan en zei op haar verwaande rijkemeisjestoontje: 'En nee, niemand heeft ooit tegen me gezegd dat het onbeleefd is om mensen te laten wachten. Ik ben grootgebracht om mensen te laten wachten. Wat mijn moeder aangaat, die verwacht dat de zon op haar wacht voor die opkomt en ondergaat.'

Ik rolde met mijn ogen.

'Hoe is Neferets ritueel gegaan?'

'Geweldig. Ze heeft een beschermend gordijn rond de school opgetrokken. Niemand kan naar binnen of naar buiten zonder dat zij het weet. Beter kan niet. Dat wil zeggen, voor iedereen behalve wij.'

Hoewel er niemand in de buurt was, dempte Aphrodite haar stem. 'Zit ze nog steeds die zakken bloed achter elkaar leeg te slobberen?'

'Ze houdt het nog nauwelijks vol. We moeten heel snel iets doen.'

'Ik weet niet wat je in jezusnaam verwacht dat wíj kunnen doen,' zei Aphrodite. 'Jíj bent degene met de megakrachten. Ik doe een beetje mee voor de show.' Ze zweeg even en dempte haar stem nog meer. 'Bovendien begrijp ik niet wat jij hoopt te kunnen doen. Ze is walgelijk en doodgriezelig.'

'Ze is mijn beste vriendin,' fluisterde ik fel.

'Nee. Ze wás je beste vriendin. Nu is ze een griezelig ondood dood meisje dat bloed drinkt alsof het frisdrank is.'

'Ze is nog altijd mijn beste vriendin,' zei ik koppig.

'Best. Wat je wilt. Maak haar dan beter.'

'Oké, dat is makkelijker gezegd dan gedaan.'

'Hoe weet je dat? Heb je het dan al geprobeerd?'

En ik bleef abrupt staan. 'Wat zei je zojuist?'

Aphrodite trok een wenkbrauw op, haalde haar schouders op en keek me volslagen verveeld aan. 'Iets in de trant van of je het al geprobeerd hebt.'

'Godver! Zou het zo simpel kunnen zijn? Ik bedoel, ik heb de hele tijd lopen zoeken naar een bezwering of een ritueel of een... een... iets specifieks en wonderbaarlijks en totaal magisch, terwijl ik misschien alleen maar Nux hoefde te vragen om haar beter te maken.' En terwijl ik me daar stond te wentelen in mijn o-mijn-godmoment, hoorde ik de echo van de stem van Nux in mijn hoofd, die de woorden herhaalde die ze me een maand geleden had toegefluisterd, vlak voor ik mijn elementaire krachten gebruikte om de blokkade die Neferet in mijn geheugen had opgeworpen, af te breken: *Ik wil je eraan herinneren dat de elementen niet alleen kunnen vernietigen maar ook herstellen.*

'Godver? Zei je godver? Besef je wel dat dat alweer een bijna-vloek is? Ik begin me zorgen te maken over je taalgebruik.'

Ik lachte. Ik voelde me opeens zo blij en hoopvol dat zelfs Aphrodite me niet kwaad kon maken. 'Kom mee! Maak je later maar zorgen over wat er uit mijn mond komt.' Ik zette me weer in beweging en rende bijna over het voetpad.

Voor de recreatiezaal stond ook een van de krijgers, een reus van een zwarte vampier die eruitzag alsof hij eigenlijk profworstelaar had moeten zijn. Aphrodite maakte een poesachtig spinnend geluidje naar hem en dat beantwoordde hij met een sexy maar tegelijkertijd krijgerachtige glimlach. Ze bleef achter om nog even verder te flirten.

'Kom niet te laat!' beet ik haar toe.

'Maak je niet dik. Ik kom zo.' Ze wuifde me weg en keek me aan met een blik die me eraan herinnerde dat het beter was als we niet samen werden gezien. Ik knikte gespannen en ging naar binnen.

'Z! Daar ben je eindelijk.' Jack kwam op een drafje naar me toe, met Damien vlak achter zich.

'Sorry. Ik heb me echt gehaast,' zei ik.

Damien glimlachte. 'Niks aan de hand. Alles is klaar.' Zijn glimlach verflauwde een beetje. 'Nou, behalve Aphrodite. Die is in geen velden of wegen te zien.'

'Ik heb haar gezien. Ze komt eraan. Ga maar vast op je plek staan.'

Damien knikte en ging terug naar de cirkel, en Jack ging naar de hoek waar de geluidsapparatuur stond (die knaap is een genie met elk denkbaar soort elektronische apparatuur).

'Geef maar een seintje als je zover bent,' riep hij.

Ik glimlachte naar hem en keek toen naar de cirkel. De tweeling wuifde naar me vanaf hun plek in het zuiden en westen. Erik stond vlak bij de lege plek achter de aardekaars. Hij ving mijn blik en knipoogde naar me. Ik glimlachte naar hem, maar vroeg me af waarom hij juist daar was gaan staan, terwijl hij wist dat Aphrodite aarde zou vertegenwoordigen.

Als je het over de duivel hebt... Geërgerd omdat ze het voor elkaar had gekregen om míj op háár te laten wachten, ging mijn blik naar de deur, net op tijd om Aphrodite naar binnen te zien glippen. Ik zag dat ze aarzelde en meende haar te zien verbleken toen ze haar blik over de kring wachtende Duistere Dochters en Zonen liet gaan. Maar ze stak haar kin vooruit, zwiepte haar blonde manen naar achteren, en liep iedereen negerend naar het noordelijkste deel van de cirkel, waar ze achter de groene kaars ging staan. Toen de aanwezigen haar in het oog kregen verstomden de gesprekken, alsof iemand met een druk op de knop het geluid had uitgezet. Het bleef even stil en daarna klonk overal zacht gefluister op. Aphrodite stond achter de kaars, uiterlijk rustig en mooi en enorm verwaand.

'Je kunt maar beter beginnen voordat de muiterij uitbreekt.'

Deze keer schrok ik niet van het geluid van Lorens diepe, sexy stem dat van vlak achter me kwam. Ik draaide me wel om, voornamelijk om te voorkomen dat iemand (Erik) de 'niet geschikt voor openbaar vertoon'-uitdrukking op mijn gezicht zou zien toen ik glimlachend naar hem opkeek.

'Ik ben zo klaar als ik ooit zal zijn,' zei ik.

'En is het de bedoeling dat zij er is?' Loren wees met zijn kin in de richting van Aphrodite.

'Jammer genoeg wel, ja,' zei ik.

'Dit kan interessant worden.'

'Dat zijn we, ik en mijn leven, interessant. In de zin van is-dat-autowrak-niet-interessant?'

Loren lachte. 'Toitoitoi.'

'Op hoop van zegen.' Ik slaakte een zucht, trok mijn gezicht in de plooi en draaide me weer naar de cirkel. 'Ik ben zover,' zei ik.

'Ik geef Jack een seintje dat hij de muziek kan starten. Jij danst naar het midden terwijl ik het gedicht opzeg,' zei Loren.

Ik knikte, ademde een paar keer diep in en uit en concentreerde me. Toen de muziek begon viel het gefluister stil. Alle ogen waren op mij gericht. Ik herkende het nummer niet, maar de maat was regelmatig, ritmisch en sonoor, en deed me denken aan een polsslag. Mijn lichaam voegde zich er werktuiglijk naar en ik begon aan mijn dans rond de buitenkant van de kring.

Lorens stem was een perfecte aanvulling op de muziek.

'De nacht, die is mij welbekend
Ik ging op weg in regen... keerde weer in regen...'

De woorden van het oude gedicht zetten de perfecte sfeer neer; ze toverden beelden tevoorschijn van de bovennatuurlijkheid waarmee ik vertrouwd was geraakt tijdens mijn eenzame uitstapjes buiten de campus.

'Tuurde in de somberste stegen.
Ik zag de nachtwacht die zijn ronde deed
Ik sloeg mijn ogen neer, tot verklaren niet genegen.'

Ik kon bijna de duisternis van de afgelopen nacht voelen en die leek in mijn huid door te sijpelen. Ik kreeg weer het gevoel dat ik daar meer thuishoorde dan in de mensenwereld die me omringde. Toen ik de cirkel binnenliep, huiverde ik; ik hoorde Damien verwonderd naar adem snakken en wist dat de mist en magie bezit van mijn lichaam hadden genomen.

'En op onaardse hoogte aan het firmament
Zegt een klok van licht, zo hoog, zo ver
Dit is noch het verkeerde noch het juiste moment.
De nacht, die is mij welbekend.'

Lorens stem stierf weg en ik wervelde nog één keer in het rond om de illusie van mist en magie te laten verdwijnen, zodat ik weer volledig zichtbaar was. Nog steeds in de ban van nachtmagie, pakte ik de rituele aansteker van de met rijkdommen beladen tafel midden in de cirkel, en toen besefte ik dat ik voor het eerst het gevoel had een ware hogepriesteres van Nux te zijn, doordrenkt van de magie van de godin en vervuld van haar kracht. De stress waaronder ik gebukt ging werd weggespoeld door een golf van blijdschap. Ik liep lichtvoetig naar Damien.

Toen ik voor hem stond fluisterde hij lachend: 'Dat was echt te gek cool!'

Ik glimlachte terug en bracht de aansteker omhoog. De woorden die me instinctief te binnen schoten moesten wel van Nux komen. Ik was beslist nooit zo dichterlijk geweest. 'Zachte, fluisterende winden van verre, ik groet u. In de naam van Nux vraag ik u om klaar en fris en vrij te waaien, en ik roep u hier tot mij!' Ik hield de vlam bij Damiens gele kaars en werd onmiddellijk omringd door een heerlijke, strelende wind.

Ik haastte me naar Shaunee en haar rode kaars. Ik besloot om mee te gaan in het bijzondere gevoel van priesteresmagie en begon de invocatie zonder de aansteker omhoog te brengen. 'Verwarmend en verlevendigend vuur van verre, met de warmte die leven voortbrengt en in de naam van Nux groet ik u en roep u hier tot mij!' Ik knipte met mijn vingers naar de kaarsenpit, die ontvlamde en stralend brandde. Shaunee en ik grijnsden naar elkaar voor ik verder liep naar Erin.

'Koele wateren van meer en rivier van verre, ik groet u. Stroom helder en puur en snel in magische aanwezigheid hier. In de naam van Nux manifesteer opdat we u zien, terwijl ik u hier tot mij roep!' Ik hield de aansteker bij Erins blauwe kaars en vond het prachtig toen de halfwassen die het dichtst bij haar stonden naar lucht hapten en lachten toen het water dat ze konden zien zonder dat het hen raakte, rond Erins voeten golfde.

'Een makkie,' fluisterde Erin.

Ik glimlachte en liep met de wijzers van de klok mee naar Aphrodite en haar groene kaars. Het zachte gelach en vrolijke gefluister dat me had gevolgd viel stil. Aphrodites gezicht was een emotieloos masker. Alleen in haar ogen zag ik haar zenuwachtige angst, en ik vroeg me af hoe lang ze haar gevoelens al verborg. Aangezien ik wist wat voor nachtmerrieachtige ouders ze had, was dat waarschijnlijk al heel erg lang.

'Het gaat goed,' fluisterde ik, bijna zonder mijn lippen te bewegen.

'Ik geloof dat ik moet kotsen,' fluisterde ze terug.

'Welnee!' zei ik met een grijns. En toen verhief ik mijn stem en sprak ik de prachtige woorden die door mijn hoofd zweefden. 'Verre landen en woeste plaatsen van de aarde, ik groet u. Ontwaak uit uw bemoste slaap om overvloed en schoonheid en stabiliteit voort te brengen. In de naam van Nux roep ik u hier tot mij!' Ik stak Aphrodites kaars aan en de frisse, volle geur van een pasgemaaid hooiland vulde de recreatiezaal. Het geluid van tjilpende vogels omringde ons. De lucht geurde naar seringen, waardoor het net was alsof we waren bespoten met een licht, perfect parfum. Ik keek in Aphrodites glanzende ogen, draaide me toen om en keek de cirkel rond. Iedereen staarde naar Aphrodite, verbijsterd en doodstil.

'Ja,' zei ik eenvoudig, dwars door alle vragen heen die naar ik wist door hun hoofd tolden en (hopelijk) een eind aan hun twijfels makend. Ze mochten haar misschien niet, ze vertrouwden haar misschien niet, maar ze moesten accepteren dat Nux haar had gezegend. 'Aphrodite is gezegend met een affiniteit voor het element aarde.' Toen liep ik naar het midden van de cirkel en pakte mijn paarse kaars. 'Geest vervuld van magie en nacht, fluisterende ziel van de godin, vriend en vreemde, mysterie en kennis, in de naam van Nux roep ik u hier tot mij!' Mijn kaars ontvlamde en ik bleef roerloos staan terwijl de kracht van alle vijf de elementen me vulde, lichaam en ziel.

Het was zo wonderbaarlijk dat ik bijna vergat om adem te halen.

Toen ik weer tot rust kwam stak ik de vlecht van gedroogde eucalyptus en salie aan en blies hem weer uit. Ik ademde de kruiden diep in en concentreerde me op de eigenschappen die het volk van mijn grootmoeder daaraan toeschreef: eucalyptus werd gebruikt voor genezing, bescherming en zuivering, witte salie voor het verdrijven van negatieve geesten, energieën en invloeden. De kruidige rook wervelde om me heen toen ik me weer naar de cirkel omdraaide, me evenzeer bewust van het feit dat iedereen naar me keek als van de glinsterende zilveren draad die duidelijk zichtbaar mijn cirkel aaneensloot. 'Wees welkom!' riep ik, en de groep zei in koor: 'Wees welkom!' Ik voelde mijn spanning afnemen toen ik het woord tot hen richtte. 'Iedereen weet inmiddels dat professor Nolan gisteren is gedood. Het was werkelijk zo gruwelijk en waar als de geruchten het hebben doen klinken. Ik wil jullie nu vragen om samen met mij Nux te verzoeken haar geest te troosten, en ook ons.' Ik zweeg even en zocht Erik met mijn blik. 'Ik ben hier nog niet zo lang, maar ik weet dat velen van jullie een hechte band met professor Nolan hadden.' Erik probeerde te glimlachen, maar zijn verdriet stond zijn lippen niet toe om omhoog te krullen en hij knipperde heftig met zijn ogen om te voorkomen dat de tranen die zijn blauwe ogen deden schitteren over zijn wangen zouden stromen. 'Ze was een goede docent en een aardige persoon. We zullen haar missen. Laten we haar geest een laatste wees gezegend brengen.' De groep riep 'Wees gezegend!' en de groet kwam uit het diepst van hun hart.

Ik wachtte even tot het weer stil was en vervolgde met: 'Ik weet dat ik vannacht bekend zou maken wie zich kandidaat had gesteld voor de prefectenraad, maar vanwege alles wat er de afgelopen maand is gebeurd, heb ik besloten om te wachten tot het eind van dit schooljaar. Dan komt de raad bijeen om een lijstje met namen op te stellen waarop jullie je stem kunnen uitbrengen. Wel heb ik besloten om automatisch nog één halfwas in onze raad op te nemen.' Ik sprak doelbewust op zakelijke toon, alsof ik niet iets zei wat de meesten van hen als een volslagen krankzinnig idee zouden beschouwen. 'Zoals jullie al hebben gezien is Aphrodite begunstigd met een affiniteit voor aarde. Net als Stevie Rae bezorgt haar dat een plek in onze raad. En net als Stevie Rae heeft ook Aphrodite gezworen dat ze zich zal houden aan mijn nieuwe regels voor de Duistere Dochters.' Ik draaide me met mijn gezicht naar Aphrodite en was opgelucht toen ze gespannen naar me glimlachte en eenmaal met haar hoofd knikte. Toen, zonder de groep de tijd te geven om onderling te gaan kletsen, pakte ik de bokaal met zoete rode wijn van Nux' tafel en begon met de officiële invocatie van het vollemaansgebed.

'Deze maand met de vollemaan staan we opnieuw voor een nieuw begin, en meer dan één. Vorige maand was het een nieuwe ordening van de Duistere Dochters en Zonen. Deze maand is het een nieuw lid van de prefectenraad en de treurige dood van een docent. Ik ben nog maar een maand jullie leider, maar ik weet nu al dat ik...' Ik wachtte even en verbeterde mezelf. 'Ik bedoel dat wé erop kunnen vertrouwen dat Nux van ons houdt en ons bijstaat, zelfs wanneer er gruwelijke dingen gebeuren.' Ik hief de bokaal en liep langzaam door de cirkel, terwijl ik het prachtige oude gedicht voordroeg dat ik de maand daarvoor uit mijn hoofd had geleerd.

'Etherisch licht van de maan
Mysterie van de diepe aarde
Kracht van het stromende water
Warmte van de brandende vlam
In de naam van Nux roepen we u aan!'

Ik bood iedere halfwas een slokje wijn aan en knikte wanneer ze naar me glimlachten. Ik deed mijn best om eruit te zien als iemand op wie ze konden rekenen, iemand die ze konden vertrouwen.

'Genezing van ziekten
Rechtzetting van onrecht
Zuivering van onzuiverheden
Verlangend naar waarheden
In de naam van Nux roepen we u aan!'

Ik was blij dat ieder van hen 'Wees gezegend' prevelde nadat ze hadden gedronken en dat ze geen opstandige indruk maakten.

'Zicht van de kat
Gehoor van de dolfijn
Snelheid van de slang
Mysterie van de feniks
In de naam van Nux roepen we u aan
En vragen dat u met ons gezegend zal zijn!'

Ik bood Aphrodite het laatste slokje voor mij aan en hoorde haar bijna niet fluisteren 'Goed gedaan, Zoey', voordat ze een slokje nam en me de bokaal teruggaf en op normale toon het standaard 'Wees gezegend' zei zodat iedereen het kon horen.

Opgelucht en behoorlijk trots op mezelf dronk ik het laatste restje wijn op en zette de bokaal terug op de tafel. In omgekeerde volgorde bedankte ik elk element en stuurde ze elk op hun beurt weg terwijl Aphrodite, Erin, Shaunee en Damien hun kaars uitbliezen. Toen beëindigde ik het ritueel met de woorden: 'Dit vollemaansritueel is ten einde. Wees welkom, wel thuis en tot weerziens!'

De halfwassen zeiden in koor: 'Wees welkom, wel thuis en tot weerziens!'

Ik weet nog dat ik stond te grijnzen als een debiel toen Erik een kreet van pijn slaakte en op zijn knieën viel.

22

In tegenstelling tot toen Stevie Rae stervende was, was ik nu niet verdoofd en aarzelde ik niet.

'Nee!' gilde ik, terwijl ik naar Erik rende en naast hem op mijn knieën viel. Hij zat op zijn handen en knieën en kreunde van de pijn; zijn hoofd raakte bijna de vloer. Ik kon zijn gezicht niet zien, maar ik zag wel dat zweet – of misschien zelfs bloed, al rook ik dat nog niet – zijn shirt doorweekte. Ik wist wat nu zou volgen: bloed zou uit zijn ogen, zijn neus en zijn mond stromen en hij zou letterlijk in zijn eigen lichaamsvocht verdrinken. En ja, het zou echt zo gruwelijk zijn als het klonk. Niets kon het tegenhouden. Niets kon daar verandering in brengen. Het enige wat ik kon doen, was er voor hem zijn en hopen dat hij net als Stevie Rae erin zou slagen greep op zijn menselijkheid te houden.

Ik legde mijn hand op zijn bevende schouder. Hij straalde hitte uit, alsof zijn lichaam van binnenuit brandde. Ik keek paniekerig om me heen, op zoek naar hulp. Zoals altijd was Damien er als ik hem nodig had. 'Haal handdoeken en Neferet,' zei ik. Damien rende weg, met Jack op zijn hielen.

Ik richtte mijn aandacht weer op Erik, maar voor ik hem in mijn armen kon nemen, doorsneed de stem van Aphrodite zijn gekreun en de geluiden van de angstig toekijkende menigte halfwassen.

'Zoey, hij is niet stervende.' Ik keek naar haar op; ik vatte niet echt wat ze zei. Ze pakte me bij mijn arm en trok me bij Erik vandaan. Ik stribbelde tegen, maar haar volgende woorden drongen tot me door en ik verstarde. 'Luister naar me! Hij gaat niet dood. Hij Verandert.'

Opeens gilde Erik; zijn lichaam kromde zich naar binnen alsof iets in zijn borst zich naar buiten probeerde te klauwen. Hij had zijn handen tegen zijn gezicht gedrukt en hij beefde heftig. Het was duidelijk dat hij pijn leed en dat er iets heftigs met hem gebeurde. Maar er was geen druppel bloed te zien.

Aphrodite had gelijk. Erik Veranderde in een volwassen vampier.

Jack kwam aanrennen en duwde me een stapel handdoeken in mijn hand. Ik keek naar hem op. Hij huilde zo hartverscheurend dat het snot uit zijn neus liep. Ik stond op en sloeg mijn armen om hem heen.

'Hij gaat niet dood. Hij Verandert.' Mijn stem klonk vreemd, schor en gespannen toen ik Aphrodites woorden herhaalde.

Toen kwam Neferet de zaal binnenstormen, met Damien en een paar krijgers vlak achter haar aan. Ze rende naar Erik. Ik hield haar gezicht nauwlettend in de gaten en werd overspoeld door een duizelingwekkende golf van opluchting toen haar gespannen, bezorgde uitdrukking veranderde en ze plotseling blijdschap uitstraalde. Neferet liet zich elegant naast hem op haar knieën zakken. Ze prevelde iets, zo zacht dat ik niet verstond wat ze zei, en legde voorzichtig haar hand op zijn schouder. Zijn lichaam schokte heftig, één keer, en toen verslapte het. Het beven hield op en ook zijn afschuwelijke gekreun van pijn. Eriks lichaam werd langzaam rustig en hij duwde zich op zijn handen en knieën omhoog. Zijn hoofd was nog gebogen en ik kon zijn gezicht niet zien.

Neferet fluisterde iets tegen hem en hij knikte. Toen kwam ze overeind en richtte ze zich tot ons. Haar glimlach was verbluffend, een en al vreugde en bijna oogverblindend mooi. 'Verheug jullie, halfwassen! Erik Night heeft de Verandering voltooid. Sta op, Erik, en ga met me mee voor je purificatieritueel en het begin van je nieuwe leven!'

Erik stond op en hief zijn hoofd. Mijn adem stokte, net als bij alle anderen. Zijn gezicht was lichtgevend. Alsof iemand binnen in hem het licht had aangeknipt. Hij was natuurlijk al knap, maar alles was nu versterkt. Zijn ogen waren blauwer, zijn dikke haar was wild en zwart en spannend; hij leek zelfs langer. En zijn merkteken was voltooid. De saffierblauwe maansikkel was ingevuld. Rond zijn ogen, langs zijn wenkbrauwen en over zijn scherp afgetekende jukbeenderen liep een prachtig patroon van in elkaar grijpende lussen en het geheel had de vorm van een masker. Het deed me onmiddellijk denken aan het prachtige merkteken van professor Nolan. Ik werd duizelig door de juistheid daarvan.

Eriks blik kruiste de mijne. Zijn volle lippen krulden omhoog in een speciale glimlach voor mij. Ik had het gevoel dat mijn hart uit elkaar zou barsten. Toen hief hij zijn armen boven zijn hoofd en riep met een stem vol kracht en pure blijdschap: 'Ik ben Veranderd!'

Alle halfwassen barstten in gejuich uit, maar behalve Neferet en de vampiers kwam niemand naderbij. Hij verliet op een golf van opwinding en gejubel samen met hen de recreatiezaal.

Ik stond daar alleen maar. Ik voelde me verdoofd en geschokt en behoorlijk misselijk.

'Nu gaan ze hem zalven tot dienaar van de godin,' zei Aphrodite. Ze stond nog steeds naast me en haar stem klonk net zo somber als ik me plotseling voelde. 'Halfwassen weten niet precies wat er tijdens de zalving gebeurt. Dat is een groot vampiergeheim en ze mogen het aan niemand vertellen.' Ze haalde haar schouders op. 'Het zou wat. Op een dag komen we er vanzelf wel achter.'

'Of we gaan dood,' zei ik tussen verdoofde lippen door.

'Of we gaan dood,' beaamde ze. Toen keek ze me aan. 'Gaat het wel goed met je?'

'Ja hoor. Prima,' zei ik automatisch.

'Zeg, Z! Was dat cool of wat?' zei Jack.

'Man, het was ongelooflijk. Ik sta nog steeds te duizelen!' Damien wuifde zichzelf en zijn enorme vocabulaire koelte toe.

'Sjonge! Erik Night sluit zich nu aan bij de andere vampierspetters zoals Brandon Routh, Josh Hartnett en Jake Gyllenhaal,' zei Shaunee.

'En Loren Blake, tweelingzus. Vergeet de ultieme spetter niet,' zei Erin.

'Geen denken aan, tweelingzus,' zei Shaunee.

'Het is te gek cool dat Z's vriendje een vampier is. Ik bedoel een echte,' zei Jack.

Damien deed zijn mond open om iets te zeggen, maar deed hem meteen weer dicht; hij leek niet echt op zijn gemak.

'Wat is er?' vroeg ik.

'Nou ja... eh... nou...' hakkelde hij.

'God, wat is er nou? Voor de dag ermee!' snauwde ik.

Hij kromp ineen bij mijn toon en ik voelde me knap lullig, maar hij gaf wel antwoord. 'Nou, ik weet er niet veel van, maar zodra een halfwas de Verandering heeft voltooid, verlaat hij het Huis van de Nacht en begint hij aan zijn leven als volwassen vampier.'

'Gaat Zoeys vriendje hier weg?' vroeg Jack.

'Langeafstandsrelatie, Z,' zei Erin vlug.

'Ja, jullie vinden er wel iets op. Fluitje van een cent,' zei Shaunee.

Ik keek van de tweeling naar Damien en Jack en als laatste naar Aphrodite.

'Klote,' zei ze. 'Voor jou althans.' Aphrodite trok schouderophalend haar wenkbrauwen op. 'Ik voor mij ben blij dat hij me heeft gedumpt.' Toen zwiepte ze haar haar naar achteren en liep weg in de richting van het eten dat in de ruimte naast de recreatiezaal was klaargezet.

'We mogen haar geen helleveeg meer noemen, maar mag secreet wel?' vroeg Shaunee.

'Hatelijk secreet zou mijn keus zijn, tweelingzus,' zei Erin.

'Nou, ze heeft het mis,' zei Damien koppig. 'Erik is nog steeds je vriendje, ook al is hij nu met vampiergedoe bezig.'

Ze staarden me allemaal aan, dus ik probeerde te glimlachen. 'Ja, dat weet ik. Ik vind het best. Ik moet het alleen even verwerken, dat is alles. Kom op, we gaan iets eten.' Voor ze nog meer geruststellende opmerkingen konden bedenken liep ik weg in de richting van het eten, met mijn vrienden achter me aan, als kuikentjes achter een moedereend.

Het leek een eeuwigheid te duren voordat de Duistere Dochters en Zonen waren uitgegeten en vertrokken, maar toen ik een blik op de klok wierp, zag ik dat ze in feite snel hadden gegeten en al vroeg weggingen. Er was veel opgewonden gepraat over Erik geweest, en ik had geknikt en min of meer gepaste geluidjes gemaakt en geprobeerd te verhullen hoe verdoofd en lullig ik me voelde. Dat iedereen er zo vroeg vandoor ging zag ik als een bewijs van het feit dat ik het er maar bitter slecht van af had gebracht. Eindelijk drong het tot me door dat alleen Jack, Damien en de tweeling nog over waren. Ze waren rustig de etensrestjes aan het opruimen en de afval in zakken aan het stoppen.

'Eh, jongens, dat doe ik wel,' zei ik.

'We zijn bijna klaar, Z,' zei Damien. 'Het enige wat nog opgeruimd moet worden zijn de spullen op de tafel van Nux in het midden van de cirkel.'

'Dat doe ik wel,' zei ik, waarbij ik een poging deed om achteloos over te komen (wat aan hun gezichten te zien mislukte).

'Z, voel je je...'

Ik stak mijn hand op om Damien de mond te snoeren. 'Ik ben moe. Ik ben behoorlijk in de war door wat er met Erik is gebeurd. En eerlijk gezegd heb ik er behoefte aan om even alleen te zijn.'

Het was niet mijn bedoeling geweest om zo krengerig te klinken, maar ik had het punt bereikt dat ik niet meer net kon doen alsof ik vanbinnen niet totaal van de kook was. En ik had liever dat mijn vrienden zouden denken dat ik last had van PMS dan dat ik op het punt van instorten stond. Hogepriesteressen in opleiding stortten niet in. Die pakten de dingen aan. Ik wilde echt niet dat ze zouden weten dat ik helemaal niets aanpakte. 'Dus, jongens... Alsjeblieft?'

'Geen probleem,' zei de tweeling in koor. 'Tot straks, Z.'

'Goed. Ook tot straks dan maar,' zei Damien.

'Dag, Z,' zei Jack.

Ik wachtte tot de deur achter hen dichtging en liep toen langzaam naar het zijvertrek dat als dansstudio en yogaruimte werd gebruikt. In de hoek lag een stapel zachte matten en ik liet me erop vallen. Mijn handen trilden toen ik mijn mobieltje tevoorschijn haalde uit de zak van mijn jurk.

Alles goed met je?

Ik toetste het korte bericht in en stuurde het naar de prepaid telefoon die ik voor Stevie Rae had gekocht. Het leek een eeuwigheid te duren voor ze antwoordde.

Ja

Nog even volhouden, antwoordde ik.

Haast je, sms'te ze terug.

Ja

Ik klapte mijn telefoon dicht, leunde tegen de muur en met het gevoel dat het gewicht van de hele wereld op mijn schouders lag, barstte ik in snikkende, snotterige tranen uit.

Ik huilde en schokte en schokte en huilde. Ik trok mijn knieën op, sloeg mijn armen om mijn benen en drukte ze tegen mijn borst terwijl ik van voor naar achteren wiegde. Ik wist wat me mankeerde. Het verbaasde me eigenlijk dat niemand, zelfs mijn vrienden niet, dat had begrepen.

Ik had gedacht dat Erik doodging en dat had de nacht dat Stevie Rae in mijn armen was gestorven teruggebracht. Het was net of het weer gebeurde: het bloed, het verdriet, de verschrikking. Dat had me volledig overrompeld. Ik bedoel, ik had gedacht dat ik wat Stevie Rae was overkomen had verwerkt. Per slot van rekening was ze niet echt dood.

Ik had mezelf iets wijsgemaakt.

Ik had zo heftig zitten janken dat ik pas merkte dat hij er was toen hij mijn schouder aanraakte. Ik keek op, veegde de tranen uit mijn ogen en probeerde iets geruststellends te bedenken om te zeggen tegen om het even wie van mijn vrienden die was teruggekomen om me te halen.

'Ik voelde dat je me nodig had,' zei Loren.

Ik wierp me snikkend in zijn armen. Hij kwam naast me zitten en trok me op zijn schoot. Hij hield me dicht tegen zich aan, fluisterde lieve woordjes in mijn oor en zei dat alles nu goed zou komen en dat hij me nooit zou loslaten. Toen ik mezelf eindelijk weer onder controle had en mijn snikken overging in gehik, gaf Loren me een van zijn ouderwetse linnen zakdoeken.

'Bedankt,' mompelde ik, terwijl ik mijn neus snoot en mijn gezicht droog veegde. Ik probeerde niet naar mezelf te kijken in de spiegelwand tegenover ons, maar ik kon niet voorkomen dat ik een glimp opving van mijn gezwollen ogen en rode neus. 'O, geweldig. Ik zie er niet uit.'

Loren grinnikte en draaide me om zodat ik met mijn gezicht naar hem toe zat. Hij streek zachtjes mijn haar uit mijn gezicht. 'Je ziet eruit als een godin die door stress en tegenspoed verdrietig is gemaakt.'

Ik voelde ergens in mijn borst een hysterische lach opborrelen. 'Ik geloof niet dat godinnen zichzelf ondersnotteren.'

Hij glimlachte. 'Nou, daar zou ik maar niet zo zeker van zijn.'
Toen werd zijn gezicht ernstig. 'Toen Erik Veranderde dacht je dat
hij doodging, hè?'

Ik knikte, bang dat ik weer in snikken zou uitbarsten als ik iets
zei.

Lorens kaak spande en ontspande zich. 'Ik heb Neferet ik weet
niet hoe vaak gezegd dat alle halfwassen en niet alleen de vijfde-
en zesdeklassers moeten weten hoe de Verandering zich in de
laatste fase manifesteert, zodat ze niet schrikken als ze daar getuige van zijn.'

'Is het echt zo pijnlijk als het lijkt?'

'Het is pijnlijk, maar het is een lekkere pijn, als dat ergens op
slaat. Je kunt het vergelijken met pijnlijke spieren na een zware
training. Ze doen pijn, maar het is geen nare pijn.'

'Het leek me heel wat erger dan pijnlijke spieren,' zei ik.

'Dat valt best mee; het is in feite eerder schokkend dan pijnlijk.
Gevoelens razen door je lichaam en alles wordt overgevoelig.'
Zijn hand streelde de zijkant van mijn gezicht toen hij met zijn
vinger de lijn van mijn merkteken volgde. 'Op een dag zul je het
zelf ervaren.'

'Dat hoop ik echt.'

We deden er allebei even het zwijgen toe; hij bleef mijn gezicht
strelen en volgde nu het merkteken dat de zijkant van mijn hals
sierde. Door zijn aanraking ontspande mijn lichaam en tintelde
het tegelijkertijd.

'Maar er is nog iets wat je dwarszit, hè?' Loren sprak zacht. Zijn
stem was diep en melodieus en hypnotiserend mooi. 'Er is meer
dan louter Eriks Verandering waardoor je aan de dood van je
vriendin terugdacht.'

Toen ik niets zei, boog hij zich naar me toe en kuste me op mijn
voorhoofd, op de maansikkel. Ik huiverde.

'Je kunt het me vertellen, Zoey. Er is al zo veel tussen ons dat je
moet weten dat je me kunt vertrouwen.'

Zijn lippen streken over de mijne. Het zou fijn zijn om Loren over Stevie Rae te vertellen. Hij zou me kunnen helpen en god weet dat ik zijn hulp nodig had. Vooral nu ik min of meer had besloten dat Stevie Rae misschien beter gemaakt kon worden als ik het Nux zou vragen, wat natuurlijk betekende dat er een cirkel geworpen moest worden, en dat betekende dat Damien, de tweeling, Aphrodite en ik naar Stevie Rae moesten of Stevie Rae naar ons. Neferets beschermingsbezwering was een obstakel, maar misschien wist Loren een volwassen-vampier-geheime manier om dat te omzeilen. Ik probeerde naar mijn gevoel te luisteren, probeerde erachter te komen of mijn instinct me nog steeds toeschreeuwde dat ik mijn mond moest houden, maar het enige wat ik voelde waren Lorens handen en lippen.

'Vertel het me,' fluisterde hij met zijn lippen op mijn mond.

'Ik... ik wil niets liever...' fluisterde ik ademloos terug. 'Het is alleen zo ingewikkeld.'

'Laat me je helpen, liefste. Er is niets waar we ons niet samen doorheen kunnen slaan.' Zijn kussen werden langer, heftiger.

Ik wilde het hem vertellen, maar mijn hoofd tolde en ik kon nauwelijks denken, laat staan praten.

'Ik zal je laten zien hoeveel we kunnen delen... hoe volledig we samen één kunnen zijn,' zei hij.

Loren bracht de hand die in mijn haar verstrengeld zat naar zijn borst en gaf een ruk aan zijn shirt; de knoopjes sprongen eraf en zijn borst werd blootgelegd. Toen haalde hij de nagel van zijn duim langzaam over zijn linkerborst. Een scharlakenrode lijn bleef achter. De geur van zijn bloed omhulde me.

'Drink,' zei hij.

Ik kon niet anders. Ik bracht mijn gezicht naar zijn borst en proefde hem. Zijn bloed stroomde door mijn lichaam. Het was anders dan Heath' bloed, minder heet, minder vol van smaak. Maar het was veel krachtiger. Het raasde door me heen en vervulde me met een rood, smachtend verlangen. Ik drukte me tegen zijn lichaam aan, wilde meer en meer.

'Nu is het mijn beurt. Ik wil jou proeven!' zei Loren.

Voor ik besefte wat hij deed had hij mijn jurk uitgetrokken. Ik had geen kans om me druk te maken over het feit dat hij me zag in niet meer dan een bh en slipje, want hij haalde zijn duim over mijn borst. Mijn adem stokte door de scherpe pijn, en toen lagen zijn lippen op mijn borst en dronk hij van mijn bloed, en de pijn maakte plaats voor golven van een dermate intens genot dat ik alleen maar kon kreunen. Al drinkend rukte Loren aan zijn kleren en ik hielp hem. Het enige wat ik wist was dat ik naar hem hunkerde. De wereld bestond uit opwinding en sensatie en verlangen. Zijn handen en mond waren overal en ik kon maar niet genoeg van hem krijgen.

Toen gebeurde het. Zijn hartslag was onder mijn huid en ik voelde mijn polsslag gelijklopen met de zijne. Ik voelde zijn hartstocht vermengd met die van mij en hoorde zijn verlangen razen in mijn hoofd.

En toen hoorde ik ergens achter in mijn verwilderde geest Heath schreeuwen: 'Zoey! Nee!'

Mijn lichaam schokte in Lorens armen. 'Sst,' fluisterde hij. 'Het is oké. Zo is het beter, liefste, veel beter. Een stempelband met een mens is veel te moeilijk en brengt veel te veel problemen met zich mee.'

Ik ademde snel en hijgend. 'Is hij verbroken? Is mijn stempelband met Heath verbroken?'

'Ja. Ons stempel is daarvoor in de plaats gekomen.' Hij draaide zich zo dat ik onder hem lag. 'Laten we het nu voltooien. Laat me de liefde met je bedrijven, schatje.'

'Ja,' fluisterde ik. Mijn lippen vonden Lorens borst weer en terwijl ik van hem dronk, bedreef hij de liefde met me tot onze wereld uiteenspatte in bloed en hartstocht.

23

Ik lag boven op Loren in een verrukkelijke roes van gevoelens. Zijn strelende hand streek keer op keer over de tatoeages op mijn rug.

'Je tatoeages zijn wondermooi. Net als jij,' zei Loren.

Ik slaakte een zucht van geluk en vlijde me tegen hem aan. Ik draaide mijn hoofd om en keek gebiologeerd naar onze weerkaatsing in de spiegelwand. We waren naakt en er zaten vegen bloed op onze intiem verstrengelde lichamen, die deels door mijn lange, zwarte haar waren bedekt. Het fijne patroon van mijn exotische tatoeages liep van mijn gezicht en hals langs mijn gebogen ruggengraat naar mijn onderrug. Door het dunne laagje zweet op mijn lichaam glinsterden ze als saffieren.

Loren had gelijk. Ik was wondermooi. En ook over ons had hij gelijk gehad. Het deed er niet toe dat hij ouder was en een volwassen vampier (en docent op mijn school). Wat wij met elkaar hadden steeg boven dat alles uit. Wat wij hadden was heel speciaal. Specialer dan wat ik voor Erik voelde. Zelfs specialer dan Heath.

Heath...

Het slaperige, voldane gevoel verdween alsof iemand een plens koud water over me had uitgestort. Mijn blik ging van ons spiegelbeeld naar Lorens gezicht. Hij keek naar me; om zijn lippen lag een lichte glimlach. God, hij was zo verdikkems adembenemend dat ik niet kon geloven dat hij van mij was. Toen riep ik mezelf mentaal tot de orde en stelde de vraag waarop ik een antwoord moest hebben. 'Loren, is het echt waar dat mijn stempelband met Heath verbroken is?'

'Ja, dat is echt waar,' zei hij. 'Jij en ik dragen nu elkaars stempel en daardoor is je verbinding met de menselijke jongen verbroken.'

'Maar ik heb het vampiersociologieboek gelezen en daarin stond alleen hoe pijnlijk en moeilijk het is om een stempelband tussen een vampier en een mens te verbreken. Ik begrijp niet hoe het zo makkelijk kan zijn gegaan, en er stond helemaal niets over dat het ene stempel het andere verbreekt.'

Zijn glimlach verbreedde zich en hij gaf me een lieve, zachte kus. 'Je zult erachter komen dat een heleboel vampierzaken niet terug te vinden zijn in de studieboeken.'

Ik voelde me jong en dom en van mijn stuk gebracht, wat hij onmiddellijk aanvoelde.

'Hé, daar bedoelde ik niets mee, hoor. Ik weet nog heel goed hoe verwarrend het was om niet helemaal te begrijpen waarin je Verandert. Dat is normaal. Dat overkomt iedereen. Maar nu heb je mij om je te helpen.'

'Ik vind het gewoon vervelend als ik iets niet weet,' zei ik terwijl ik me weer in zijn armen ontspande.

'Dat weet ik. Ik zal je uitleggen hoe het zit met het verbreken van dat stempel. Jij en de mens hadden een band, maar jij bent geen vampier. Je hebt je Verandering niet voltooid.' Hij zweeg even en voegde er toen overtuigd aan toe: 'Nog niet. Het was dus geen volledig stempel. Toen jij en ik elkaars bloed dronken heeft dat stempel het minder krachtige overweldigd.' Zijn glimlach werd sexy. 'Omdat ik wel een vampier ben.'

'Was het pijnlijk voor Heath?'

Loren haalde zijn schouders op. 'Waarschijnlijk wel, maar de pijn trekt snel weer weg. En uiteindelijk is het beter dat het zo is gegaan. De hele vampierwereld staat binnenkort voor je open, Zoey. Je zult een bijzondere hogepriesteres zijn. In die wereld zal geen plaats zijn voor een mens.'

'Ik weet dat je gelijk hebt,' zei ik, terwijl ik mijn gedachten op een rijtje probeerde te zetten en ik me herinnerde hoe zeker ik eerder die avond had geweten dat ik met Heath moest breken. Het was echt een goed iets dat mijn samenzijn met Loren mijn stempel met Heath had verbroken. Op deze manier was het makkelijker, voor ons allebei. Er viel me iets in en ik zei: 'Het is maar goed dat ik niet tegelijkertijd met jou en Heath een stempelband had.'

'Dat is onmogelijk. Nux heeft ervoor gezorgd dat je maar met één iemand een stempelband kunt hebben. Dat zal wel zijn om te voorkomen dat we een leger van gestempelde, slaafse menselijke volgelingen om ons heen verzamelen.'

Ik schrok evenzeer van zijn sarcastische toon als van wat hij zojuist had gezegd. 'Dat zou nooit bij me zijn opgekomen,' zei ik.

Loren lachte zacht. 'Er zijn heel wat vampiers die dat wel zouden doen.'

'Jij ook?'

'Natuurlijk niet.' Hij kuste me weer en voegde eraan toe: 'Bovendien ben ik overgelukkig met onze stempelband. Ik heb geen behoefte aan andere.'

Zijn woorden brachten me in vervoering. Hij was van mij en ik van hem! Toen verscheen Eriks gezicht voor mijn geestesoog en het geluksgevoel verdween.

'Wat is er?' vroeg hij.

'Erik,' fluisterde ik.

'Je bent van mij!' Lorens stem was hard, net als zijn lippen toen hij me bezitterig kuste en me hartkloppingen bezorgde.

'Ja,' was alles wat ik kon zeggen toen de kus voorbij was. Hij was net een vloedgolf waar ik niet tegen opgewassen was, en ik liet hem Erik bij me vandaan spoelen. 'Ik ben van jou.'

Loren nam me steviger in zijn armen, tilde me voorzichtig een stukje op en veranderde iets van houding zodat hij me in mijn ogen kon kijken. 'Kun je het me nu vertellen?'

'Wat bedoel je?' vroeg ik, hoewel ik eigenlijk wel wist wat hij wilde horen.

'Dat wat je zo van streek heeft gemaakt.'

Mijn maag verkrampte, maar dat negeerde ik en ik nam een besluit. Na wat er zojuist tussen ons was gebeurd, moest ik Loren vertrouwen.

'Stevie Rae is niet gestorven. Dat wil zeggen, niet zoals wij aan doodgaan denken. Ze leeft nog, al is ze wel anders. En ze is niet de enige halfwas die een vermeende dood heeft overleefd. Er is een hele groep, maar die zijn anders dan zij. Stevie Rae heeft haar menselijkheid weten te bewaren. De anderen niet.'

Ik voelde zijn lichaam zich spannen en verwachtte min of meer dat hij zou zeggen dat ik niet goed bij mijn hoofd was, maar hij zei: 'Wat bedoel je? Vertel me alles, Zoey.'

En dat deed ik. Ik vertelde Loren alles: over de 'geesten' die ik had gezien die niet echt geesten bleken te zijn, over hoe de ondode dode halfwassen de footballspelers van Union hadden vermoord en toen over hoe ik Heath had gered. Ten slotte vertelde ik hem over Stevie Rae. Alles over haar.

'Ze zit dus te wachten in Aphrodites garageappartement,' zei hij.

Ik knikte. 'Ja, ze heeft elke dag bloed nodig. Ze heeft niet veel greep meer op haar menselijkheid. Ik ben bang dat als ze geen bloed krijgt, ze net zo wordt als de anderen.' Ik huiverde en hij trok me dichter tegen zich aan.

'Zijn ze zo gruwelijk?' vroeg hij.

'Erger dan je je kunt voorstellen. Ze zijn geen mens en geen vampier. Het is alsof ze in de gruwelijkste stereotypen zijn veranderd van zowel vampiers als mensen. Ze hebben geen ziel, Loren.' Ik zocht zijn blik. 'En ze zijn te ver heen om nog te redden, maar door Stevie Raes affiniteit voor aarde heeft ze een deel van haar ziel weten te behouden, ondanks haar toestand. Ik geloof echt dat ik iets voor Stevie Rae kan doen.'

'Geloof je dat echt?'

De gedachte flitste door mijn hoofd dat het een beetje vreemd was dat hij leek te schrikken toen ik zei dat ik Stevie Rae wilde helpen, terwijl hij zonder meer het feit aanvaardde van het bestaan van ondode dode halfwassen.

'Ja. Ik kan me natuurlijk vergissen, maar ik geloof dat ik alleen maar de krachten van de elementen hoef aan te wenden. Zoals je weet,' – ik zweeg even en verschoof mijn gewicht, terwijl ik me afvroeg of ik niet te zwaar werd – 'heb ik een bijzondere affiniteit voor de vijf elementen. Ik denk dat ik daar gebruik van moet maken.'

'Dat zou misschien werken. Maar je moet niet vergeten dat je krachtige magie aanroept, en daar staat altijd iets tegenover.' Hij sprak langzaam, alsof hij heel goed nadacht over wat hij zei (in tegenstelling tot mij; ik flapte er altijd van alles uit en dan had ik er later spijt van). 'Zoey, hoe is dit gruwelijke met Stevie Rae en de andere halfwassen gebeurd? Wie of wat is daar verantwoordelijk voor?'

Ik wilde net 'Neferet' zeggen, toen *Spreek haar naam niet uit* me een opstopper in mijn maag gaf. Oké, de woorden zelf niet, maar ik wist waardoor ik opeens het gevoel had dat ik moest kotsen. En toen drong plotseling met een schok van verbazing tot me door dat ik niet alles aan Loren had verteld. In mijn relaas over de nacht dat ik Heath had gered van de ondode dode halfwassen en Stevie Rae voor het eerst had gezien, had ik Neferet niet genoemd. Ik had er niet bij stilgestaan. Ik had het niet met opzet gedaan, maar ik had een groot stuk van de puzzel voor hem achtergehouden.

Nux. Het kon niet anders dan dat de godin mijn onderbewustzijn beïnvloedde. Ze wilde niet dat Loren iets te weten kwam over Neferet. Probeerde ze hem te beschermen? Waarschijnlijk...

'Zoey, wat is er?'

'O, niets. Ik zit gewoon te denken. Nee,' stamelde ik, 'ik weet niet hoe het is gebeurd. Wist ik het maar. Ik zou er graag achter willen komen,' voegde ik er haastig aan toe.

'Weet Stevie Rae het niet?'

In mijn maag rinkelde weer een waarschuwend belletje. 'Ze is op het moment niet echt mededeelzaam. Hoezo? Heb je wel eens eerder gehoord over zoiets als dit?'

'Nee, niets wat er ook maar in de verste verte op lijkt.' Hij streek geruststellend over mijn rug. 'Ik dacht alleen dat weten hoe het was gebeurd je zou kunnen helpen het te herstellen.'

Ik keek hem in de ogen en wenste dat het misselijke gevoel in mijn maag zou verdwijnen. 'Je mag het aan niemand vertellen, Loren. Helemaal niemand, zelfs niet aan Neferet.' Ik probeerde hogepriesteresachtig en resoluut over te komen, maar mijn stem trilde en sloeg over.

'Daar hoef je niet bang voor te zijn, liefste! Natuurlijk vertel ik niemand iets.' Loren hield me stevig vast en streelde mijn rug. 'Wie weet het behalve jij en ik nog meer?'

'Niemand.' De leugen kwam zo automatisch dat ik ervan schrok.

'Maar Aphrodite dan? Je zei toch dat Stevie Rae zich schuilhoudt in haar garageappartement?'

'Aphrodite weet het niet. Ik hoorde haar praten met een paar halfwassen en toen vertelde ze dat haar ouders de rest van de winter weg waren. Ze zei dat ze het garageappartement konden gebruiken om te feesten, maar, nou ja, iedereen is een beetje pissig op Aphrodite, dus niemand ging erop in. Zo kwam ik erachter dat het appartement leegstaat, dus heb ik Stevie Rae daar naar binnen gesmokkeld.' Ik had niet bewust besloten om hem niet over Aphrodite te vertellen, maar het scheen dat mijn mond die beslissing al voor me had genomen. Ik kruiste in gedachten mijn vingers en hoopte dat hij niet zou merken dat ik loog.

'Oké, dat is waarschijnlijk maar beter ook. Zoey, je zei dat Stevie Rae niet zichzelf is en niet echt mededeelzaam. Hoe praat je met haar?'

'Nou, ze kan wel praten, maar ze is erg in de war en... en...' stamelde ik, terwijl ik naarstig naar een manier zocht om het uit te leggen zonder te veel te zeggen, 'soms meer dierlijk dan menselijk,' zei ik vaag. 'Ik ben vanavond, vóór Neferets ritueel, nog even bij haar geweest.'

Ik voelde hem knikken. 'Daar kwam je dus vandaan.'

'Ja.' Ik besloot om het niet over Heath te hebben. Alleen al aan hem denken bezorgde me een schuldgevoel. Ons stempel was verbroken, maar in plaats van opgelucht voelde ik me op een vreemde manier leeg.

'Maar hoe weet je dat ze nog steeds veilig en wel in Aphrodites appartement zit?'

Afwezig zei ik: 'Hè? O, ik heb haar een mobieltje gegeven. Ik kan haar bellen of sms'en. Ik heb pas nog contact met haar gehad.' Ik gebaarde naar mijn telefoon, die uit de zak van mijn jurk was gevallen en op de vloer naast onze berg matjes lag. Toen zette ik Heath uit mijn hoofd en concentreerde me op mijn urgentere probleem. 'Ik moet je mogelijk om je hulp vragen.'

'Zeg het maar,' zei hij, terwijl hij voorzichtig mijn haar uit mijn gezicht streek.

'Ik moet of Stevie Rae de school in zien te krijgen of de groep en ik de school uit, naar haar.'

'De groep?'

'Je weet wel, Damien, de tweeling en Aphrodite, zodat we een cirkel kunnen werpen. Ik heb het gevoel dat ik de kracht die ze toevoegen aan hun element nodig zal hebben om Stevie Rae te helpen.'

'Maar je zei dat ze het niet weten van Stevie Rae,' zei hij.

'Dat klopt. Ik zal het hun moeten vertellen, maar daar wil ik mee wachten tot vlak voor de poging die Stevie Rae-toestand te herstellen.' God, wat een debiele manier om het te beschrijven. Ik slaakte hoofdschuddend een zucht. 'Maar ik kan niet zeggen dat ik me erop verheug het hun te vertellen,' zei ik triest, waarmee ik die Stevie Rae-toestand bedoelde plus het feit dat mijn vrienden goed pissig zouden zijn omdat ik belangrijke dingen voor hen verborgen had gehouden.

'Zijn jij en Aphrodite nu vriendinnen?' Loren vroeg het achteloos, met een glimlach en een rukje aan een lange streng van mijn haar, maar door de stempelband voelde ik, net als eerder bij Heath, de verborgen spanning in zijn binnenste. Mijn antwoord was voor hem veel belangrijker dan hij wilde laten merken. Dat verontrustte me, en niet alleen maar omdat mijn maag weer verkrampte en me waarschuwde om mijn mond dicht te houden.

Ik probeerde dus zijn achteloze toon te evenaren. 'Welnee. Aphrodite is afschuwelijk. Maar om de een of andere reden – die het verstand van Damien, de tweeling en mij volledig te boven gaat – heeft Nux haar begunstigd met een affiniteit voor aarde. De cirkel werkt minder goed zonder haar, dus bij gebrek aan beter dulden we haar. We gaan dus niet met elkaar om of zo.'

'Goed. Ik heb horen zeggen dat Aphrodite grote problemen heeft. Je kunt haar beter niet vertrouwen.'

'Dat doe ik ook niet.' Maar terwijl ik het zei, besefte ik dat ik Aphrodite feitelijk wel vertrouwde. Misschien meer nog dan dat ik Loren vertrouwde, aan wie ik zojuist mijn maagdelijkheid was kwijtgeraakt en met wie ik nu een stempelband had. Geweldig. Dat heb ik weer.

'Hé, ontspan je een beetje. Ik merk aan je dat het praten hierover je van streek heeft gemaakt.' Loren streelde mijn wang en ik drukte me automatisch tegen zijn hand aan. Zijn aanraking was wonderbaarlijk. 'Ik ben er nu. We komen er wel uit. We doen één stap tegelijk.'

Ik wilde hem eraan herinneren dat Stevie Rae niet veel tijd had, maar zijn lippen lagen weer op de mijne en het enige waaraan ik kon denken was het heerlijke gevoel van mijn lichaam tegen dat van hem... dat ik zijn polsslag voelde versnellen... dat mijn hartenklop gelijkliep met de zijne. Onze kussen werden heftiger en zijn handen gleden langs mijn lichaam naar beneden. Ik drukte me opgewonden tegen hem aan en dacht aan bloed en aan Loren... Loren... Loren...

Een vreemd verstikt geluid doorbrak de roes van opwinding die me overspoelde. Dromerig draaide ik mijn hoofd om terwijl Loren me kuste op mijn blootliggende keel, en er trok een schok van afgrijzen door mijn lichaam.

Erik stond in de deuropening met een uitdrukking van volslagen ongeloof op zijn gezicht met het pas uitgebreide merkteken.

'Erik, ik...' Ik dook naar voren, griste mijn jurk van de vloer en probeerde me daarmee te bedekken. Maar ik had me er geen zorgen over hoeven maken dat Erik me naakt zag. Met een snelle beweging trok Loren me achter zich en schermde me met zijn lichaam af.

'Je stoort ons.' Lorens prachtige stem was donker van nauwelijks onderdrukte heftigheid. De kracht daarin stootte tegen mijn naakte huid en benam me de adem.

'Ja, dat zie ik,' zei Erik. Zonder nog een woord draaide hij zich om en liep weg.

'O mijn god! O mijn god! Ik kan niet geloven dat dat zojuist is gebeurd!' Ik begroef mijn gloeiende gezicht in mijn handen.

Loren sloeg zijn armen weer om me heen en zijn stem was net zo troostend als zijn aanraking. 'Schatje, het doet er niet toe. Hij zou het toch op een gegeven moment te weten zijn komen.'

'Maar niet zo,' riep ik uit. 'Dat Erik het op deze manier te weten moest komen is te afschuwelijk voor woorden.' Ik hief mijn gezicht op en keek hem aan. 'En nu komt iedereen het te weten. Dat kan niet goed zijn, Loren! Jij bent een docent en ik een halfwas. Zijn daar geen regels tegen? En dan hebben we ook nog een stempel op elkaar gezet.' Toen viel me nog iets afschuwelijks in en ik begon te beven. Stel dat ik uit de Duistere Dochters werd getrapt omdat ik met Loren had liggen vrijen.

'Zoey, liefste, luister naar me.' Loren legde zijn handen op mijn schouders en schudde me zachtjes door elkaar. 'Erik zal tegen niemand iets zeggen.'

'Jawel, dat doet hij wel! Je hebt zijn gezichtsuitdrukking toch gezien? Hij zal echt voor mij zijn mond niet houden.' Hij zou nooit meer iets voor mij doen, helemaal nooit meer.

'Hij zal zijn mond houden omdat ik hem dat ga zeggen.'

Lorens bezorgde uitdrukking was veranderd en hij zag er plotseling net zo gevaarlijk uit als hij had geklonken toen hij tegen Erik zei dat hij ons stoorde. Ik voelde een steek van angst en begon me af te vragen of er meer in Loren schuilde dan hij me liet zien.

'Doe hem geen pijn,' fluisterde ik, zonder me iets aan te trekken van de tranen die over mijn wangen stroomden.

'Ach schatje, wees maar niet bang. Ik zal hem geen pijn doen. Ik ga alleen even met hem praten.' Hij nam me in zijn armen, en hoewel mijn lichaam, mijn hartenklop, elk vezeltje van mijn wezen naar zijn nabijheid verlangde, dwong ik mezelf om me uit zijn armen los te maken. 'Ik moet ervandoor,' zei ik.

'Ja, oké. Ik kan ook maar beter gaan.'

Toen hij me mijn kleren aangaf en we ons aankleedden, zei ik tegen mezelf dat hij alleen maar wegging omdat hij Erik moest zoeken. Maar toch bezorgde het idee om van hem gescheiden te worden me het gevoel dat mijn maag een kuil was waarin een smerige zwarte drab rondkolkte. De snee in mijn borst waar hij mijn bloed had gedronken brandde. En behalve dat deed mijn lichaam ook nog pijn op intieme plekken die nooit eerder pijn hadden gedaan. Ik keek in de spiegelwand. Mijn ogen waren gezwollen en rood. Mijn gezicht was vlekkerig en mijn neus was roze. Mijn haar was een klitterige puinhoop. Ik zag er niet uit, wat me niet verbaasde, aangezien ik me echt klote voelde.

Loren pakte mijn hand en samen liepen we door de lege recreatiezaal. Voor hij de deur opendeed, kuste hij me nog een keer.

'Je ziet er moe uit,' zei hij.

'Dat ben ik ook.' Ik keek naar de klok in de recreatiezaal en schrok toen ik zag dat het pas half drie 's nachts was. Ik had het gevoel dat er in de tijd van een paar luttele uren verscheidene nachten waren verstreken.

'Duik je bed in, liefste,' zei hij. 'Morgen zien we elkaar weer.'

'Hoe dan? Wanneer?'

Hij glimlachte en streelde mijn wang, volgde het pad van mijn tatoeage. 'Wees maar niet bang. We blijven niet lang gescheiden. Ik kom naar je toe nadat we allebei hebben geslapen.' Zijn aanraking voelde warm aan op mijn huid. Ik leunde onwillekeurig tegen hem aan toen zijn vingers mijn tatoeage volgden langs de kromming van mijn hals terwijl hij reciteerde:

'Uit dromen van u verrijs ik
In de eerste zoete slaap van de nacht,
Wanneer de wind zachtjes fluistert,
Met aan de hemel een sterrenpracht
Uit dromen van u verrijs ik
En een geest in mijn voeten
Heeft me – wie zal zeggen hoe – geleid
Naar uw vensterraam, mijn lief!'

Zijn aanraking deed me beven en zijn woorden deden mijn hartslag versnellen en mijn hoofd duizelen. 'Heb jij dat geschreven?' fluisterde ik toen hij mijn hals kuste.

'Nee, dat is van Shelley. Het is bijna niet te geloven dat hij geen vampier was, hè?'

'Ja,' zei ik, zonder echt te luisteren.

Loren grinnikte en omhelsde me. 'Ik kom morgen naar je toe. Dat beloof ik.'

We liepen samen naar buiten, maar hij sloeg de richting van het jongensverblijf in en ik liep langzaam naar het meisjesverblijf.

Er liepen niet veel halfwassen of vampiers rond en daar was ik blij om. Ik wilde op dat moment liever niemand tegenkomen. Het was een donkere, bewolkte nacht en de ouderwetse gaslantaarns verjoegen nauwelijks de duisternis rondom me. Maar dat vond ik niet erg. Ik wilde omhuld zijn door nacht. Op de een of andere manier werkte dat kalmerend op het gevoel dat mijn zenuwen pijnlijk bloot lagen nu ik fysiek van Loren gescheiden was.

Ik was geen maagd meer.

Dat feit trof me plotseling als een vuistslag. Alles was zo snel gebeurd dat ik niet echt de tijd had gehad om daarbij stil te staan, maar ik had het gedaan! Man, ik moest gewoon met Stevie Rae praten. Zelfs de ondode versie van Stevie Rae zou dit willen horen. Zag ik er anders uit? Nee, dat sloeg nergens op. Iedereen wist dat het niet aan iemand te zien was. Dat wil zeggen, normaal gesproken niet. Maar ik was niet bepaald een normale tiener (alsof zoiets echt bestaat). Ik moest mezelf maar even goed bekijken in de spiegel in mijn kamer.

Ik was juist het voetpad op gelopen dat naar de voordeur van het meisjesverblijf voerde en bereidde me voor op wat ik tegen mijn vrienden zou zeggen, die waarschijnlijk voor de tv hingen of zo. Ik kon natuurlijk niets zeggen over Loren en mij, maar ik moest wel een verhaal verzinnen over waarom het uit was met Erik. Of misschien ook niet. Loren ging met hem praten en dus zou Erik waarschijnlijk niets zeggen. Ik zou gewoon kunnen zeggen dat we met elkaar moesten breken vanwege zijn Verandering en het daarbij kunnen laten. Niemand zou het vreemd vinden dat ik te erg van streek was om erover te praten. Ja, dat zou ik doen.

Plotseling bewoog een van de schaduwen onder een geurige ceder, en toen stond hij opeens voor me.

'Waarom, Zoey?' vroeg Erik.

24

Met een verlamd gevoel keek ik naar Erik op. Zijn merkteken was nog steeds verbluffend. Het was uniek en onvoorstelbaar en het maakte hem nog knapper.

'Waarom, Zoey?' vroeg hij nog eens, terwijl ik hem als een sprakeloze debiel aanstaarde.

'Het spijt me zo, Erik!' wist ik eindelijk uit te brengen. 'Ik heb je echt niet willen kwetsen. Ik heb echt niet gewild dat je het op deze manier te weten zou komen.'

'Ja,' zei hij ijzig. 'Te weten komen dat mijn meisje, dat zich tegenover mij altijd zo onschuldig voordeed, in werkelijkheid een slet is, zou geen probleem zijn geweest als je het, weet ik veel, in de schoolkrant had laten zetten. Ja, dat zou stukken beter zijn geweest.'

Ik kromp ineen bij zijn hatelijke toon. 'Ik ben geen slet.'

'Nou, wat ik heb gezien was dan wel een verdomd goede imitatie van een slet en niet van echt te onderscheiden. En ik wist het!' schreeuwde hij. 'Ik wist dat er tussen jullie iets speelde! Maar ik was zo verrekte stom dat ik je geloofde toen je zei dat het niet waar was.' Zijn lach was volslagen gespeend van humor. 'God, wat ben ik een idioot geweest.'

'Erik, we hebben dit echt niet gewild, maar Loren en ik zijn verliefd. We hebben geprobeerd om elkaar uit de weg te gaan, maar dat lukte gewoon niet.'

'Dat meen je niet! Geloof je werkelijk dat die klootzak verliefd op je is?'

'Dat is echt zo.'

Erik schudde zijn hoofd en lachte weer zonder humor. 'Als je dat gelooft, dan ben je nog dommer dan ik. Hij gebruikt je, Zoey. Er is maar één ding wat een man als hij van een meisje als jij wil en dat heeft hij gekregen. Als hij er genoeg van heeft, laat hij je vallen en stort hij zich op de volgende.'

'Dat is niet waar,' zei ik.

Hij ging gewoon door alsof ik niets had gezegd. 'Verdomme, ik ben blij dat ik hier morgen weg ben, al zou ik graag in de buurt zijn als Blake je laat vallen om "Heb ik het niet gezegd?" te zeggen.'

'Je weet niet waar je het over hebt, Erik.'

'Weet je, je zou wel eens gelijk kunnen hebben,' zei hij, op een koude, harde toon die hem als een vreemde deed klinken. 'Ik wist verdomme inderdaad niet waar ik het over had toen ik de hele tijd zei dat jij en ik met elkaar gingen en iedereen zei hoe geweldig je bent en hoe blij ik was dat ik je gevonden had. Ik dacht zelfs dat ik bezig was verliefd op je te worden.'

Mijn maag verkrampte. Zijn woorden voelden aan als dolksteken in mijn hart. 'Ik dacht ook dat ik bezig was verliefd op jou te worden,' zei ik zacht; ik knipperde heftig met mijn ogen om mijn tranen terug te dringen.

'Bullshit!' schreeuwde hij. Hij klonk gemeen, maar ik zag tranen in zijn ogen opwellen. 'Hou op met die spelletjes. En jij vindt Aphrodite een kreng van een snol? Met jou vergeleken is ze verdomme een engel!'

Hij liep achteruit bij me vandaan. 'Erik, wacht. Ik wil niet dat het zo tussen ons eindigt,' zei ik, en ik voelde tranen over mijn wangen stromen.

'Hou op met dat gejank! Dit is wat je hebt gewild. Dit is wat jij en Blake hebben gepland.'

'Nee! Ik heb dit niet gepland!'

Erik schudde zijn hoofd en knipperde heftig met zijn ogen.

'Laat me met rust. Het is voorbij. Ik wil je nooit meer zien.' Toen rende hij weg.

Ik had een gespannen, branderig gevoel in mijn borst en ik kon niet ophouden met huilen. Mijn voeten kwamen in beweging en brachten me naar de enige plek waar ik naartoe kon gaan, de enige persoon die ik wilde zien. Ergens onderweg naar de dichtersruimte hervond ik mijn zelfbeheersing. Oké, niet helemaal, maar ik zag er tenminste normaal genoeg uit om te voorkomen dat als ik iemand tegenkwam (bijvoorbeeld twee vampierkrijgers en een paar halfwassen), die me staande zou houden om me te vragen wat er was. Ik was opgehouden met huilen. Ik had mijn vingers door mijn haar gehaald en het over mijn schouders naar voren getrokken zodat mijn vlekkerige gezicht voor een deel bedekt was.

Ik aarzelde niet toen ik het gebouw bereikte waarin de docenten waren gehuisvest. Ik ademde een keer diep in en uit en deed een schietgebedje dat niemand me zou zien.

Zodra ik binnen was besefte ik dat ik niet bang had hoeven zijn dat iemand me zou zien. De indeling was anders dan in het meisjesverblijf. Er was geen grote gemeenschappelijke ruimte waar vampiers voor de tv hingen. Er was alleen een grote gang met een stenen vloer met aan weerszijden dichte deuren. De trap was rechts van me en ik rende naar boven. Ik wist dat Loren misschien nog niet terug was. Hij was misschien nog op zoek naar Erik. Maar dat maakte niet uit. Ik zou lekker in zijn bed gaan liggen en op hem wachten. Op die manier zou ik tenminste weer min of meer dicht bij hem zijn. Mijn lichaam voelde stijf en onbekend aan toen ik boven aan de trap naar de grote houten deur aan het eind van de gang liep.

Toen ik dichterbij kwam zag ik dat de deur op een kier stond, en ik hoorde Lorens stem door de kier naar buiten sijpelen. Hij lachte. Het geluid streelde mijn huid, trok door de pijn en het verdriet die de scène met Erik bij me hadden opgeroepen. Ik had er goed aan gedaan om naar hem toe te gaan. Ik kon al bijna zijn armen om me heen voelen. Loren zou me vasthouden en me liefste en schatje noemen en tegen me zeggen dat alles goed zou komen. Zijn aanraking zou Eriks pijn en de afschuwelijke dingen die hij had gezegd uitwissen en dan zou ik me niet meer zo ellendig voelen. Ik legde mijn vlakke hand tegen de deur om hem open te duwen en naar binnen te gaan.

Opeens lachte ze, zacht, melodieus en verleidelijk, en mijn wereld stortte in.

Het was Neferet. Ze was daarbinnen met Loren. Dat geluid was onmiskenbaar, die mooie, betoverende lach. Neferets stem was net zo bijzonder als Lorens stem. Toen het lachen ophield dreven haar woorden door de kier tussen de deur en de deurlijst als een giftige mist op me toe.

'Je hebt het goed gedaan, lieveling. Nu weet ik wat zij weet, en alles gaat van een leien dakje. Het zal niet moeilijk zijn om haar nog verder te isoleren. Ik hoop maar dat de rol die jij moet spelen niet al te onprettig voor je is.' Neferets toon was plagerig, maar er klonk een zweem van hardheid in door.

'Ze laat zich makkelijk om de tuin leiden. Een fonkelend cadeautje hier, een complimentje daar, en voilà, ware liefde en het offer van een maagdenvlies aan de god van misleiding en hormonen.' Loren lachte weer. 'Jonge meisjes zijn zo dwaas, zo voorspelbaar makkelijk.'

Zijn woorden doorstaken mijn huid op wel honderd verschillende plaatsen, maar ik dwong mezelf om geruisloos naar voren te gaan zodat ik door de kier naar binnen kon gluren. Ik ving een glimp op van een grote kamer vol luxueuze leren meubels en verlicht door een massa grote kaarsen. Mijn ogen werden onmiddellijk getrokken naar het pièce de résistance van de ruimte: het grote ijzeren bed midden in de kamer. Loren lag achterover op het bed, ondersteund door een berg dikke kussens. Hij was poedelnaakt.

Neferet was gekleed in een lange rode jurk die als een tweede huid om haar volmaakte lichaam zat, met een diepe halsuitsnijding die de bovenkant van haar borsten toonde. Ze liep al pratend op en neer en liet haar gemanicuurde vingers over de ijzeren stang van het voeteneind van Lorens bed glijden.

'Hou haar bezig. Ik zal ervoor zorgen dat haar groepje vrienden haar in de steek laat. Ze is krachtig, maar ze zal nooit gebruik kunnen maken van haar gaven zonder de hulp van haar vrienden terwijl ze achter jou aan hobbelt.' Neferet zweeg even en tikte met een slanke vinger tegen haar kin. 'Weet je, ik keek echt op van het stempel.' Ik zag Lorens lichaam schokken. Neferet glimlachte. 'Wat dacht je dan? Dat ik dat niet aan je zou kunnen ruiken? Je stinkt naar haar bloed en haar bloed stinkt naar jou.'

'Ik begrijp niet hoe dat kon gebeuren,' zei Loren haastig; de duidelijke ergernis in zijn stem dreef dolken in mijn hart en ik voelde het aan gruzelementen vallen. 'Ik heb waarschijnlijk mijn acteervermogen onderschat. Maar ik ben wel opgelucht dat er niets echts tussen ons is. Dat bespaart me de warrige emoties en verbondenheid die met een waar stempel gepaard zouden gaan.' Hij lachte. 'Zoals de band die ze met die menselijke jongen had. Het moet behoorlijk pijnlijk zijn geweest toen die werd verbroken. Vreemd, dat ze een volledig stempel op hem heeft kunnen zetten terwijl ze nog niet eens Veranderd is.'

'Een bewijs te meer van haar krachten!' snauwde Neferet. 'Al laat ze zich voor een uitverkorene absurd makkelijk op een dwaalspoor brengen. En ga er nou niet zogenaamd over zitten klagen dat jullie elkaars stempel dragen. Je weet net zo goed als ik dat dat de seks voor jou des te lekkerder maakt.'

'Nou, ik kan je wel vertellen dat het bepaald niet gelegen kwam toen je de galante Erik er zo snel op uitstuurde om zijn vriendinnetje te zoeken. Had je me niet een paar minuten meer kunnen geven om de klus af te maken?'

'Ik kan je alle tijd geven die je maar wilt. Ik kan zelfs nu meteen weggaan zodat jij je kleine tienerschoothondje kunt zoeken om de klus af te maken.'

Loren ging overeind zitten. Hij boog zich naar voren en pakte Neferets pols vast. 'Kom nou, schatje. Je weet dat ik haar niet echt wil. Wees niet kwaad op me, liefste.'

Neferet bevrijdde zich makkelijk uit zijn greep, maar het gebaar was eerder plagend dan boos. 'Ik ben niet kwaad. Ik ben uitermate tevreden. Doordat jouw stempel Zoeys band met de menselijke jongen heeft verbroken staat ze er nog meer alleen voor. En bovendien is je stempelband met dat grietje niet permanent. Die zal verdwijnen als ze Verandert... of doodgaat,' besloot ze met een gemeen lachje. 'Of zou je liever hebben dat die band niet verdwijnt? Misschien heb je besloten dat je jeugd en naïviteit prefereert boven mij.'

'Nooit, liefste! Ik zal nooit een ander willen dan jou,' zei Loren. 'Ik zal het je bewijzen, schatje. Kom.' Hij schoof snel naar het voeteneind en nam haar in zijn armen. Ik keek toe terwijl zijn handen over haar lichaam zwierven, zoals kort daarvoor bij mij.

Ik drukte mijn hand tegen mijn mond om niet hardop te snikken.

Neferet draaide zich in Lorens armen om en kromde haar rug tegen hem aan terwijl zijn handen haar lichaam streelden. Ze stond met haar gezicht naar de deur. Haar ogen waren dicht en haar lippen gingen uiteen. Ze kreunde van genot en haar ogen gingen langzaam open, bijna slaperig. En toen keek ze me recht aan.

Ik draaide me vliegensvlug om, rende de trap af en stormde het gebouw uit. Ik wilde vluchten. Waar dan ook heen, als het maar heel ver weg was, maar mijn lichaam liet me in de steek. Strompelend liep ik een paar passen bij de deur vandaan. Ik slaagde er maar net in om de schaduwen achter een van de keurig gesnoeide hulststruiken te bereiken voordat ik dubbelsloeg en mijn maaginhoud eruit kotste.

Toen het kokhalzen ophield zette ik me weer in beweging. Mijn geest functioneerde niet goed. Ik was gedesoriënteerd door afschuwelijke gedachten die chaotisch in mijn hoofd rondwervelden. Ik voelde meer dan dat ik dacht en het enige wat ik voelde was pijn.

De pijn vertelde me dat Erik gelijk had gehad, maar dat hij Loren had onderschat. Hij had gedacht dat Loren me alleen maar gebruikte voor seks. Maar Loren had zich helemaal niet tot me aangetrokken gevoeld. Hij had me slechts gebruikt omdat de vrouw naar wie hij verlangde hem daartoe had aangezet. Ik was voor hem niet eens een seksobject. Ik was een klusje. Hij had me alleen maar aangeraakt en me al die dingen... al die heerlijke dingen ingefluisterd in de rol die Neferet hem had opgelegd. Ik betekende helemaal niets voor hem.

Ik smoorde een snik, rukte de diamanten knopjes uit mijn oorlellen en slingerde ze met een kreet zo ver mogelijk bij me vandaan.

'Verdomme, Zoey. Als je genoeg had van die diamantjes, had je dat wel even kunnen zeggen. Ik heb parelknopjes die geweldig zouden staan bij die suffe sneeuwpopketting die Erik je voor je verjaardag heeft gegeven en dan hadden we kunnen ruilen.'

Ik draaide me langzaam om, alsof mijn lichaam in stukken uiteen zou vallen als ik me te snel bewoog. Aphrodite kwam juist het voetpad af dat naar de eetzaal leidde. In haar ene hand had ze een vreemde vrucht en in de andere een flesje Corona.

'Wat nou? Ik vind mango's lekker,' zei ze. 'In het meisjesverblijf liggen ze nooit, maar in de koelkast met fruit in de keuken van de vampiers wel. Ze merken het niet eens als er af en toe een mango verdwijnt, toch?' Toen ik niets zei, vervolgde ze: 'Oké, ik weet dat bier burgerlijk is en ordinair, maar ik vind het toevallig lekker. Zeg, doe me een lol en zeg het nooit tegen mijn moeder. Ze zou een stuip krijgen.' Ze bekeek me eens goed, en ik zag haar ogen groot worden. 'Godallemachtig, Zoey! Wat zie je er besodemieterd uit. Wat is er met je?'

'Niets. Laat me met rust,' zei ik, maar ik herkende mijn eigen stem nauwelijks.

'Oké, wat je wilt. Ga je gang maar en ik bemoei me wel met mijn eigen zaken,' zei ze, en toen ging ze er als een pijl vandoor.

Ik was alleen, precies zoals Neferet had gezegd. Ze lieten me allemaal vallen. En ik verdiende niet beter. Ik had Heath ondraaglijke pijn bezorgd. Ik had Erik gekwetst. Ik had mijn maagdelijkheid weggegeven voor leugens. Hoe had Loren het verwoord? Ik had ware liefde en een maagdenvlies geofferd aan de god van misleiding en hormonen. Geen wonder dat hij poet laureate was. Hij was beslist een woordkunstenaar.

En opeens moest ik rennen. Ik wist niet waarheen. Het enige wat ik wist was dat ik me moest bewegen, razendsnel, omdat anders mijn hoofd uiteen zou spatten. Ik bleef pas staan toen ik geen lucht meer had, en snakkend naar adem leunde ik tegen de stam van een oude eik.

'Zoey? Ben jij dat?'

Ik keek op, knipperend met mijn ogen door de mist van mijn ellende, en zag Darius, de jonge, spetterige krijgerberg. Hij stond boven op de muur die de school omringde en keek me nieuwsgierig aan.

'Maak je het wel goed?' vroeg hij op de eigenaardig archaïsche manier waarop de krijgers allemaal spraken.

'Ja,' wist ik hijgend uit te brengen. 'Ik had zin in een wandeling.'

'Je liep niet te wandelen,' zei hij logisch.

'Het was maar bij wijze van spreken.' Ik ontmoette zijn blik en besloot dat ik het liegen spuugzat was. 'Ik had het gevoel dat mijn hoofd uit elkaar zou spatten, dus heb ik zo hard en zo lang als ik kon gerend. En toen kwam ik hier terecht.'

Darius knikte langzaam. 'Het is een plek van kracht. Het verbaast me niet dat je hierheen werd getrokken.'

'Hierheen?' Knipperend met mijn ogen keek ik om me heen. En toen – o mijn god – drong het tot me door waar ik was. 'Dit is de oostmuur bij de geheime deur.'

'Ja, priesteres, dat klopt. Zelfs de barbaarse mensen bespeurden de kracht en daarom hebben ze het lichaam van professor Nolan hier achtergelaten.' Hij gebaarde over zijn schouder naar de plek aan de andere kant van de muur waar Aphrodite en ik professor Nolan hadden gevonden. Het was ook de plek waar ik Nala had gevonden (liever gezegd, waar zij mij had gevonden), waar ik mijn eerste cirkel had geworpen, waar ik de eerste glimp had opgevangen van wat later de ondode dode halfwassen bleken te zijn en waar ik een beroep had gedaan op de elementen en Nux om de geheugenblokkade te doorbreken die Neferet in mijn geest had opgeworpen.

Het was echt een plaats van kracht. Ik kon bijna niet geloven dat ik dat niet eerder had beseft. Ik had het natuurlijk erg druk gehad met Heath en Erik, en vooral met Loren. Neferet had gelijk, dacht ik, met afschuw vervuld. Ik liet me absurd makkelijk op een dwaalspoor zetten.

'Darius, zou je me hier misschien een poosje alleen kunnen laten? Ik... ik wil graag bidden, en ik hoop dat Nux me een antwoord zal geven als ik maar goed genoeg luister.'

'En dat gaat makkelijker als je alleen bent,' zei hij.

Ik knikte, niet zeker of ik mijn stem kon vertrouwen.

'Ik zal je privacy toestaan, priesteres. Maar dwaal niet te ver van deze plek. Vergeet niet dat Neferet de buitengrens van het terrein heeft betoverd, dus als je door de geheime deur gaat en de grens van haar bezwering overschrijdt, zul je binnen luttele ogenblikken omringd zijn door zonen van Erebus.' Zijn glimlach was ontmoedigend, maar vriendelijk. 'En dat zou het je moeilijk maken om je te concentreren op je gebeden, milady.'

'Daar zal ik aan denken.' Ik probeerde om niet in elkaar te krimpen toen hij me priesteres en milady noemde. Die titels verdiende ik echt niet, geen van beide.

In een vloeiende, ongehaaste beweging sprong hij van de zes meter hoge muur en landde soepel op zijn voeten. Toen groette hij me met zijn vuist op zijn hart, maakte een lichte buiging en verdween geruisloos in de nacht.

Op dat moment besloten mijn benen dat ze me niet meer wilden dragen. Ik plofte neer op het gras aan de voet van de vertrouwde oude eik, trok mijn knieën op tegen mijn borst, sloeg mijn armen om mijn benen en barstte in huilen uit, stilletjes en gestaag.

Ik was vervuld van zelfverwijt. Hoe had ik zo stom kunnen zijn? Hoe had ik me door Lorens leugens kunnen laten overtuigen? Ik had hem echt geloofd. En nu had ik die hufter niet alleen mijn maagdelijkheid geschonken, maar was ik ook nog door een stempel met hem verbonden, wat me tot een dubbel overgehaalde idioot maakte.

Ik verlangde naar oma. Met een verstikte snik stak ik mijn hand in de zak van mijn jurk om mijn mobieltje te pakken. Ik zou oma alles vertellen. Het zou afschuwelijk zijn en onvoorstelbaar gênant, maar toch wist ik dat zij me niet in de steek zou laten of zou veroordelen. Oma zou gewoon van me blijven houden.

Maar mijn verdikkemse telefoon zat niet in mijn zak. Toen herinnerde ik me dat die eruit was gevallen terwijl ik me voor Loren had uitgekleed. Ik was kennelijk vergeten om dat ding op te rapen. Natuurlijk. Ik deed mijn ogen dicht en liet mijn hoofd achterovervallen tegen de ruwe schors van de boom.

Mi-uf-auw!

Nala's warme, natte neus porde tegen mijn wang. Zonder mijn ogen open te doen spreidde ik mijn armen zodat ze op mijn schoot kon springen. Ze legde haar kleine voorpootjes op mijn schouder en duwde haar koppetje in de kromming van mijn hals, heftig spinnend, alsof het geluid me kon dwingen me beter te voelen.

'O, Nala, ik heb er een afschuwelijke puinhoop van gemaakt.' Ik omklemde mijn kat en liet het gesnik mijn schouders schokken.

25

Toen ik voetstappen hoorde naderen, veronderstelde ik dat het Darius was, die terugkwam om te kijken of ik er nog was. Ik probeerde me te beheersen, veegde mijn gezicht droog met mijn mouw en deed mijn best om op te houden met huilen.

'Jezus, Aphrodite, je had gelijk. Ze ziet er echt bescheten uit,' zei Shaunee.

Ik keek op en zag de tweeling op me afkomen, met Aphrodite en Damien vlak achter hen.

'Z, je gezicht zit onder het snot,' zei Erin tegen mij, en toen hoofdschuddend tegen Shaunee: 'Helaas moet ik ook zeggen dat Aphrodite gelijk had.'

'Ik zei het toch,' zei Aphrodite zelfvoldaan.

'Ik vind het niet bepaald delicaat om Aphrodite lof te betuigen omdat ze gelijk had met haar bemerking dat er met Zoey iets ernstig mis is.'

'Damien, ik zou echt willen...' begon Erin.

'... dat je verdomme die ingewikkelde hoogdravende vocabulairebullshit een keer achterwege liet,' maakte Shaunee de zin voor haar af.

'Misschien kunnen jullie eindelijk cesseren en je erbij neerleggen en wellicht een woordenboek kopen?' zei Damien stijfjes.

Ik weet dat het raar klinkt, maar hun gekibbel klonk me als muziek in de oren.

'Jullie vormen een bedroevend reddingsteam,' zei Aphrodite. 'Hier.' Ze gaf me een prop (hopelijk) schone papieren zakdoekjes.

'Ik ben zorgzamer dan jullie met z'n drieën bij elkaar en dat is een regelrechte schande.'

Damien snoof verontwaardigd en duwde de tweeling uit de weg zodat hij naast me op zijn hurken kon gaan zitten. Ik snoot mijn neus en veegde mijn gezicht af voordat ik hem aankeek.

'Er is iets ergs gebeurd, hè?'

Ik knikte.

'Shit. Is er weer iemand dood?' vroeg Erin.

'Nee.' Mijn stem sloeg over en ik schraapte mijn keel en probeerde het opnieuw. Deze keer klonk ik benauwd, maar meer als mezelf. 'Nee, er is niemand dood. Het is heel iets anders.'

'Vooruit, vertel op,' zei Damien, terwijl hij zachtjes op mijn schouder klopte.

'Ja, je weet dat er niet veel is wat we niet met elkaar de baas kunnen,' zei Shaunee.

'Wat je zegt, tweelingzus,' zei Erin.

'Ik krijg kotsneigingen van jullie oenige kuddegedrag,' zei Aphrodite.

'Kop dicht!' zei de tweeling in koor.

Ik keek mijn vrienden om de beurt aan. Hoewel ik het eigenlijk niet wilde, moest ik hun over Loren vertellen. En ook over Stevie Rae. En dat moest ik doen voordat wat Neferet had gezegd uitkwam, voordat mijn leugens en geheimen ze zo woest maakten dat ik ze kwijtraakte.

'Het is een warboel en ingewikkeld en allesbehalve fraai,' zei ik.

'O, je bedoelt net als Aphrodite,' zei Erin.

'Geen probleem. Daar raken we aardig aan gewend,' zei Shaunee.

'Val dood, sukkeliamese tweeling,' zei Aphrodite.

'Als jullie drieën even je kop kunnen houden, kan Zoey misschien vertellen wat er aan de hand is,' zei Damien overdreven geduldig.

'Sorry,' mompelde de tweeling.

Aphrodite rolde alleen met haar ogen.

Ik ademde een keer diep in en uit en deed mijn mond open om een begin te maken met het gruwelijke verhaal, toen Jacks opgewekte stem me onderbrak.

'Oké! Ik heb hem gevonden!'

Jack kwam aanrennen. Zijn vrolijke grijns verflauwde een beetje toen hij me zag, wat bewees dat ik er echt zo beroerd uitzag als ik me voelde. Hij ging snel naast Damien zitten, terwijl Erik op me neerstaarde.

'Vooruit, lieve schat,' zei Damien, terwijl hij me weer op mijn schouder klopte. 'Nu zijn we er allemaal. Vertel ons wat er aan de hand is.'

Ik kon geen woord uitbrengen. Ik kon alleen maar naar Erik staren. Zijn gezicht was een knap, ondoorgrondelijk masker. Dat wil zeggen, tot hij begon te praten, want toen was van zijn gezicht duidelijk walging af te lezen. Zijn diepe, expressieve stem sneerde.

'Wil jij het hun vertellen, "lieve schat", of zal ik het doen?'

Ik wilde iets zeggen. Ik wilde hem toeschreeuwen om op te houden, om me alsjeblieft te vergeven, dat hij gelijk had gehad en ik zo afschuwelijk ongelijk dat ik er doodziek van was. Maar het enige wat uit mijn mond kwam was een gefluisterd 'Nee', zo zacht dat zelfs Damien me waarschijnlijk niet had gehoord. Al snel besefte ik dat het niets had uitgemaakt als ik had geschreeuwd. Erik was gekomen om het me betaald te zetten en hij zou zich door niets laten tegenhouden.

'Prima. Dan vertel ik het wel.' Erik keek mijn vrienden om de beurt aan. 'Onze Z heeft met Loren Blake liggen neuken.'

'Wat?' zei de tweeling in koor.

'Onmogelijk,' zei Damien.

'Bestaat niet,' zei Jack.

Aphrodite zei helemaal niets.

'Het is waar. Ik heb ze gezien. Vandaag. In de recreatiezaal. Je weet wel, toen jullie dachten dat ze zo vreselijk overstuur was omdat ik was Veranderd. Ja, Zoey, ik heb gezien hoe overstuur je was. Zo overstuur dat je Blakes bloed moest opzuigen en hem als een paard moest berijden.'

'Loren Blake?' zei Shaunee; ze klonk volslagen verbijsterd.

'Mr. Goddelijk? De man over wie we het hele semester hebben gezegd dat hij om op te vreten was, dat hij er net zo smakelijk uit- zag als een Dove-chocoladereep?' Terwijl Erin me aankeek met een geschokte, met afschuw vervulde blik zei ze op dezelfde toon als haar tweelingzus: 'Je zult ons wel een stelletje stumpers heb- ben gevonden.'

'Ja, waarom heb je niets gezegd?' zei Shaunee.

'Omdat als Zoey jullie had verteld hoe smoorverliefd ze op el- kaar waren, jullie het misschien niet oké hadden gevonden dat ze mij gebruikte en net deed of wij met elkaar gingen zodat ze stie- kem met Blake kon rotzooien. En waarschijnlijk vond ze het ook leuk om jullie belachelijk te maken,' zei Erik wreed.

'Ik heb je niet gebruikt,' zei ik tegen Erik. Het verbaasde me dat mijn stem opeens zo krachtig klonk. 'En ik heb jullie nooit bela- chelijk gemaakt, dat zweer ik,' zei ik tegen de tweeling.

'Ja, en ze kunnen jou echt op je woord vertrouwen,' zei Erik. 'Ze is een leugenachtige slet. Ze heeft ieder van jullie gebruikt zoals ze ook mij heeft gebruikt.'

'Oké, tijd voor jou om je kop dicht te houden,' zei Aphrodite.

Erik lachte. 'Ja hoor. De ene slet neemt het voor de andere op.'

Aphrodites ogen vernauwden zich en ze hief haar rechterhand. De eikentakken bij Eriks hoofd zwiepten naar beneden en ik hoorde het hout onheilspellend kraken. 'Je wilt me echt niet nog pissiger maken,' zei ze. 'Je beweert dat je zo veel om Zoey geeft, maar je valt haar aan als een schurftige straathond omdat ze je egootje heeft gekwetst. En ik kan bevestigen dat dat verklein- woord niet overdreven is. Je hebt gedaan waarvoor je bent geko- men en nu is het tijd dat je vertrekt.'

Eriks felblauwe ogen flitsten terug naar mij en heel even meende ik de oude Erik daarin te zien, die geweldige vent die bezig was geweest om verliefd op me te worden, maar toen verdrong de pijn in zijn uitdrukking het laatste restje warmte. 'Mij best. Ik ben weg,' zei hij, en hij draaide zich om en vertrok.

Ik keek naar Aphrodite. 'Bedankt,' zei ik.

'Geen dank. Ik weet hoe het is om ergens een grote klotezooi van te maken en dat dan tot in de eeuwigheid aangerekend te krijgen.'

'Heb je het echt met professor Blake gedaan?' vroeg Damien.

Ik knikte.

'Godalle...' zei Shaunee.

'... machtig,' zei Erin.

'Hij is wel heel erg knap,' zei Jack.

Ik ademde een keer diep in en uit en zei toen: 'Loren Blake is godverdomme de grootste klootzak die ik ooit heb gekend.'

'Wauw. Je hebt gevloekt,' zei Aphrodite.

'Hij gebruikte je dus niet alleen maar voor de seks?' vroeg Damien. Hij zat weer zachtjes op mijn schouder te kloppen.

'Niet precies.' Ik zweeg even en streek met mijn hand over mijn gezicht alsof ik op magische wijze de juiste woorden tevoorschijn kon toveren. Het was tijd om hun over Stevie Rae te vertellen. Had ik maar de kans gehad om te oefenen wat ik zou zeggen. Ik keek op en zag dat Aphrodite naar me keek, en ik voelde me idioot blij dat ze er was. Zij kon tenminste mijn verhaal bevestigen en misschien helpen om het Damien en de tweeling te laten begrijpen.

Toen kwam er een vreemd geluid van ergens achter me in de muur. Ik wist eigenlijk niet eens zeker of ik wel echt iets had gehoord tot Damien over mijn schouder keek en zei: 'Wat was dat?'

'De geheime deur,' zei Aphrodite. 'De deur gaat open.'

Een afschuwelijk voorgevoel trok huiverend langs mijn ruggengraat. Ik kwam juist overeind, onder luid geklaag van Nala, en de tweeling keek me met een frons van verwarring aan toen Stevie Raes stem vanaf de andere kant van de opengaande deur op ons toe kwam.

'Zoey? Ik ben het.'

Ik spurtte naar de geheime deur en gilde: 'Nee, Stevie Rae! Blijf aan...'

Maar Stevie Rae fronste naar me en kwam door de geheime deur in de muur rondom de school de campus op. 'Zoey? Ik...' begon ze, maar toen viel haar blik op het groepje dat achter me stond en ze verstarde.

Nala, die naast me op de grond stond, slaakte een woeste kreet, zette een hoge rug op en wilde zich blazend en sissend als een psychokat op Stevie Rae storten. Gelukkig stelden mijn halfwas-reflexen me in staat om haar vast te grijpen voor ze langs me heen was. 'Nala, nee! Het is Stevie Rae maar,' zei ik, worstelend met de dolle kat, terwijl ik mijn best deed om niet gekrabd of gebeten te worden. Stevie Rae was achteruitgedeinsd en zat in elkaar gedoken in de schaduw van de muur. Het enige wat ik duidelijk kon zien was het gloeiende rood van haar ogen.

'Stevie Rae?' Damien klonk verstikt.

Met een 'Gedraag je, Nala!' slingerde ik mijn kat weg zodat ik me op mijn vrienden kon concentreren, maar voor ik me naar hen omdraaide liep ik naar Stevie Rae. Ze rende niet weg, maar ze zag eruit alsof ze er elk moment vandoor kon gaan. En ze zag er akelig uit. Haar gezicht was veel te mager en bleek. Ze had haar krullende blonde haar niet gekamd en het zat vol klitten en was dof. In wezen was het enige wat glansde en gezond leek, haar griezelig gloeiende rode ogen, en ik wist al dat dat geen goed teken was.

'Hoe gaat het met je?' vroeg ik, rustig en zacht.

'Niet goed,' zei ze. Ze wierp een snelle blik over mijn schouder en kromp in elkaar. 'Het is moeilijk om ze weer te zien, vooral nu ik het gevoel heb dat ik het afleg.'

'Je gaat het niet afleggen,' zei ik resoluut. 'Even flink zijn. Ze weten niets over je.'

'Heb je het hun niet verteld?' Stevie Rae keek me aan alsof ik haar een klap in het gezicht had gegeven.

'Lang verhaal,' zei ik vlug. 'Maar waarom ben je eigenlijk hier?' Ze fronste haar voorhoofd. 'Omdat je me een sms'je hebt gestuurd met de boodschap dat we elkaar hier zouden treffen.'

Ik deed mijn ogen dicht tegen een nieuw golf van pijn. Loren. Hij had mijn mobieltje. Hij had Stevie Rae een sms'je gestuurd. Preciezer gezegd, Neferet had dat waarschijnlijk gedaan. Ze had niet geweten dat ik hier zou zijn, maar dankzij Loren had ze wel geweten dat ik mijn vrienden niets over Stevie Rae had verteld. Ze had ook geweten dat Loren geenszins van plan was om ervoor te zorgen dat Erik niemand over Loren en mij zou vertellen. Ze wist dat hij uitzinnig zou zijn en het nieuwtje over Loren en mij wereldkundig zou maken (op z'n minst bij mijn vrienden), en dan was dat geheim geen geheim meer. Als Stevie Rae op de campus werd aangetroffen, werd alweer een van mijn geheimen onthuld. Ik kon mijn vrienden bijna horen denken: hoe kunnen we Zoey ooit nog vertrouwen? En ik voelde dat ze zich steeds verder van me verwijderden.

Twee punten voor Neferet. Nul voor Zoey.

Ik pakte Stevie Raes weerspannige hand vast, en hoewel ik hard moest trekken, sleepte ik haar mee naar waar Damien, de tweeling, Jack en Aphrodite stonden. Vier van de vijf staarden naar Stevie Rae met hun mond open. Ik kon maar beter door de zure appel heen bijten voordat we overspoeld werden door vampier-krijgers en de hele school overal achter kwam en mijn leven om me heen instortte.

'Stevie Rae is niet dood,' zei ik tegen hen.

'Jawel,' zei Stevie Rae.

Ik slaakte een zucht. 'Stevie Rae. Die discussie gaan we niet nog eens aan. Je loopt en je praat. En je hebt een vast lichaam.' Ik stak onze ineengeklemde handen op ter demonstratie. 'Je bent dus niet dood.'

Ergens tijdens mijn discussie met Stevie Rae drong het geluid van gesnik tot me door. Het was de tweeling. Ze staarden nog steeds naar Stevie Rae, maar klemden zich nu aan elkaar vast en huilden als kinderen. Ik begon iets tegen hen te zeggen, maar Damien viel me in de rede.

'Hoe kan dit?' Zijn gezicht was lijkbleek; alle kleur was eruit weggetrokken. Hij deed aarzelend een stap naar voren. 'Hoe is dit mogelijk?'

'Ik ben gestorven,' zei Stevie Rae; haar gezicht was net zo bleek en levenloos als Damiens gezicht. 'Toen werd ik zo wakker, wat, voor het geval je dat nog niet doorhad, niet is zoals ik vroeger was.'

'Je ruikt raar,' zei Jack.

Stevie Rae richtte haar gloeiende ogen op hem. 'En jij ruikt als avondeten.'

'Hou op!' Ik gaf een ruk aan Stevie Raes hand. 'Dit zijn je vrienden. Je moet ze niet bang maken.'

Ze trok haar hand uit mijn greep. 'Dat probeer ik je de hele tijd te vertellen, Zoey. Dit zijn niet mijn vrienden. Jij bent niet mijn vriendin. Niet meer. Niet na wat er met me is gebeurd. Ik weet dat je denkt dat je het kunt herstellen, maar de enige reden dat ik hier vannacht naartoe ben gekomen is om je te zeggen dat het afgelopen moet zijn. Dus maak me beter of laat me met rust zodat ik eindelijk de gruwel kan worden die ik zou moeten zijn.'

'We hebben nu geen tijd. Neferet heeft een bezwering uitgesproken en een beschermend gordijn rondom het schoolterrein opgetrokken. Daardoor komt ze het onmiddellijk te weten als om het even wie of wat, mens, vampier of halfwas, het terrein op komt of verlaat. Jij bent door de barricade heen gebroken, dus nog even en de zonen van Erebus staan voor onze neus. Je kunt maar beter gaan. Ik kom zo snel mogelijk naar je toe en dan kunnen we hier een eind aan maken.'

'Zeg, Zoey, ik spreek je niet graag tegen, om de reden dat dit toch al zo'n klotedag voor je is, maar ik geloof niet dat de krijgers komen, aangezien Neferet niet weet dat Stevie Rae hier is,' zei Aphrodite.

'Hè?' zei ik.

'Aphrodite heeft gelijk,' zei Damien langzaam, alsof zijn hersenen juist ontdooiden en weer begonnen te functioneren. 'Neferet heeft er met haar bezwering voor gezorgd dat ze wordt gewaarschuwd als de buitengrens van de campus wordt doorbroken door om het even welk mens, welke halfwas of vampier. Stevie Rae is geen van drieën, dus de bezwering reageert niet op haar.'

'Wat doet zij hier?' vroeg Stevie Rae, terwijl ze met haar gloeiende rode ogen nijdig naar Aphrodite keek.

Aphrodite rolde met haar ogen, maar ik zag dat ze een paar stappen achteruit deed om meer ruimte te creëren tussen Stevie Rae en zichzelf.

En toen stond de tweeling opeens voor Stevie Rae. Shaunee en Erin huilden nog steeds, maar zachtjes nu, alsof ze het zich niet eens bewust waren.

'Je leeft,' zei Shaunee.

'We hebben je zo vreselijk gemist,' zei Erin.

Ze sloegen hun armen om Stevie Rae heen. Stevie Rae bleef roerloos staan, als een standbeeld van zichzelf. Op een gegeven moment sloot Damien zich bij de omhelzing aan. Stevie Rae ontspande zich niet. Ze sloeg haar armen niet om hen heen. Ze deed haar ogen dicht en verroerde zich niet. En toen zag ik een roodkleurige traan uit haar oog vallen en over haar wang glijden.

26

'Jullie moeten me nu loslaten.' Stevie Raes stem was schor en gespannen en klonk in het geheel niet als de stem die we van haar kenden. Dit had het beoogde effect. Damien en de tweeling lieten haar onmiddellijk los.

'Je ruikt echt raar,' zei Shaunee, die probeerde door haar tranen heen te glimlachen.

'Ja, dat is echt niet lullig bedoeld, hoor,' zei Erin.

'En het maakt ons niets uit,' voegde Damien eraan toe.

'Zeg, leden van de kudde oenen die nog in leven zijn,' riep Aphrodite van onder de grote eik, waar ze zich had teruggetrokken. 'Ik raad jullie aan om een paar stappen bij die ondode dode halfwas vandaan te gaan. Ze bijt.'

'En jij bent een kreng!' snauwde Shaunee.

'Secreet!' zei Erin.

'Wat ze zegt is waar,' zei Stevie Rae. Toen keek ze van Damien en de tweeling naar mij. 'Vertel ze hoe het zit.'

'Stevie Rae heeft een probleem met bloed. Dat moet ze hebben. Anders wordt ze een beetje chagrijnig.'

Onder de boom snoof Aphrodite.

'Vertel ze de waarheid,' zei Stevie Rae.

Ik slaakte een berustende zucht en gaf ze de korte versie van het verhaal. 'Er is een groep halfwassen die zijn gestorven en zo zijn teruggekomen, en daar is zij er één van. Zij hebben vorige maand die Union-footballspelers vermoord. En ze hebben bijna Heath vermoord. Tijdens mijn poging om hem bij hen weg te halen ben ik Stevie Rae tegengekomen. Maar zij is anders dan de anderen. Zíj heeft nog steeds greep op haar menselijkheid.'

'Maar die verzwakt,' zei Aphrodite.

Ik keek haar fronsend aan. 'Ja, zo zou je het kunnen noemen. Dus wat we moeten doen is Stevie Rae beter maken zodat ze weer kan zijn zoals vroeger.'

De tweeling en Damien bleven een hele tijd stil. En toen zei Damien: 'Dit weet je al een maand en je hebt niets tegen ons gezegd?'

'Je hebt ons in de waan gelaten dat Stevie Rae dood was,' zei Shaunee.

'Je deed net of jij ook geloofde dat ze dood was,' zei Erin.

'Stelletje debielen! Ze kon het jullie niet vertellen. Jullie hebben geen idee van de krachten die hier aan het werk zijn,' zei Aphrodite.

'Je klinkt als een slechte sciencefictionfilm,' zei Shaunee.

'Ja, daar trappen we niet in, secreet,' zei Erin.

'Je weet het al een maand en je hebt ons niets verteld,' zei Damien. Deze keer was het geen vraag maar een constatering.

'Aphrodite heeft gelijk,' zei ik. 'Ik kon het jullie niet vertellen. Er waren omstandigheden die dat onmogelijk maakten.' Dat gold nog steeds. Het was beter als ze niet wisten dat Neferet erachter zat, zelfs als dat betekende dat ze mij gingen haten.

'Het kan me niet schelen wat Aphrodite zegt. Wij zijn je vrienden. Je beste vrienden. Je had het ons moeten vertellen,' zei Damien.

'Omstandigheden die dat onmogelijk maakten?' zei Erin. 'Het schijnt dat Aphrodite opeens een deel van die omstandigheden is.'

'Waren er ook omstandigheden die het je onmogelijk maakten om ons over Loren te vertellen?' zei Shaunee. Haar stem klonk behoedzaam. Haar donkere ogen vernauwden zich toen ze me aankeek.

Ik wist niet wat ik moest zeggen. Ik voelde ze van me wegglippen en het ergste van alles was dat ik wist dat ik het verdiende dat ze me de rug toekeerden.

'Hoe kunnen we je nog vertrouwen als je dingen voor ons verborgen houdt?' Zoals gewoonlijk vatte Damien de gevoelens van de hele groep in één simpele zin samen.

'Ik wist dat dit een slecht idee was,' zei Stevie Rae. 'Ik ga ervandoor.'

'Hoezo? Zitten er mensen te wachten om opgegeten te worden, zijn er plekken waar je angst moet zaaien?' zei Aphrodite.

Stevie Rae draaide zich vliegensvlug om en gromde naar haar. 'Misschien moet ik met jou beginnen, helleveeg.'

'Jezus, rustig maar. Het was maar een vraag.' Aphrodite probeerde nonchalant te klinken, maar ik zag de angst in haar ogen.

Ik pakte Stevie Raes hand weer en hield die stevig vast toen ze zich probeerde los te rukken. Zonder acht op haar te slaan keek ik van Damien naar de tweeling. 'Gaan jullie me helpen om haar beter te maken of niet?'

Na een korte aarzeling zei Damien: 'Ik zal je helpen, maar vertrouwen doe ik je niet meer.'

'Dat geldt ook voor ons,' zei de tweeling in koor.

Mijn maag had zich opgerold tot een misselijkmakend hard balletje en ik was het liefst huilend op mijn knieën gevallen om hun te smeken: blijf alsjeblieft mijn vrienden, blijf me alsjeblieft vertrouwen! Maar dat deed ik niet. Dat kon ik niet. Per slot van rekening hadden ze gelijk. In plaats daarvan knikte ik en zei: 'Oké, laten we een cirkel werpen en ervoor zorgen dat ze beter wordt.'

'We hebben geen kaarsen,' zei Damien.

'Die kan ik wel snel gaan halen,' zei Jack. Hij keek me niet eens aan, maar sprak rechtstreeks tegen Damien.

'Nee, daar hebben we geen tijd voor,' zei ik. 'We hebben geen kaarsen nodig. We hebben het vermogen om de elementen te manifesteren. De kaarsen zijn louter ceremonieel.' Ik zweeg even en voegde er toen aan toe: 'Maar ik denk dat het beter is als jij weggaat, Jack. Ik weet niet precies wat er gaat gebeuren en wil niet het risico lopen dat jij gewond raakt.'

'O... oké,' stamelde hij. Hij stak zijn handen in zijn zakken en liep langzaam weg.

'Dus vannacht hebben we lak aan ceremonie,' zei Damien met een harde blik naar mij.

'Ja, vannacht hebben we lak aan een heleboel dingen.' Shaunee keek me aan, met een blik als van een vreemde. Erin zei niets, maar knikte beamend.

Ik klemde mijn kaken op elkaar om te voorkomen dat ik het zou uitschreeuwen van pijn, verdriet en angst. Mijn vrienden waren alles wat ik had. Hoe kon ik me zonder hen handhaven? Hoe moest ik het tegen Neferet opnemen? Hoe moest ik Loren tegemoet treden? Hoe moest ik het verlies van Heath en Erik verwerken?

En toen herinnerde ik me iets wat ik in een van die oude, muffe boeken had gelezen toen ik op zoek was naar het tovermiddel om Stevie Rae beter te maken. Een citaat van een van de hogepriesteressen van de vampier-Amazonen uit een ver verleden dat onder de afbeelding van de indrukwekkende, mooie vrouw stond.

Ze had gezegd: *Een uitverkorene van onze godin zijn is evenzeer smart als een voorrecht.*

Ik begon te begrijpen wat die priesteres van Nux had bedoeld.

'Gaan we het nog doen of hoe zit dat?' riep Aphrodite van onder de boom.

Ik vermande me. 'Ja. Daar ligt het noorden,' zei ik, en ik wees naar Aphrodites boom. 'Neem jullie positie in.' Met mijn hand om Stevie Raes pols geklemd liep ik naar het midden van de cirkel die rondom me vorm aannam.

'Als je me niet loslaat kan ik niet de positie van aarde innemen,' zei Stevie Rae.

Ik keek in haar rode ogen en probeerde een spoor van mijn beste vriendin te vinden, maar ook hier keek een vreemde met kille ogen me aan.

'Jij gaat niet aarde vertegenwoordigen. Jij blijft met mij in het midden,' zei ik.

'Wie gaat dan de cirkel sluiten? Jack is weg, en die is trouwens niet...' Ze brak haar zin af toen haar blik naar de bovenste positie van de cirkel ging en ze Aphrodite daar zag staan. 'Nee!' riep Stevie Rae fel uit. 'Niet zij!'

'O, hou nou toch eens op!' schreeuwde ik. Als antwoord op mijn woede en frustratie brachten de elementen de lucht om me heen in beroering. 'Aphrodite vertegenwoordigt aarde. Het spijt me dat je dat niet zint. Het spijt me dat je haar niet mag. Het spijt me dat er een heleboel dingen zijn waar ik naar het schijnt niets aan kan veranderen. Je zult het gewoon moeten accepteren, zoals ik het moet accepteren. Blijf hier staan en hou je mond zodat we kunnen zien of het werkt.'

Ik wist dat iedereen naar me keek. De tweeling en Damien met de beschuldigende blikken van vreemden, Stevie Rae met woede en haat, hartgrondige haat. Of die alleen op Aphrodite gericht was of op Aphrodite en mij, wist ik niet. Ik wierp een vluchtige blik op Aphrodite. Ze stond op de noordelijke positie en keek behoedzaam ogen naar Stevie Rae.

Geweldig. Echt een prima sfeertje voor godinnenverering.

Ik deed mijn ogen dicht en ademde een paar keer diep in en uit om me te focussen. *Nux, ik weet dat ik er een puinhoop van heb gemaakt, maar ik smeek u mij en mijn vrienden bij te staan. Stevie Rae genezen is belangrijker dan het drama dat tussen ons speelt. Neferet wilde me isoleren met het idee dat ik dan ook afstand zou nemen van u. Maar ik zal me altijd op u blijven verlaten... in u blijven geloven... te allen tijde.*

Toen deed ik mijn ogen open en liep vastberaden naar Damien. Hij groette me doorgaans met een lieve glimlach. Vannacht keek hij me met een vaste blik aan, maar hij had niets liefs of vriendelijks over zich.

'Als hogepriesteres in opleiding voor onze grote godin Nux maak ik gebruik van haar kracht en gezag om het eerste element naar mijn cirkel te roepen: ik roep wind!' Ik sprak met een krachtige, heldere stem en hief mijn armen boven mijn hoofd toen ik de naam van het element uitsprak, en ik was onvoorstelbaar opgelucht toen een krachtige windvlaag rondom Damien en mij wervelde die onze haren optilde en onze kleren deed flapperen. Ik draaide me naar rechts en liep naar Shaunee.

Ik verwachtte niet dat ze me zou verwelkomen en dat deed ze ook niet. Ze keek me met haar donkere, behoedzame ogen zwijgend aan. Ik verdrong de vertwijfeling die haar afwijzing bij me opwekte en riep vuur naar de cirkel.

'Als hogepriesteres in opleiding voor onze grote godin Nux maak ik gebruik van haar kracht en gezag om het tweede element naar mijn cirkel te roepen: ik roep vuur!'

Ik bleef niet staan toen ik de hitte op mijn huid voelde, maar liep snel door naar Erin, die ook niets zei en me afstandelijk aankeek.

'Als hogepriesteres in opleiding voor onze grote godin Nux maak ik gebruik van haar kracht en gezag om het derde element naar mijn cirkel te roepen: ik roep water!'

Ik wendde me af van de geuren van de zee en liep naar Aphrodite. Haar blik was vast toen ze me met een mistroostig lachje aankeek.

'Het voelt echt kut als je vrienden pissig op je zijn, hè?' Ze sprak zacht zodat ik de enige was die haar kon horen.

'Ja,' fluisterde ik terug. 'En het spijt me dat door mijn toedoen jouw vrienden pissig op jou werden.'

'Welnee.' Ze schudde haar hoofd. 'Dat kwam niet door jou, maar door mijn eigen stomme keuzes. Zoals jij nu door jouw stomme keuzes in de knoei zit.'

'Fijn dat je me daaraan herinnert,' zei ik.

'Ik help waar ik kan,' zei Aphrodite. 'Je kunt maar beter op-schieten. Die griezel van een Stevie Rae houdt het niet lang meer vol.'

Ik hoefde niet over mijn schouder naar Stevie Rae te kijken om te weten dat Aphrodite gelijk had. Ik voelde Stevie Raes ruste-loosheid toenemen. Het was net of ze een uitgerekt elastiekje was dat op het punt stond te knappen.

'Als hogepriesteres in opleiding voor onze grote godin Nux maak ik gebruik van haar kracht en gezag om het vierde element naar mijn cirkel te roepen: ik roep aarde!'

De schone, zoete geuren van een lenteweide wervelden rond-om Aphrodite en mij. Ik glimlachte nog steeds toen ik me om-draaide om naar het midden van de cirkel terug te gaan en als laatste geest op te roepen, en Stevie Rae knapte.

'Nee!' Het woord was een bijna onherkenbare snauw van woe-de en vertwijfeling. 'Zij kan niet aarde zijn! Ik ben aarde! Dat is het enige wat er van me over is! Dat laat ik me niet door haar af-nemen!'

Met ontzagwekkende snelheid stortte Stevie Rae zich op Aphro-dite.

'Nee! Stevie Rae, hou op!' riep ik, en ik probeerde Stevie Rae van Aphrodite af te trekken, maar het was net of ik probeerde een marmeren zuil te verplaatsen. Ze was veel te sterk. Aphrodite had gelijk gehad. Stevie Rae was mens noch halfwas noch vampier. Ze was meer, en dat meer betekende gevaarlijker. Ze omklemde Aphrodite in een gruwelijke parodie van een omhelzing. Haar hoektanden flitsten in het maanlicht, en Aphrodite gilde toen Stevie Rae haar tanden in Aphrodites hals zette.

'Help me alsjeblieft!' schreeuwde ik, met een wanhopige blik naar Damien en de tweeling, terwijl ik mijn best deed om Stevie Rae van Aphrodite af te trekken.

'Dat kan ik niet!' schreeuwde Damien terug. 'Ik kan me niet bewegen.'

'Wij ook niet,' zei Shaunee.

Alle drie waren ze door hun element aan de grond genageld. Damien werd door een razende wind tegen de grond gedrukt. Shaunee was omringd door een kooi van vuur. Erin was plotseling omgeven door een bodemloze poel water.

'Je moet de cirkel voltooien!' schreeuwde Damien boven het gegier van de wind uit. 'De hulp inroepen van alle elementen. Dat is de enige manier om haar te redden.'

Ik rende naar het midden van de cirkel. Ik hief mijn armen boven mijn hoofd en voltooide de cirkelwerping. 'Als hogepriesteres in opleiding voor onze grote godin Nux maak ik gebruik van haar kracht en gezag om het vijfde en laatste element naar mijn cirkel te roepen: ik roep geest!'

Kracht golfde door mijn lichaam. Ik klemde mijn kaken op elkaar en probeerde het trillen binnen in mijn lichaam te onderdrukken. Aphrodites gegil werd steeds zwakker, maar daar mocht ik nu niet aan denken. Ik sloot mijn ogen zodat ik me kon concentreren. Toen sprak ik de mij door de godin ingegeven woorden uit die door mijn geest zweefden, als het heerlijke, zekere antwoord op het gebed van een kind. Mijn stem werd magisch versterkt. Ik voelde de woorden vorm krijgen, fonkelen, in de lucht om me heen.

'Wind, blaas weg wat is bezoedeld
Vuur, brand door de duisternis van haat
Water, spoel schoon onbevredigd duivels streven
Aarde, voed haar ziel met verlichte duisternis
Geest, vervul haar en verlos haar van de dood!'

Alsof ik een bal gooide, slingerde ik de knetterende elementaire kracht die ik tussen mijn handen voelde naar Stevie Rae. Op dat moment voelde ik een vertrouwde brandende pijn vanaf de onderkant van mijn ruggengraat tot om mijn middel trekken. Mijn kreet was een echo van die van Stevie Rae.

Ik deed mijn ogen open en zag iets bizars. Aphrodite was tijdens Stevie Raes aanval op de grond gevallen. Stevie Rae zat met haar rug naar me toe en ik kon alleen het gezicht van Aphrodite zien. Ik begreep niet meteen wat er gebeurde. Ze waren omringd door een wervelende gloeiende bal van kracht die werd gevormd door alle vijf de elementen. De twee meisjes waren het ene moment goed zichtbaar en dan weer vaag terwijl het krachtveld om hen heen af en aan verzwakte en verdichtte. Maar ik kon zien dat Stevie Rae Aphrodite niet meer vasthield. Aphrodite klampte zich nu aan Stevie Rae vast en dwong haar te blijven drinken uit de wond in haar hals. Stevie Rae dronk nog steeds Aphrodites bloed, maar ze verzette zich tegen Aphrodites greep en probeerde zich los te rukken.

Ik stoof naar hen toe om ze van elkaar te scheiden, maar toen ik de bal van kracht aanraakte was het net of ik tegen een glazen deur op liep. Ik kon er niet doorheen en ik had geen idee hoe ik hem open moest maken.

'Aphrodite! Laat haar los! Ze probeert te stoppen voordat ze je doodt!' riep ik.

Aphrodites blik ontmoette die van mij. Haar lippen bewogen niet, maar ik hoorde haar stem duidelijk in mijn hoofd. *Nee. Dit is hoe ik alle ellende die ik heb veroorzaakt kan goedmaken. Deze keer ben ik de uitverkorene. Vergeet niet dat ik dit offer uit vrije wil breng.*

Toen rolden Aphrodites ogen naar achteren in haar oogkassen en haar lichaam verslapte, terwijl de adem in een diepe zucht tussen haar glimlachende lippen ontsnapte. Met een afschuwelijke kreet maakte Stevie Rae zich eindelijk los uit Aphrodites greep en zakte ze in elkaar op de grond naast Aphrodites lichaam. De bal van kracht spatte uiteen en verdween in het niets. Ik wist dat de cirkel ook verbroken was. Ik voelde de afwezigheid van de elementen. Ik wist niet wat ik moest doen. Ik leek me niet te kunnen bewegen.

Opeens keek Stevie Rae naar me op. Ze huilde roze tranen en haar ogen waren nog steeds roodachtig. Maar haar gezicht was weer haar eigen gezicht. Nog voor ze sprak, wist ik dat wat het ook was dat Neferet in haar kapot had gemaakt toen ze haar in een lopende, pratende dode had veranderd, was hersteld.

'Ik heb haar vermoord! Ik... ik heb geprobeerd om te stoppen! Ze wilde me niet loslaten en ik kon me niet lostrekken! O, Zoey, het spijt me zo!' snikte ze.

Ik strompelde naar haar toe, terwijl Lorens woorden door mijn hoofd galmden. *Je moet niet vergeten dat je krachtige magie aanroept, en daar staat altijd iets tegenover.* 'Het was jouw schuld niet, Stevie Rae,' zei ik. 'Jij hebt haar niet...'

'Haar gezicht!' Damiens stem kwam van vlak achter me. 'Kijk naar haar merkteken.'

Ik knipperde met mijn ogen en begreep niet echt wat hij bedoelde, en toen stokte mijn adem. Ik had het zo druk gehad met haar in de ogen kijken, zo blij dat ik de oude Stevie Rae weer zag, dat ik het voor de hand liggende niet eens had opgemerkt. De maansikkel midden op haar voorhoofd was ingevuld. Een prachtige tatoeage, een patroon van bloemen met dooreengevlochten lange, sierlijke stelen omlijstte haar ogen en liep langs haar jukbeenderen.

Maar de tatoeages waren niet vampier-saffierblauw. Ze waren het felle rood van vers bloed.

'Waar kijken jullie naar?' vroeg Stevie Rae.

'Kijk zelf maar,' zei Erin. Ze rommelde in haar altijd aanwezige tas, haalde er een make-upspiegeltje uit en gaf het aan Stevie Rae.

'O mijn god!' zei Stevie Rae. 'Wat zou dat betekenen?'

'Het betekent dat je genezen bent. Je bent Veranderd. Maar je bent Veranderd in een nieuw soort vampier,' zei Aphrodite, die zich inspande om overeind te komen.

27

'Jezuschristus!' riep Shaunee schril uit, en ze moest Erins arm vastpakken om te voorkomen dat ze achteroversloeg.

'Je was dood!' zei Erin.

'Ik geloof van niet,' zei Aphrodite. Met haar ene hand wreef ze over haar voorhoofd en met de andere raakte ze voorzichtig de beet in haar hals aan. 'Au! Verdomme, mijn hele lijf doet pijn.'

'Het spijt me echt verschrikkelijk, Aphrodite,' zei Stevie Rae. 'Ik bedoel, ik mag je niet, maar ik zou je echt niet bijten. Nu niet, tenminste.'

'Ja, ja, laat maar zitten,' zei Aphrodite. 'Zit daar maar niet over in. Het maakte allemaal deel uit van Nux' plan, hoe pijnlijk en ongemakkelijk dat ook mag zijn.' Ze kromp weer in elkaar van de pijn in haar hals. 'God, heeft iemand misschien een pleister voor me?'

'Ik heb papieren zakdoekjes bij me. Wacht maar, ik zoek ze even,' zei Erin, die weer in haar tas rommelde.

'Hopelijk heb je ook een schoon exemplaar, tweelingzus. Aphrodite heeft genoeg stress aan haar hoofd zonder ook nog een akelige infectie op te lopen.'

'Jeetje, wat verrekte aardig van jullie,' zei Aphrodite. Ze keek op naar de tweeling met een flauw glimlachje om haar mond en toen kon ik haar goed bekijken.

Mijn maag zakte tot ergens rond mijn enkels.

'Het is weg!' zei ik ademloos.

'O shit! Zoey heeft gelijk,' zei Damien, die naar Aphrodite staarde.

'Wat?' vroeg Aphrodite. 'Wat is weg?'

'Oeps,' zei Shaunee.

'Ja, het is weg,' zei Erin terwijl ze Aphrodite een prop zakdoekjes gaf.

'Waar hebben jullie het in jezusnaam over?' vroeg Aphrodite.

'Hier. Pak aan.' Stevie Rae gaf haar de spiegel. 'Kijk naar je gezicht.'

Aphrodite slaakte duidelijk geërgerd een zucht. 'Oké, ik weet heus wel dat ik er niet bepaald florissant uitzie. Hallo! Stevie Rae heeft me zojuist gebeten. Nieuwsflits: zelfs ik kan er niet altijd perfect uitzien, vooral wanneer...' Zodra ze haar spiegelbeeld zag en zichzelf goed bekeek, stokten Aphrodites woorden alsof er iemand op haar NIET PRATEN-knop had gedrukt. Haar trillende hand ging naar de plek midden op haar voorhoofd waar Nux' merkteken had gezeten. 'Het is verdwenen,' zei ze op een schorre fluistertoon. 'Hoe kan het verdwenen zijn?'

'Ik heb er nog nooit over gehoord dat zoiets kan gebeuren. Het staat in geen enkel boek, helemaal nergens,' zei Damien. 'Als je gemerkt bent, kun je niet zomaar ontmerkt worden.'

'Dat is hoe Stevie Rae werd hersteld.' Aphrodite klonk verdwaasd, en ze bleef steeds maar de lege plek op haar voorhoofd aanraken. 'Nux heeft het mij afgenomen en het aan Stevie Rae gegeven.' Er trok een heftige huivering door Aphrodites lichaam. 'En nu ben ik gewoon weer een mens.' Ze krabbelde overeind en liet de spiegel vallen. 'Ik moet hier weg. Ik hoor hier niet meer thuis.' Ze liep houterig achteruit naar de openstaande geheime deur; haar ogen waren groot en glazig.

'Wacht nou, Aphrodite,' zei ik terwijl ik op haar toe liep. 'Misschien ben je helemaal niet weer een mens. Misschien is dit iets bizars wat met een dag of twee overgaat, en dan komt je merkteken misschien weer terug.'

'Nee! Mijn merkteken is weg. Dat weet ik. Laat me... laat me nou maar met rust!' Toen rende ze snikkend door de deur.

Zodra Aphrodite door de muur rond de school was gerend, begon de lucht te golven en klonk er een geluid alsof iemand iets groots kapot had laten vallen.

Stevie Rae pakte me bij mijn arm. 'Blijf jij maar hier. Ik ga haar wel achterna.'

'Maar jij...'

'Nee, ik ben weer helemaal in orde.' Stevie Rae lachte haar lieve levendige lach naar me. 'Je hebt me hersteld, Z. Maak je geen zorgen. Het komt door mij dat Aphrodite dit is overkomen. Ik ga haar zoeken en me ervan vergewissen dat ze het goed maakt. Dan meld ik me weer.'

Ik hoorde stemmen in de verte, alsof iets groots haastig onze richting uit kwam.

'Dat zijn de krijgers. Ze weten dat er een bres is geslagen in de blokkade om de school,' zei Damien.

'Ga nu!' zei ik tegen Stevie Rae. 'Ik bel je.' Toen voegde ik eraan toe. 'Ik zal je niet sms'en. Nooit. Dus als je een sms-bericht krijgt dan komt dat niet van mij.'

'Okidoki, daar zal ik aan denken,' zei Stevie Rae, en toen grijnsde ze naar ons vieren. 'Tot gauw!' Ze dook door de deur en trok hem achter zich dicht. Het viel me op dat er geen spoor van een waarschuwing was, nog geen rimpel in de lucht, toen ze door de blokkade ging, en ik vroeg me vluchtig af wat dat in jezusnaam kon betekenen.

'Wat doen we hier eigenlijk?' vroeg Damien.

'We zijn hier omdat Erik Zoey heeft gedumpt,' zei Shaunee.

'Ja, ze is helemaal overstuur,' zei Erin.

'Zeg maar niets over Aphrodite of Stevie Rae,' zei ik.

Mijn vrienden keken me aan alsof ik zojuist had gezegd: *misschien kunnen we maar beter niet aan onze ouders vertellen dat we bier hebben zitten zuipen.*

'Zonder gekheid?' zei Shaunee sarcastisch.

'We waren juist van plan om alles eruit te gooien,' zei Erin.

'Ja, want je kunt er per slot van rekening niet op vertrouwen dat wij een geheim bewaren,' zei Damien.

Shit. Ze waren dus nog steeds kwaad op me.

'Wie noemen we als degene die de blokkade heeft doorbroken?' vroeg Damien. Het viel me op dat hij mij helemaal niet aankeek en de vraag zuiver tot de tweeling richtte.

'Aphrodite, natuurlijk, wie anders?' zei Erin.

Voor ik kon protesteren voegde Shaunee eraan toe: 'We zeggen niets over die verdwijntruc van haar merkteken. We zeggen gewoon dat ze samen met ons hiernaartoe is gekomen en dat ze geïrriteerd raakte door Zoeys gesnotter.'

'En zelfmedelijden,' voegde Erin eraan toe.

'En leugens. Dus ging ze ervandoor. Echt typisch iets voor Aphrodite,' besloot Damien.

'Ze kan daardoor in de problemen raken,' zei ik.

'Ja, nou ja, consequenties zijn nou eenmaal niet altijd plezierig,' zei Shaunee.

'Zoals sommigen van heel nabij meemaken,' zei Erin met een scherpe blik naar mij.

Op dat moment kwam een groepje krijgers, aangevoerd door Darius, de open plek op stormen, wapens in de aanslag. Ze zagen er angstaanjagend uit en helemaal klaar om korte metten met wie dan ook te maken (mogelijk met ons).

'Wie heeft de blokkade doorbroken?' blafte Darius.

'Aphrodite!' zeiden we alle vier tegelijkertijd.

Darius gebaarde naar twee van de krijgers. 'Ga haar zoeken,' zei hij. Toen zei hij tegen ons: 'De hogepriesteres heeft de school bijeengeroepen. Jullie worden in de aula verwacht. Ik zal jullie escorteren.'

Zo mak als lammetjes liepen we achter Darius aan. Ik probeerde Damiens blik te vangen, maar hij weigerde me aan te kijken. Net als de tweeling. Het was alsof ik met vreemden liep. Erger, eigenlijk. Vreemden zouden waarschijnlijk op z'n minst glimlachen en groeten. Wat mijn vrienden betrof werd er niet gelachen of gegroet.

We hadden nog maar een paar stappen gedaan toen de eerste pijnscheut me trof. Ik had het gevoel dat iemand een onzichtbaar mes in mijn maag stak. Ik was kotsmisselijk en sloeg kreunend dubbel.

'Zoey? Wat is er?' vroeg Damien.

'Ik weet het niet. Ik...' Ik kon plotseling geen woord meer uitbrengen en tegelijkertijd werd alles om me heen ultrascherp. De pijn in mijn maag leek paddenstoelvormig uit te waaieren en ik wist dat de krijgers me omringden terwijl ik Damiens hand vastpakte. Hoewel hij nog steeds goed pissig was, hield hij me stevig vast, en ik hoorde hem zeggen dat alles goed zou komen.

De pijn schoot van mijn maag naar mijn hart. Was ik stervende? Ik hoestte geen bloed op. Was het een hartaanval? Het was net of ik in de nachtmerrie van een ander was geduwd, waar ik door onzichtbare messen en ongeziene handen werd gemarteld.

De brandende pijn die plotseling door mijn hals trok was echt te veel, en aan de buitenrand van mijn gezichtsveld werd alles zwart. Ik wist dat ik viel, maar de pijn was ondraaglijk. Ik kon er niets tegen doen.. ik was stervende...

Sterke handen vingen me op en ik werd opgetild, en ik was me er vaag van bewust dat Darius me droeg.

Toen was het net of er vanbinnen iets scheurde. Ik gilde het uit van de pijn. Het voelde net of mijn hart uit mijn levende lichaam werd gerukt. Op het moment dat ik wist dat ik het niet meer kon verdragen, hield het op. Even plotseling als de pijn was komen opzetten, verdween die, en ik hijgde en zweette, maar voelde me verder prima.

'Wacht. Stop. Er is niets aan de hand,' zei ik.

'Milady, je hebt afschuwelijke pijn geleden en moet naar de ziekenzaal worden gebracht,' zei Darius.

'Oké. Nee.' Ik was blij om te horen dat mijn stem weer helemaal normaal klonk. Ik timmerde op Darius' gespierde schouder. 'Zet me neer. Ik meen het. Ik voel me weer helemaal beter.'

Darius bleef onwillig staan en zette me voorzichtig neer. Ik voelde me net een scheikunde-experiment, zoals de tweeling, Damien en de andere krijgers me allemaal met open mond aanstaarden.

'Niets aan de hand,' zei ik streng. 'Ik weet niet wat er met me gebeurde, maar het is helemaal over. Echt waar.'

'Je moet eigenlijk naar de ziekenzaal. Nadat de hogepriesteres haar toespraak heeft gehouden komt ze wel naar je toe om te zien hoe het gaat,' zei Darius.

'Nee. Geen sprake van,' zei ik. 'Ze heeft het al druk genoeg. Ze hoeft zich echt geen zorgen te maken over een bizarre kramp of wat dan ook die me... eh... buikpijn bezorgde.'

Darius leek niet echt overtuigd.

Ik stak mijn kin vooruit en slikte mijn laatste restje trots in. 'Ik heb last van darmgassen. Erg vervelend. Vraag maar aan mijn vrienden.'

Darius keek naar de tweeling en Damien.

'Ja, het is wat je noemt een winderige meid,' zei Shaunee.

'Stinkertje, zo noemen we haar altijd,' zei Erin.

'Ze is werkelijk buitengemeen flatulent,' voegde Damien eraan toe.

Oké, ik besefte heel goed dat de troepen zich niet achter me schaarden omdat alles was vergeven en we weer de beste maatjes waren. Ze hadden gewoon een uitstekende gelegenheid aangegrepen om me in verlegenheid te brengen.

God, ik had barstende koppijn.

'Darmgassen, milady?' zei Darius met trillende mondhoeken.

Ik haalde mijn schouders op en hoefde geen moeite te doen om te blozen. 'Darmgassen,' bevestigde ik. 'Kunnen we dan nu alsjeblieft naar de aula gaan? Ik voel me veel beter.'

'Zoals je wilt, milady.' Darius groette eerbiedig.

We veranderden van koers en gingen weer op weg naar de aula.

'Wat was er eigenlijk met je?' fluisterde Damien terwijl hij naast me kwam lopen.

'Ik heb geen flauw idee,' fluisterde ik terug.

'Geen flauw idee,' zei Shaunee zacht.

'Of je weet het maar wilt het ons niet vertellen,' mompelde Erin.

Ik kon niets zeggen. Ik schudde alleen triest mijn hoofd. Dit was helemaal mijn schuld. Ja, ik had goede redenen gehad, althans voor een deel ervan. Maar het was een feit dat ik veel te lang tegen mijn vrienden had gelogen.

Zoals Shaunee zei: consequenties zijn nou eenmaal niet altijd plezierig. Waarop Erin had gezegd dat sommigen dat van heel dichtbij meemaakten. De rest van de weg naar de aula zei niemand iets tegen me. Toen we naar binnen liepen, voegde Jack zich bij ons. Hij keurde me geen blik waardig. We gingen bij elkaar zitten, maar niemand praatte tegen me. Helemaal niemand. De tweeling babbelde met elkaar zoals altijd en speurde met hun blik de ruimte af op zoek naar T.J. en Cole, die hen zowaar eerder in het oog kregen en meteen aan kwamen rennen om naast hen te gaan zitten. Het geflirt dat vervolgens plaatsvond was bijna walgelijk genoeg om omgaan met jongens voorgoed af te zweren. Alsof ik een keus had.

Ik was als laatste binnengekomen en zat op de laatste plaats in de achterste rij. Damien zat voor me met de rest van de groep. Ik hoorde hem fluisterend aan Jack vertellen wat er met Aphrodite en Stevie Rae was gebeurd. Ze zeiden geen van beiden iets tegen mij; ze draaiden niet eens hun hoofd om om me aan te kijken.

Iedereen werd behoorlijk onrustig en het leek alsof we al een eeuwigheid zaten te wachten. Ik vroeg me af wat Neferet nu weer in haar schild voerde. Ik bedoel, ze had per slot van rekening deze grote vergadering bijeengeroepen. Praktisch de hele school was aanwezig, en toch voelde ik me onvoorstelbaar akelig alleen. Ik keek rond om te zien of Erik woedend naar me zat te kijken, maar ik zag hem nergens. Wel zag ik die arme kleine Ian Bowser. Hij zat op de voorste rij. Zijn ogen waren rood en hij zag eruit alsof hij zojuist zijn beste vriend was kwijtgeraakt. Ik wist precies hoe hij zich voelde.

Eindelijk steeg er in de zaal gemompel op, en Neferet kwam de aula binnen. Achter haar liepen een aantal docenten, onder wie Draak Lankford en Lenobia. Omringd door zonen van Erebus schreed ze vorstelijk naar het podium. Iedereen werd stil en oplettend.

Ze verspilde geen tijd maar kwam meteen ter zake. 'We hebben lange tijd in vrede met mensen geleefd, hoewel ze ons decennialang hebben beledigd en gemeden. Ze benijden ons om ons talent en onze schoonheid, onze rijkdom en onze kracht. En hun afgunst is langzaam maar zeker uitgegroeid tot haat. Nu is die haat overgegaan in gewelddadigheid tegenover ons door mensen die zich "godvruchtig" en "rechtschapen" noemen.' Haar lach was koud en prachtig. 'Wat een gruwel.'

Ik moest toegeven dat ze onvoorstelbaar goed was. De menigte hing aan haar lippen. Als ze geen hogepriesteres was geweest, had ze beslist een van de grootste actrices van deze tijd kunnen zijn.

'Het is waar dat er veel meer mensen dan vampiers zijn, en doordat we in de minderheid zijn onderschatten ze ons. Maar ik beloof jullie dit: als ze nog één van onze zusters of broeders vermoorden, dan verklaar ik mensen de oorlog.' Ze moest wachten tot het gejuich van de krijgers stilviel voor ze verder kon gaan, maar dat leek haar niet te storen. 'Het zal geen openlijke oorlog zijn, maar wel een dodelijke en...'

De deuren van de aula werden opengegooid en Darius en twee andere krijgers kwamen de aula binnenstormen en onderbraken Neferet. Iedereen keek zwijgend naar de grimmig kijkende vampiers die naar Neferet liepen. Ik vond Darius er vreemd uitzien. Niet bleek, maar plasticachtig. Alsof zijn gezicht in een levend masker was veranderd.

Neferet liep bij de microfoon vandaan en boog zich voorover zodat hij het nieuws in haar oor kon fluisteren. Toen hij was uitgesproken, richtte ze zich op en nam ze een stijve houding aan waardoor het net leek of ze afschuwelijke pijn leed. Opeens wankelde ze en greep ze met haar ene hand naar haar keel. Draak kwam aangesneld om haar te ondersteunen, maar de priesteres wees zijn hulp af. Langzaam liep ze terug naar de microfoon en met een grafstem zei ze: 'Het lichaam van Loren Blake, onze geliefde vampier-poet laureate, is zojuist gevonden, vastgenageld aan onze toegangspoort.'

Ik voelde Damien en de tweeling naar me staren. Ik drukte mijn hand tegen mijn mond om mijn snik van ontzetting te smoren, zoals ik ook had gedaan toen ik Loren en Neferet samen zag.

'Dat is wat er met je gebeurde,' fluisterde Damien; zijn gezicht was zo bleek dat het bijna grauw was. 'Je had een stempelband met hem, nietwaar?'

Ik kon alleen maar knikken. Mijn volledige aandacht was op Neferet gericht, die nog steeds sprak. 'Loren was van zijn ingewanden ontdaan en toen onthoofd. Net als bij professor Nolan hebben ze een weerzinwekkend Bijbelcitaat op zijn lichaam geprikt. Ditmaal een citaat uit het boek Ezechiël. Het luidde: *Daar aangekomen zullen ze er alle gruwelen en alle afgoden verwijderen.* KOM TOT INKEER. Ze zweeg even en boog haar hoofd, alsof ze bad terwijl ze zich bijeenraapte. Toen rechtte ze haar rug en hief haar gezicht, en haar woede was zo stralend en glorierijk dat zelfs mijn hartslag versnelde.

'Zoals ik juist zei toen dit tragische nieuws ons ter ore kwam, zal het geen openlijke oorlog zijn, maar wel een dodelijke, en we zullen zegevieren. Misschien is de tijd gekomen dat vampiers de plaats in deze wereld innemen die hun toekomt, dat wil zeggen, niet onderworpen aan mensen!'

Ik wist dat ik ging overgeven, dus rende ik de aula uit, blij dat ik aan het eind van de achterste rij zat. Ik wist dat mijn vrienden me niet achterna zouden komen. Ze zouden binnenblijven en met de anderen meejuichen. En ik zou buiten mijn ingewanden eruit kotsen omdat ik diep vanbinnen wist dat oorlog met mensen verkeerd was. Dit was niet de wil van Nux.

Ik hapte naar lucht, ademde diep in en uit en probeerde op te houden met beven. Oké, ik mocht dan weten dat oorlog niet volgens de wil van onze godin was, maar wat kon ik ertegen doen? Ik was nog maar een tiener, en mijn recente daden bewezen dat ik niet bepaald een slimme tiener was. Waarschijnlijk was Nux ook kwaad op me. En terecht.

En toen herinnerde ik me die vertrouwde schroeiende pijn rond mijn middel. Ik keek vluchtig om me heen, vergewiste me ervan dat ik alleen was en tilde mijn jurk op om naar mijn middel te kijken. En daar was het! Mijn prachtige merkteken was uitgebreid en liep nu ook rondom mijn middel. Ik deed mijn ogen dicht. *Dank u, Nux! Dank u dat u me niet in de steek hebt gelaten!*

Ik leunde tegen de muur van de aula en barstte in huilen uit. Ik huilde om Aphrodite en Heath, Erik en Stevie Rae. Ik huilde om Loren. Ik huilde voornamelijk om Loren. Zijn dood had me van de wijs gebracht. Met mijn verstand wist ik dat hij niet van me had gehouden. Dat hij me had gebruikt omdat Neferet had gewild dat hij me in moeilijkheden bracht, maar dat leek voor mijn ziel niets uit te maken. Hem verliezen had aangevoeld alsof hij uit mijn hart werd gerukt. Ik wist dat er iets verkeerds was aan zijn dood, en niet alleen omdat hij door godsdienstige freaks was vermoord. Die freaks waren misschien wel verwanten van mij. Mijn stiefvader kon Lorens dood op zijn geweten hebben.

Zijn dood... Lorens dood...

De klap kwam weer hard aan. Ik weet niet hoe lang ik tegen de muur van de aula heb staan huilen en beven. Het enige wat ik wist, was dat ik evenzeer treurde om de dood van het meisje dat ik vroeger was geweest als om Loren.

'Het is jouw schuld.'

Neferets stem sneed als een mes door me heen. Ik keek op, veegde mijn gezicht af aan mijn mouw en zag haar voor me staan, met rode ogen maar zonder tranen.

Ze maakte me misselijk.

'Iedereen zal denken dat je niet huilt omdat je dapper en sterk bent,' zei ik. 'Maar ik weet dat je niet huilt omdat je geen hart hebt. Je bent niet in staat om genoeg om iemand of iets te geven om te huilen.'

'Je vergist je. Ik hield van hem en hij op zijn beurt aanbad me. Maar dat weet je al, nietwaar? Je bent een achterbaks kreng en hebt ons begluurd,' zei ze. Neferet wierp een vluchtige blik over haar schouder naar de deur en stak haar wijsvinger op, een gebaar waarmee ze zei dat ze nog een minuutje nodig had. Ik zag dat de krijger die op het punt had gestaan naar haar toe te komen, stopte en met zijn rug tegen de deur ging staan. Hij had kennelijk de opdracht gekregen om ervoor te zorgen dat niemand ons zou storen. Gauw keek ze weer naar mij. 'Dat Loren dood is, is jouw schuld. Hij voelde dat je erg overstuur was, en toen de blokkade werd doorbroken dacht hij dat jij dat was, dat je wegvluchtte van de door mij georkestreerde scène tussen jou en die arme geschokte Erik.' Ze zei het met een sarcastisch, spottend lachje. 'Loren is naar buiten gegaan om je te zoeken. En terwijl hij naar jou zocht, werd hij vermoord.'

Ik schudde mijn hoofd en liet mijn woede en afkeer mijn pijn en angst overstemmen. 'Jij bent de oorzaak van alles wat er is gebeurd. Dat weet jij. Dat weet ik. En belangrijkst van alles: dat weet Nux.'

Neferet lachte. 'Je hebt de naam van de godin eerder als dreigement gebruikt, maar hier sta ik, een machtige hogepriesteres, en daar sta jij, een dwaze, domme halfwas die door haar vrienden in de steek is gelaten.'

Ik slikte krampachtig. Ze had gelijk. Zij was machtig en ik was niets. Ik had domme keuzes gemaakt en daardoor was ik het vertrouwen van mijn vrienden kwijtgeraakt. En zij had nog steeds, nou ja, de touwtjes in handen. Ik wist in mijn hart dat Neferet kwaad en haat verhulde, maar zelfs ik kon dat niet zien als ik naar haar keek. Ze was stralend en mooi en krachtig. Ze leek het perfecte toonbeeld van een hogepriesteres, een uitverkorene van een godin. Hoe kon ik zelfs maar denken dat ik ooit tegen haar op zou kunnen?

Opeens voelde ik de wind tegen me aan duwen, de hitte van een zomerdag, de heerlijke koelte van de zeekust, de woeste uitgestrektheid van de aarde en de kracht van mijn geest. Het nieuwe bewijs van Nux' goedkeuring tintelde rond mijn middel toen de woorden van de godin fluisterend uit mijn geheugen naar boven kwamen. *Vergeet niet: duisternis staat niet altijd gelijk aan het kwaad en licht brengt niet altijd het goede.*

Ik rechtte mijn rug. Ik concentreerde me op de vijf elementen, ik hief mijn handen, met de palm naar voren, en zonder Neferet aan te raken, duwde ik. De hogepriesteres werd achterovergeslingerd, struikelde, verloor haar evenwicht en smakte op haar achterste neer. Terwijl verscheidene krijgers de aula uit kwamen rennen om haar overeind te helpen, boog ik me over haar heen, alsof ik wilde zien of ze zich niet had bezeerd, en fluisterde: 'Je kunt er maar beter goed over nadenken voor je mij pissig maakt, oude vrouw.'

'De strijd tussen ons is nog niet gestreden,' beet ze me toe.

'Ik ben het voor de verandering volkomen met je eens,' zei ik.

Toen liep ik achteruit bij haar vandaan en maakte ruimte voor de krijgers en de halfwassen en vampiers die uit de aula kwamen en zich om haar verdrongen. Ik hoorde nog dat ze iedereen geruststelde en zei dat ze een hak had gebroken en was gestruikeld, dat ze niets mankeerde, en toen zag en hoorde ik niets meer door de menigte die haar omringde.

Ik wachtte niet tot de tweeling en Damien naar buiten kwamen en me negeerden. Ik keerde iedereen de rug toe en ging op weg naar het meisjesverblijf. Ik bleef abrupt staan toen Erik uit de schaduwen aan de rand van de aula tevoorschijn kwam. Zijn ogen waren groot van schrik en hij was lijkbleek en overstuur. Ik begreep dat hij getuige was geweest van de scène tussen Neferet en mij. Ik stak mijn kin in de lucht en ontmoette zijn vertrouwde blauwe ogen.

'Ja, er speelt heel wat meer dan jij veronderstelde,' zei ik.

Hij schudde zijn hoofd, meer van verbazing dan van ongeloof. 'Neferet... ze is... ze is...' stamelde hij, met een blik over mijn schouder naar de menigte die nog steeds om de hogepriesteres stond.

'Een duivels secreet? Zijn dat de woorden die je zoekt? Ja, dat is ze.' Het gaf me een goed gevoel om het te zeggen. Vooral tegen Erik. Ik wilde hem meer vertellen, maar zijn volgende woorden weerhielden me daarvan.

'Dit verandert niets aan wat jij hebt gedaan.'

Ik voelde me plotseling alleen maar moe, doodmoe. 'Dat weet ik, Erik.' Zonder nog een woord liep ik weg.

De ochtend begon te gloren en verleende de duisternis de pasteltint van een mistige ochtend. Ik ademde diep in en uit en nam de koelte van de nieuwe dag in me op. Na de confrontaties met Neferet en Erik was er een bizarre rust over me neergedaald, en mijn gedachten ordenden zich als vanzelf in twee keurige kolommen.

Aan de positieve kant: 1. Mijn beste vriendin was niet langer een ondood dood bloeddorstig monster. Ik wist natuurlijk niet precies wat ze dan wel was of waar ze was. 2. Ik had niet langer drie vriendjes met wie ik moest jongleren. 3. Ik had met niemand meer een stempelband, wat ook iets goeds was. 4. Aphrodite was niet dood. 5. Ik had mijn vrienden een heleboel dingen verteld die ik hun al heel lang had willen vertellen. 6. Ik was geen maagd meer.

Aan de negatieve kant: 1. Ik was geen maagd meer. 2. Ik had

geen vriendje meer. Niet één. 3. Ik droeg mogelijk schuld aan de dood van de vampier-poet laureate en zo niet ik, dan mogelijk iemand van mijn familie. 4. Aphrodite was een mens en was daardoor duidelijk in een staat van hysterie geraakt. 5. Mijn vrienden waren pisnijdig op me en vertrouwden me niet meer. 6. Ik moest nog steeds tegen ze liegen omdat ik hun nog steeds niet de waarheid over Neferet kon vertellen. 7. Ik zat midden in een oorlog tussen vampiers (waar ik nog niet bij hoorde) en mensen (waar ik niet meer bij hoorde). Als laatste, maar daarom niet het minste: 8. De machtigste vampier-hogepriesteres van onze tijd was mijn gezworen vijand.

Mi-uf-auw! Nala's mopperige stem waarschuwde me net op tijd dat ik mijn armen moest spreiden voor ze tegen me op sprong.

Ik knuffelde haar. 'Op een dag spring je te vlug en dan val je pats-boem op je gat.' Ik glimlachte. 'Zoals Neferet pats-boem op haar gat viel.'

Nala drukte op haar spinknop en wreef haar koppetje tegen mijn wang.

'Nou, Nala, ik zit diep in de stront. De negatieve dingen in mijn leven wegen veel zwaarder dan de positieve, en weet je wat het gekke is? Ik begin er zowaar aan gewend te raken.' Nala bleef spinnen en ik kuste haar op het witte plekje boven haar neus. 'We staan voor zware tijden, maar ik geloof echt dat Nux mij heeft uitverkoren, wat betekent dat ze me zal bijstaan.' Nala maakte een geërgerd oudevrouwtjeskattengeluidje en ik haastte me om mezelf te verbeteren. 'Ik bedoel ons. Nux zal ons bijstaan.' Ik verschoof Nala in mijn armen zodat ik de deur van het meisjesverblijf kon openmaken. 'Dat Nux mij heeft uitverkoren doet me natuurlijk wel twijfelen aan haar vermogen wijze besluiten te nemen,' mompelde ik, niet helemaal gekscherend.

Geloof in jezelf, dochter, en bereid je voor op wat er staat te gebeuren.

Ik slaakte een gilletje toen de stem van de godin door mijn geest zweefde. Geweldig. *Bereid je voor op wat er staat te gebeuren* klonk niet echt goed. Ik keek naar Nala en slaakte een zucht.

'Weet je nog toen we dachten dat het feit dat ik een kutverjaardag had ons grootste probleem was?'

Nala niesde recht in mijn gezicht, en ik moest lachen terwijl ik 'Getver' zei, mijn kamer in rende en naar de doos tissues op mijn nachtkastje greep.

Zoals gewoonlijk vatte Nala mijn leven perfect samen: best wel gek, best wel weerzinwekkend en een behoorlijke puinhoop.

Dankwoord

Wij bedanken onze geweldige agent, Meredith Bernstein, die het idee opperde voor de vormingsschool voor vampiers.

Zeer veel dank gaat uit naar ons team bij St. Martins: Jennifer Weis, Stefanie Lindskog, Katy Hershberger, Carly Wilkins, en de voortreffelijke marketingafdeling en geniale omslagontwerpers.

Van P.C. Cast: Dank aan al mijn leerlingen die me altijd smeken om in de boeken opgevoerd en vervolgens vermoord te worden. Het blijft lachen met jullie.